JN056600

日建学院

令和**7**年度版

日建学院 編著

測量士補 過去問280

建築資料研究社

はしがき

　毎年 1 万人を超える方々が受験する測量士補試験は，年齢，性別，学歴，実務経験等に関係なく誰でも受験できる国家試験です。将来，測量士として測量のスペシャリストを目指す方（公共測量は測量士や測量士補でないとできません。）や，土地家屋調査士として表示に関する登記の専門家を目指す方（測量士補は，土地家屋調査士の筆記試験午前の部の試験が免除になります。）などの登竜門となっています。

　試験は筆記試験で，試験科目は，①測量に関する法規，②多角測量，③汎地球測位システム測量，④水準測量，⑤地形測量，⑥写真測量，⑦地図編集，⑧応用測量の 8 分野ならびに各専門科目に関連した，技術者として測量業務に従事する上で求められる一般知識（技術者倫理，測量の基準，基礎的数学，地理情報標準等）が出題範囲で，これらの分野から計 28 問の出題があります。

　出題の多くは過去に出題された問題をベースにしたものですから，出題傾向に沿った勉強が合格への近道となります。

　本書は，過去 10 年間に出題された問題をこの 8 分野に分け，さらに項目別に整理してあります。

　本書をマスターすれば必ず合格レベルに達します。正解できなかった問題は解説やヒントを参照して，理解できるまで繰り返し学習してください。

　本書を通じて，受験生の皆様の合格を心よりお祈り申し上げます。

2024 年 9 月吉日
日建学院

本書の構成と利用法

本書は，令和5年3月31日改正，同年4月1日から施行の「作業規程の準則」に対応しています。

ひと目でわかる重要度

重要度の高い順に**Ⓐ Ⓑ Ⓒ**の3段階に分けました。優先順位を考えて取り組みましょう。

重要度 Ⓐ　　　　　　　　　　　出題年度　R06
1. 測量法
チェック▢▢▢▢▢

No. 1　次のa～eの文は，測量法（昭和24年法律第188号）について述べたものである。明らかに間違っているものだけの組合せはどれか。次の1～5の中から選べ。

a．公共測量とは，基本測量以外の測量で，その実施に要する費用の全部又は一部について国又は公共団体が負担して実施する測量をいう。ただし，国又は公共団体からの補助を受けて行う測量を除く。

b．基本測量とは，すべての測量の基礎となる測量であり，国土地理院の行うものをいう。

c．測量計画機関が自ら計画を実施する場合には，測量作業機関となることができる。

d．基本測量の測量成果を使用して基本測量以外の測量を実施しようとする者は，あらかじめ，国土地理院の長の承認を得なければならない。

e．測量計画機関は，公共測量を実施しようとするときは，当該公共測量に関し作業規程を定め，あらかじめ，国土地理院の長の承認を得なければならない。

1．a，c
2．a，e
3．b，d
4．b，e

💡ヒント & 📖参考・別解

必要に応じて，問題を解く上でのヒントや，別の解法を紹介しています。

💡ヒント

2次元空間（平面）において，2点A, Bの位置が座標 (X_A, Y_A), (X_B, Y_B) で与えられているとき，2点間の距離Lは，ピタゴラスの定理を用いて，

$$L = \sqrt{(X_A - X_B)^2 + (Y_A - Y_B)^2}$$

同様に3次元空間において，2点A, Bの位置が座標 (X_A, Y_A, Z_A), (X_B, Y_B, Z_B) で与えられているとき，2点間の距離Lは，

$$L = \sqrt{(X_A - X_B)^2 + (Y_A - Y_B)^2 + (Z_A - Z_B)^2}$$

で与えられる。

正解▶3

📖参考・別解

標尺1の調整量xは，次式により求めることができる。

$$x = \frac{(l + l')}{l} \times \{(b_2 - a_2) - (b_1 - a_1)\}$$

ただし，a_1, b_1 はレベル位置Aでの読定値，a_2, b_2 はレベル位置Bでの読定値である。また a_2, a_1 がレベルが標尺の後方位置Bにある場合にBに近い方の標尺の読定値，b_1, b_2 は遠い方の標尺の読定値である。

$$x = \frac{30\,m + 3\,m}{30\,m} \times \{(1.348\,m - 1.207\,m) - (1.233\,m - 1.112\,m)\}$$

$$= 0.022\,m$$

補正量が0.022mであるから，標尺1の読定値は $b_2 - x$ で求める。

1.348 m − 0.022 m = 1.326 m となる。

出題年度

本試験での出題履歴を表示しています。

本書に掲載した問題で「新作業規程の準則」にあわせて修正した問題については，問題文及び解説等の一部を改題し，「H 27 改」のように出題年度の後に「改」を付けてあります。

■ 解 説 ■

本問は，測量法に関する問題である。

a. **間違い。** 測量法第 5 条本文に，「この法律において「公共測量」とは，基本測量以外の測量で次に掲げるものをいい，」とあり，同条 1 号に「その実施に要する費用の全部又は一部を国又は公共団体が負担し，又は補助して実施する測量」と規定されている。

b. **正しい。** 「この法律において「基本測量」とは，すべての測量の基礎となる測量で，国土地理院の行うものをいう」（作業規程の準則第 4 条）。

c. **正しい。** 「測量計画機関が，自ら計画を実施する場合には，測量作業機関となることができる」（作業規程の準則第 7 条）。

d. **正しい。** 「基本測量の測量成果を使用して基本測量以外の測量を実施しようとする者は，国土交通省令で定めるところにより，あらかじめ，国土地理院の長の承認を得なければならない」（作業規程の準則第 30 条第 1 項）。

e. **間違い。** 「測量計画機関は，公共測量を実施しようとするときは，当該公共測量に関し観測機械の種類，観測法，計算法その他国土交通省令で定める事項を定めた作業規程を定め，あらかじめ，国土交通大臣の承認を得なければならない」（作業規程の準則第 33 条第 1 項）。国土地理院の長ではなく，国土交通大臣の承認が必要である。

したがって，明らかに間違っているものは a，e であり，その組合せは肢 2 である。

正解 ▶ 2

1. 測量法　**3**

第 1 章　測量に関する法規

チェック欄

間違えた問題には×印をつけるなど，セルフチェックとしてご利用ください。

必要かつ十分な解説

各問の解説では，出題の論点を最初に挙げて，各肢ごとに詳細に解説しています。

How to use

目　次

本書には，平成27年～令和6年までの10年分の過去問題を収録しております。

Contents

法改正情報について

　本書は，令和6年8月1日施行中の法令に基づいて編集されています。本書編集時点以降に発生しました法改正等につきましては，ホームページ内でご覧いただけます。

https://www.kskpub.com ➡ 訂正・追録

学習ガイダンス

■ 測量士補について

　測量士補試験は，測量法及び測量法施行令に基づいて行われる国家試験です。測量士補となるのに必要な専門的技術を有するかどうかを判定するために行われ，試験に合格した方には，測量士補となる資格が与えられます。

　また，測量士補試験に合格した方は，土地家屋調査士筆記試験の午前の部の試験が免除になります。難関である土地家屋調査士試験を突破するためには，測量士補試験合格が何よりの近道となっています。

測量士補　本試験受験者数・合格者数

年度	受験者数	合格者数	合格率
令和 6 年度	13,633 人	4,276 人	31.4%
令和 5 年度	13,480 人	4,342 人	32.2%
令和 4 年度	12,556 人	5,540 人	44.1%
令和 3 年度	12,905 人	4,490 人	34.8%
令和 2 年度	10,361 人	3,138 人	30.3%
令和 元 年度	13,764 人	4,924 人	35.8%
平成 30 年度	13,569 人	4,555 人	33.6%
平成 29 年度	14,042 人	6,639 人	47.3%
平成 28 年度	13,278 人	4,767 人	35.9%
平成 27 年度	11,608 人	3,251 人	28.0%

■ 測量士補の受験勉強

1．効率的な受験勉強の方法

　測量士補試験に合格するための効率的な学習方法をお知らせしますので，参考にしてください。

(1) 問題集の繰り返し実施

　測量士補試験の攻略方法としては，「過去問280」の繰り返し実施が最も有効です。初期段階の取り組みとしては，全体像の把握を心掛けてください。なぜなら，問題文には，専門用語や角度・距離等の数値が多く出てきますので，初めて学習する方にはイメージがつかみにくいからです。問題と解説を丁寧に熟読していけば，学習が進むにしたがって「測量」のイメージが深まっていきます。

(2) 計算問題の学習方法

　測量士補試験の出題形式を大別すると，計算問題と文章問題になります。計算問題の学習では，問題を解くときには計算用紙を用意し，図や計算式を鉛筆で書きます。測量士補試験では，電卓等の持込みが禁止されているため，算出すべき数値（角度，距離，補正量など）を問題ごとに確認し，正確な計算ができるように，計算用紙を用いた学習（筆算）を励行してください。

(3) 文章問題の学習方法

　測量士補試験の文章問題は，単純○×判定形式では「～間違っているものはどれか。」という問いが大半です。5つの選択肢のうち4つは正しい文章なのです。また，近年出題数が多くなってきた穴埋め形式の組合せ問題では，専門用語の正確な記憶が必要になります。

　このことから，解説文も含めて正しい文章を何度も丁寧に読み込む学習を続けることで，正確な知識が身につきますし，繰り返し出題されている事項がわかるようにもなります。

2．本試験出題傾向（H27〜R6）

測量士補　本試験出題一覧（H27〜R6）

○＝文章問題　　●＝計算問題

分野	項目	H27	H28	H29	H30	R1	R2	R3	R4	R5	R6	出題数
法規	測量法	○	○	○	○	○	○	○	○	○	○	10
	測量作業の留意事項	○	○	○	○	○	○	○	○	○	○	10
	測量の基礎数学			●	●	●	●	●			●	6
	測量の誤差								●	○		2
GNSS測量	GNSS測量の原理				○	○	○		○	○		5
	GNSS測量の誤差	○	○								○	4
	GNSS測量による基準点測量	○					○					2
	楕円体高	○	○	○	○	○	○	○	○	○	○	10
	基線解析		●	●		○	○	●●	●	●	●	9
多角測量	基準点測量の作業区分	○		○					○	○		5
	基準点測量の留意点						○		○	○	○	4
	セオドライト（TS等）の誤差と消去法		○	○							○	5
	偏心補正								●			1
	高低角の観測		●				●			●	●	4
	光波測距儀の測定誤差		○	●	●	●						4
	方向角の計算				●			●				2
	方向観測法						●					1
	基準点成果情報	○										1
	座標値の計算	●					●				●	3
水準測量	観測作業の留意点	○	○		○	○	○	○	○	○	○●	10
	水準測量の誤差と消去法	○	○	○		○	○	○	○	○●		9
	レベルの点検と調整		○	○●	○	●			●			6
	標尺の補正	●			●		●	●			●	5
	往復観測の較差		●		●		●			●		4
	標高の最確値	●		●			●		●	●		5

分野	項　目	出　題　年　度										出題数
		H27	H28	H29	H30	R1	R2	R3	R4	R5	R6	
写真測量	UAV写真測量（無人航空機ドローン）						○	○	○	○	○	5
	空中写真測量の作業工程		○						○			2
	撮影高度と縮尺	●●	●	●	●		●	●		●		8
	オーバーラップとサイドラップ				●	●					●	3
	比高による写真像のずれ		●	●				●				3
	空中写真の特性	○			○							2
	空中写真測量			○		○		○	○		○	5
	空中写真の判読		○									1
	デジタルステレオ図化機											0
	写真地図の特徴						○			○		2
	写真地図作成	○										1
	航空レーザ測量	○	○	○	○		○		●	○	●	8
地図編集	地図投影法	○	○	○	○	○	○	○	○	○	○	10
	緯度・経度	●				●	●	●	●	●	●	7
	読図と地図記号		○	○	○							3
	地形図図式規程	○	○	○	○	○	○	○	○	○	○	10
	GIS（地理情報システム）	○	○	○	○	○	○	○	○	○	○	10
地形測量	現地測量				○		○	○	○			4
	TSによる等高線描画	●	○●	●	○●	○●	●		○	●	○●	13
	細部測量	○●	○			●			●	●		6
	数値地形図データ			○			●	●	○●	○	○○	8
	車載写真レーザ測量			○		○						2
応用測量	路線測量	○●	○●	○●	●●	●●	●●	○●	●○	○●	○●	20
	河川測量	○	○	○	○	○	○	○	○	○	○	10
	用地測量	●	●	●	●	●	●	●	●	●	●	10

■ 測量士補の受験案内

1. 資格取得までの流れ　令和6年度試験の場合

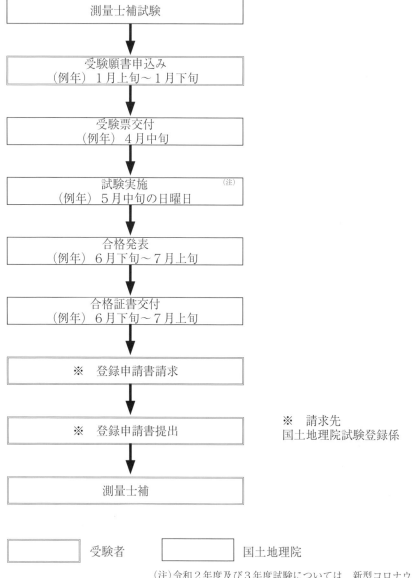

| 測量士補試験 |

↓

| 受験願書申込み
（例年）1月上旬〜1月下旬 |

↓

| 受験票交付
（例年）4月中旬 |

↓

| 試験実施　　　　　(注)
（例年）5月中旬の日曜日 |

↓

| 合格発表
（例年）6月下旬〜7月上旬 |

↓

| 合格証書交付
（例年）6月下旬〜7月上旬 |

↓

| ※　登録申請書請求 |

↓

| ※　登録申請書提出 |

※　請求先
国土地理院試験登録係

↓

| 測量士補 |

☐ 受験者　　　☐ 国土地理院

（注）令和2年度及び3年度試験については，新型コロナウイルス
感染症対策のため大幅にスケジュールが変更になっていま
す。（令和2年度は11月22日実施，3年度は9月12日実施）

２．受験資格，受験願書受付期間・提出先等（令和６年度の例）

（1）受験資格　　年齢，性別，学歴，実務経験などに関係なく受験できます。

（2）受験願書受付期間　　令和６年１月５日〜１月30日

　　　　　　　　　　　　（例年，前年の11月下旬公表）

（3）試験手数料　　書面受付……2,850円（収入印紙による）

（4）受験申込みの手続の提出書類　　受験願書一式，写真等

（5）提出先（願書の請求，受験に関する問合せ先）

　〒305－0811　茨城県つくば市北郷１番

　　　　　　　　　国土地理院 総務部 総務課　　電話　029－864－8214

　　　　　　　※　願書の請求，申込み手続は各自で行ってください。

３．試験実施時期，試験時間，合格発表等（令和６年度の例）

（1）試験日　　　　令和６年５月19日（日）

（2）試験時間　　　午後１時30分〜午後４時30分

（3）試験方法　　　筆記試験（５肢択一 マークシート方式）

（4）合格発表　　　令和６年６月27日（木）

　全受験者あてに試験の結果（合否）が通知されます。

　また，国土地理院のホームページ上に合格者の受験番号，標準的な解答及び合格基準が掲載されます。

４．出題科目

①測量に関する法規　　②多角測量　　③汎地球測位システム測量
④水準測量　　⑤地形測量　　⑥写真測量　　⑦地図編集　　⑧応用測量

※上記の各専門科目に関連して技術者として測量業務に従事する上で求められる

一般知識（技術者倫理，測量の基準，基礎的数学，地理情報標準等）についても出題する。

詳細は試験実施機関である国土地理院のホームページでご確認ください。
（https://www.gsi.go.jp/）

第1章 測量に関する法規

1. 測量法 （No. 1 ～ 10）

2. 測量作業の留意事項 （No. 11 ～ 20）

3. 測量の基礎数学 （No. 21 ～ 26）

4. 測量の誤差 （No. 27 ～ 28）

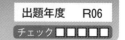
No. 1　次のa〜eの文は，測量法（昭和24年法律第188号）について述べたものである。明らかに間違っているものだけの組合せはどれか。次の1〜5の中から選べ。

a．公共測量とは，基本測量以外の測量で，その実施に要する費用の全部又は一部について国又は公共団体が負担して実施する測量をいう。ただし，国又は公共団体からの補助を受けて行う測量を除く。

b．基本測量とは，すべての測量の基礎となる測量であり，国土地理院の行うものをいう。

c．測量計画機関が自ら計画を実施する場合には，測量作業機関となることができる。

d．基本測量の測量成果を使用して基本測量以外の測量を実施しようとする者は，あらかじめ，国土地理院の長の承認を得なければならない。

e．測量計画機関は，公共測量を実施しようとするときは，当該公共測量に関し作業規程を定め，あらかじめ，国土地理院の長の承認を得なければならない。

1．a，c
2．a，e
3．b，d
4．b，e
5．c，d

本問は，測量法に関する問題である。

a．間違い。測量法第5条本文に，「この法律において「公共測量」とは，基本測量以外の測量で次に掲げるものをいい，」とあり，同条1号に「その実施に要する費用の全部又は一部を国又は公共団体が負担し，又は補助して実施する測量」と規定されている。

b．正しい。「この法律において「基本測量」とは，すべての測量の基礎となる測量で，国土地理院の行うものをいう」（測量法第4条）。

c．正しい。「測量計画機関が，自ら計画を実施する場合には，測量作業機関となることができる」（測量法第7条）。

d．正しい。「基本測量の測量成果を使用して基本測量以外の測量を実施しようとする者は，国土交通省令で定めるところにより，あらかじめ，国土地理院の長の承認を得なければならない」（測量法第30条第1項）。

e．間違い。「測量計画機関は，公共測量を実施しようとするときは，当該公共測量に関し観測機械の種類，観測法，計算法その他国土交通省令で定める事項を定めた作業規程を定め，あらかじめ，国土交通大臣の承認を得なければならない」（測量法第33条第1項）。国土地理院の長ではなく，国土交通大臣の承認が必要である。

したがって，明らかに間違っているものは**a，e**であり，その組合せは**肢2**である。

正解 ▶ 2

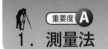

No. 2　　次の文は，測量法（昭和24年法律第188号）に規定された事項について述べたものである。明らかに間違っているものはどれか。次の中から選べ。

1. 測量業とは，基本測量，公共測量又は基本測量及び公共測量以外の測量を請け負う営業をいう。

2. 測量成果とは，当該測量において最終の目的として得た結果をいい，測量記録とは，測量成果を得る過程において得た作業記録をいう。

3. 基本測量の永久標識の汚損その他その効用を害するおそれがある行為を当該永久標識の敷地又はその付近でしようとする者は，理由を記載した書面をもって，国土地理院の長に当該永久標識の移転を請求することができる。この移転に要した費用は，国が負担しなければならない。

4. 公共測量は，基本測量又は公共測量の測量成果に基づいて実施しなければならない。

5. 測量計画機関は，公共測量を実施しようとするときは，あらかじめ，当該公共測量の目的，地域及び期間並びに当該公共測量の精度及び方法を記載した計画書を提出して，国土地理院の長の技術的助言を求めなければならない。

本問は，測量法に規定された事項に関する問題である。

1. **正しい。**測量法第10条の2に，「この法律において「測量業」とは，基本測量，公共測量又は基本測量及び公共測量以外の測量を請け負う営業をいう。」と規定されている。

2. **正しい。**第9条に，「この法律において「測量成果」とは，当該測量において最終の目的として得た結果をいい，「測量記録」とは，測量成果を得る過程において得た作業記録をいう。」と規定されている。

3. **間違い。**第24条1項に，「基本測量の永久標識又は一時標識の汚損その他その効用を害するおそれがある行為を当該永久標識若しくは一時標識の敷地又はその付近でしようとする者は，理由を記載した書面をもって，国土地理院の長に当該永久標識又は一時標識の移転を請求することができる。」と規定されている。

　　また，同条4項に，「前項（3項）の規定による永久標識又は一時標識の移転費用は，移転を請求した者が負担しなければならない。」と規定されている。移転費用は，国の負担ではなく，移転請求者が負担する。

4. **正しい。**第32条に，「公共測量は，基本測量又は公共測量の測量成果に基いて実施しなければならない。」と規定されている。

5. **正しい。**第36条に，「測量計画機関は，公共測量を実施しようとするときは，あらかじめ，当該公共測量の目的，地域及び期間並びに当該公共測量の精度及び方法を記載した計画書を提出して，国土地理院の長の技術的助言を求めなければならない。その計画書を変更しようとするときも，同様とする。」と規定されている。

したがって，**肢3**が間違っている。

正解 ▶ 3

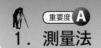
No. 3　　次のa～eの文は，測量法（昭和24年法律第188号）に規定された事項について述べたものである。明らかに間違っているものだけの組合せはどれか。次の中から選べ。

a．「測量」とは，土地の測量をいい，地図の調製や測量用写真の撮影は測量には含まれない。

b．測量計画機関は，公共測量を実施しようとするときは，あらかじめ，当該公共測量の目的，地域及び期間並びに当該公共測量の精度及び方法を記載した計画書を提出して，国土地理院の長の技術的助言を求めなければならない。

c．「基本測量」とは，国土地理院が実施する測量をいうため，測量業者は基本測量を請け負うことはできない。

d．測量士は，測量に関する計画を作製し，又は実施する。測量士補は，測量士の作製した計画に従い測量に従事する。

e．国土地理院の長の承諾を得ないで，基本測量の測量標を移転してはならない。

1．a，c
2．a，d
3．b，d
4．b，e
5．c，e

本問は，測量法に規定された事項に関する問題である。

a．**間違い**。測量法第3条に，「この法律において「測量」とは，土地の測量をいい，地図の調製及び測量用写真の撮影を含むものとする。」と規定されている。したがって，地図の調製や測量用写真の撮影も「測量」に含まれる。

b．**正しい**。第36条に，「測量計画機関は，公共測量を実施しようとするときは，あらかじめ，当該公共測量の目的，地域及び期間並びに当該公共測量の精度及び方法を記載した計画書を提出して，国土地理院の長の技術的助言を求めなければならない。その計画書を変更しようとするときも，同様とする。」と規定されている。

c．**間違い**。第10条の2に，「この法律において「測量業」とは，基本測量，公共測量又は基本測量及び公共測量以外の測量を請け負う営業をいう。」と規定されている。したがって，測量業者は，国土地理院の実施する基本測量を請け負うことができる。

d．**正しい**。第48条2項に，「測量士は，測量に関する計画を作製し，又は実施する。」，また，第48条3項に，「測量士補は，測量士の作製した計画に従い測量に従事する。」と規定されている。

e．**正しい**。第22条に，「何人も国土地理院の長の承諾を得ないで，基本測量の測量標を移転し，汚損し，その他その効用を害する行為をしてはならない。」と規定されている。

したがって，明らかに間違っているものは**a，c**であり，その組合せは**肢1**である。

正解 ▶ **1**

 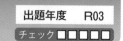

重要度 **A**

1. 測量法

No. 4　　　次のa～eの文は，測量法（昭和24年法律第188号）に規定された事項について述べたものである。明らかに間違っているものだけの組合せはどれか。次の中から選べ。

a．公共測量は，基本測量又は公共測量の測量成果に基いて実施しなければならない。

b．「基本測量及び公共測量以外の測量」とは，基本測量及び公共測量を除くすべての測量をいう。ただし，建物に関する測量その他の局地的測量及び小縮尺図の調製その他の高度の精度を必要としない測量は除く。

c．基本測量以外の測量を実施しようとする者は，国土地理院の長の承認を得て，基本測量の測量標を使用することができる。

d．「基本測量及び公共測量以外の測量」を計画する者は，測量計画機関である。

e．「測量記録」とは，当該測量において最終の目的として得た結果をいい，「測量成果」とは，測量記録を得る過程において得た結果をいう。

1．a，c
2．a，d
3．b，d
4．b，e
5．c，e

■ **解 説** ■

本問は，測量法に規定された事項に関する問題である。

a．**正しい**。測量法第32条に，「公共測量は，基本測量又は公共測量の測量成果に基いて実施しなければならない。」と規定されている。

b．**間違い**。第6条に，「この法律において「基本測量及び公共測量以外の測量」とは，基本測量又は公共測量の測量成果を使用して実施する基本測量及び公共測量以外の測量（建物に関する測量その他の局地的測量又は小縮尺図の調整その他の高度の精度を必要としない測量で政令で定めるものを除く。）をいう。」と規定されている。

　基本測量及び公共測量を除くすべての測量をいうのではなく，基本測量又は公共測量の測量成果を使用して実施する基本測量及び公共測量以外の測量である。

c．**正しい**。第26条に，「基本測量以外の測量を実施しようとする者は，国土地理院の長の承認を得て，基本測量の測量標を使用することができる。」と規定されている。

d．**正しい**。第7条に，「この法律において「測量計画機関」とは，測量法第5条に規定する公共測量並びに同法第6条に規定する基本測量及び公共測量以外の測量を計画する者をいう。」と規定されている。

e．**間違い**。第9条に，「この法律において「測量成果」とは，当該測量において最終の目的として得た結果をいい，「測量記録」とは，測量成果を得る過程において得た作業記録をいう。」と規定されている。測量成果と測量記録の説明が逆になっている。

したがって，明らかに間違っているものは**b，e**であり，その組合せは**肢4**である。

正解 ▶ 4

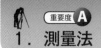
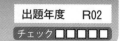

No. 5　次のa～eの文は，測量法（昭和24年法律第188号）に規定された事項について述べたものである。明らかに間違っているものだけの組合せはどれか。次の中から選べ。

a．「基本測量」とは，すべての測量の基礎となる測量で，国土地理院又は公共団体の行うものをいう。

b．何人も，国土地理院の長の承諾を得ないで，基本測量の測量標を移転し，汚損し，その他その効用を害する行為をしてはならない。

c．基本測量の測量成果を使用して基本測量以外の測量を実施しようとする者は，あらかじめ，国土地理院の長の承認を得なければならない。

d．測量計画機関は，公共測量を実施しようとするときは，当該公共測量に関し作業規程を定め，あらかじめ，国土地理院の長の承認を得なければならない。

e．技術者として基本測量又は公共測量に従事する者は，測量士又は測量士補でなければならない。

1．a，c
2．a，d
3．b，e
4．c，d
5．d，e

本問は，測量法に規定された事項に関する問題である。

a．間違い。測量法第4条に，「この法律において「基本測量」とは，すべての測量の基礎となる測量で，国土地理院の行うものをいう。」と規定されている。公共団体は含まれていない。

b．正しい。第22条に，「何人も，国土地理院の長の承諾を得ないで，基本測量の測量標を移転し，汚損し，その他その効用を害する行為をしてはならない。」と規定されている。

c．正しい。第30条1項に，「基本測量の測量成果を使用して基本測量以外の測量を実施しようとする者は，国土交通省令で定めるところにより，あらかじめ，国土地理院の長の承認を得なければならない。」と規定されている。

d．間違い。第33条1項に，「測量計画機関は，公共測量を実施しようとするときは，当該公共測量に関し観測機械の種類，観測法，計算法その他国土交通省令で定める事項を定めた作業規程を定め，あらかじめ，国土交通大臣の承認を得なければならない。」と規定されている。国土地理院の長ではなく，国土交通大臣の承認が必要である。

e．正しい。第48条1項に，「技術者として基本測量又は公共測量に従事する者は，第49条の規定に従い登録された測量士又は測量士補でなければならない。」と規定されている。

したがって，間違っているものは **a，d** であり，その組合せは**肢2**である。

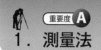

No.　6　　　次のa〜eの文は，測量法（昭和24年法律第188号）に規定された事項について述べたものである。明らかに間違っているものだけの組合せはどれか。次の中から選べ。

a．測量計画機関とは，「公共測量」又は「基本測量及び公共測量以外の測量」を計画する者をいい，測量計画機関が，自ら計画を実施する場合には，測量作業機関となることができる。

b．測量業とは，「基本測量」，「公共測量」又は「基本測量及び公共測量以外の測量」を請け負う営業をいう。

c．公共測量は，「基本測量」，「公共測量」又は「基本測量及び公共測量以外の測量」の測量成果に基づいて実施しなければならない。

d．公共測量を実施する者は，当該測量において設置する測量標に，公共測量の測量標であること及び測量作業機関の名称を表示しなければならない。

e．測量業者としての登録を受けないで測量業を営んだ者は，懲役又は罰金に処される。

1．a，b
2．a，c
3．b，d
4．c，d
5．d，e

■ 解 説 ■

本問は，測量法に規定された事項に関する問題である。

a．**正しい**。測量法第7条に，「この法律において「測量計画機関」とは，前2条（第5条：公共測量，第6条：基本測量及び公共測量以外の測量）に規定する測量を計画する者をいう。測量計画機関が，自ら計画を実施する場合には，測量作業機関となることができる。」と規定されている。

b．**正しい**。第10条の2に，「この法律において「測量業」とは，基本測量，公共測量又は基本測量及び公共測量以外の測量を請け負う営業をいう。」と規定されている。

c．**間違い**。第32条に，「公共測量は，基本測量又は公共測量の測量成果に基いて実施しなければならない。」と規定されている。本肢の「基本測量及び公共測量以外の測量」は，含まれていない。

d．**間違い**。第37条1項に，「公共測量を実施する者は，当該測量において設置する測量標に，公共測量の測量標であること及び測量計画機関の名称を表示しなければならない。」と規定されている。名称を表示するのは，測量作業機関ではなく，測量計画機関である。

e．**正しい**。第55条1項に，「測量業を営もうとする者は，この法律の定めるところにより，測量業者としての登録を受けなければならない。」と規定されている。そして，登録を受けないで測量業を営んだ者は，1年以下の懲役又は100万円以下の罰金に処される（第55条の14，第61条の2第1号）。

したがって，明らかに間違っているものはc，dであり，その組合せは**肢4**である。

正解 ▶ 4

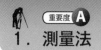
No. 7　次の文は，測量法（昭和24年法律第188号）に規定された事項について述べたものである。明らかに間違っているものはどれか。次の中から選べ。

1．「測量」とは，土地の測量をいい，地図の調製及び測量用写真の撮影を含む。
2．「測量作業機関」とは，測量法第5条に規定する公共測量及び同法第6条に規定する基本測量及び公共測量以外の測量を計画する者をいう。
3．公共測量を実施しようとする者は，国土地理院の長の承認を得て，基本測量の測量標を使用することができる。
4．公共測量を実施する者は，当該測量において設置する測量標に，公共測量の測量標であること及び測量計画機関の名称を表示しなければならない。
5．測量士は，測量に関する計画を作製し，又は実施する。測量士補は，測量士の作製した計画に従い測量に従事する。

■■■ 解 説 ■■■

　本問は，測量法に規定された事項に関する問題である。
1．正しい。 測量法第3条に，「この法律において「測量」とは，土地の測量をいい，地図の調製及び測量用写真の撮影を含むものとする。」と規定されている。
2．間違い。 第8条に，「「測量作業機関」とは，測量計画機関の指示又は委託を受けて測量作業を実施する者をいう。」と規定されている。本肢の記述は，「測量計画機関」（第7条）に関する記述である。
3．正しい。 公共測量とは基本測量以外の測量で（第5条），第26条に，「基本測量以外の測量を実施しようとする者は，国土地理院の長の承認を得て，基本測量の測量標を使用することができる。」と規定されている。
4．正しい。 第37条1項に，「公共測量を実施する者は，当該測量において設置する測量標に，公共測量の測量標であること及び測量計画機関の名称を表示しなければならない。」と規定されている。
5．正しい。 第48条2項に，「測量士は，測量に関する計画を作製し，又は実施する。」，また，第48条3項に，「測量士補は，測量士の作製した計画に従い測量に従事する。」と規定されている。

　したがって，**肢2**が間違っている。

正解 ▶ 2

1. 測量法

No. 8 　　次の文は，測量法（昭和24年法律第188号）に規定された事項について述べたものである。明らかに間違っているものはどれか。次の中から選べ。

1．「測量計画機関」とは，測量法第5条に規定する公共測量並びに同法第6条に規定する基本測量及び公共測量以外の測量を計画する者をいう。

2．基本測量の永久標識の汚損その他その効用を害する恐れがある行為を当該永久標識の敷地又はその付近でしようとする者は，理由を記載した書面をもって，国土地理院の長に当該永久標識の移転を請求することができる。

3．測量計画機関は，公共測量を実施しようとするときは，当該公共測量に関し観測機械の種類，観測法，計算法などを定めた作業規程を定め，あらかじめ，国土交通大臣の承認を得なければならない。

4．測量計画機関は，公共測量を実施しようとするときは，あらかじめ，当該公共測量の目的，地域及び期間並びに当該公共測量の精度及び方法を記載した計画書を提出して，国土地理院の長の技術的助言を求めなければならない。

5．測量士補は，測量に関する計画を作製し，又は実施することができる。

　本問は，測量法に規定された事項に関する問題である。

1．**正しい。** 測量法第7条に，「この法律において「測量計画機関」とは，測量法第
　5条に規定する公共測量並びに同法第6条に規定する基本測量及び公共測量以外
　の測量を計画する者をいう。」と規定されている。

2．**正しい。** 第24条1項に，「基本測量の永久標識又は一時標識の汚損その他その
　効用を害するおそれがある行為を当該永久標識若しくは一時標識の敷地又はその
　付近でしようとする者は，理由を記載した書面をもって，国土地理院の長に当該
　永久標識又は一時標識の移転を請求することができる。」と規定されている。

3．**正しい。** 第33条1項に，「測量計画機関は，公共測量を実施しようとするとき
　は，当該公共測量に関し観測機械の種類，観測法，計算法その他国土交通省令で
　定める事項を定めた作業規程を定め，あらかじめ，国土交通大臣の承認を得なけ
　ればならない。」と規定されている。

4．**正しい。** 第36条に，「測量計画機関は，公共測量を実施しようとするときは，
　あらかじめ，次に掲げる事項を記載した計画書を提出して，国土地理院の長の技
　術的助言を求めなければならない。その計画書を変更しようとするときも，同様
　とする。　一　目的、地域及び期間　二　精度及び方法」と規定されている。

5．**間違い。** 第48条2項に，「測量士は，測量に関する計画を作製し，又は実施す
　る。」，また，第48条3項に，「測量士補は，測量士の作製した計画に従い測量に
　従事する。」と規定されている。測量に関する計画を作製し，又は実施できるのは，
　測量士である。

　したがって，**肢5**が間違っている。

1. 測量法

重要度 Ⓐ

No. 9　　次の文は，測量法（昭和24年法律第188号）に規定された事項について述べたものである。明らかに間違っているものはどれか。次の中から選べ。

1．「測量」とは，土地の測量をいい，地図の調製及び測量用写真の撮影は含まないものとする。
2．基本測量の測量成果を使用して基本測量以外の測量を実施しようとする者は，あらかじめ，国土地理院の長の承認を得なければならない。
3．公共測量は，基本測量又は公共測量の測量成果に基いて実施しなければならない。
4．測量計画機関は，公共測量を実施しようとするときは，当該公共測量に関し観測機械の種類，観測法，計算法その他国土交通省令で定める事項を定めた作業規程を定め，あらかじめ，国土交通大臣の承認を得なければならない。
5．技術者として基本測量又は公共測量に従事する者は，登録された測量士又は測量士補でなければならない。

■ 解 説 ■

本問は，測量法に規定された事項に関する問題である。
1．**間違い**。測量法第3条に，「この法律において「測量」とは，土地の測量をいい，地図の調製及び測量用写真の撮影を含むものとする。」と規定されている。
2．**正しい**。第30条1項に，「基本測量の測量成果を使用して基本測量以外の測量を実施しようとする者は，国土交通省令で定めるところにより，あらかじめ，国土地理院の長の承認を得なければならない。」と規定されている。
3．**正しい**。第32条に，「公共測量は，基本測量又は公共測量の測量成果に基いて実施しなければならない。」と規定されている。
4．**正しい**。第33条1項に「測量計画機関は，公共測量を実施しようとするときは，当該公共測量に関し観測機械の種類，観測法，計算法その他国土交通省令で定める事項を定めた作業規程を定め，あらかじめ，国土交通大臣の承認を得なければならない。」と規定されている。
5．**正しい**。第48条1項に，「技術者として基本測量又は公共測量に従事する者は，第49条の規定に従い登録された測量士又は測量士補でなければならない。」と規定されている。

したがって，**肢1**が間違っている。

正解▶ 1

No. 10　次のa～eの文は，測量法（昭和24年法律第188号）に規定された事項について述べたものである。明らかに間違っているものだけの組合せはどれか。次の中から選べ。

a．「測量」とは，土地の測量をいい，地図の調製及び測量用写真の撮影を含むものとする。
b．「基本測量」とは，すべての測量の基礎となる測量で，国又は公共団体の行うものをいう。
c．何人も，国土交通大臣の承諾を得ないで，基本測量の測量標を移転し，汚損し，その他その効用を害する行為をしてはならない。
d．公共測量は，基本測量又は公共測量の測量成果に基いて実施しなければならない。
e．測量士は，測量に関する計画を作製し，又は実施する。測量士補は，測量士の作製した計画に従い測量に従事する。

1．a，b
2．a，e
3．b，c
4．c，d
5．d，e

■■■　解　説　■■■

　本問は，測量法に規定された事項に関する問題である。
a．正しい。測量法第3条に，「この法律において「測量」とは，土地の測量をいい，地図の調製及び測量用写真の撮影を含むものとする。」と規定されている。
b．間違い。第4条に，「この法律において「基本測量」とは，すべての測量の基礎となる測量で，国土地理院の行うものをいう。」と規定されている。
c．間違い。第22条に，「何人も国土地理院の長の承諾を得ないで，基本測量の測量標を移転し，汚損し，その他その効用を害する行為をしてはならない。」と規定されている。
d．正しい。第32条に，「公共測量は，基本測量又は公共測量の測量成果に基いて実施しなければならない。」と規定されている。
e．正しい。第48条2項に，「測量士は，測量に関する計画を作製し，又は実施する。」，また，第48条3項に，「測量士補は，測量士の作製した計画に従い測量に従事する。」と規定されている。
　したがって，明らかに間違っているものは**b，c**であり，その組合せは**肢3**である。

正解▶3

2．測量作業の留意事項

No. 11　次のa～eの文は，公共測量における測量作業機関の対応について述べたものである。明らかに間違っているものだけの組合せはどれか。次の1～5の中から選べ。

a．局地的な大雨による災害が増えていることから，現地作業に当たっては，気象情報に注意するとともに，作業地域のハザードマップを携行した。

b．測量計画機関から貸与された測量成果などのデータを格納したUSBメモリを紛失した後の対応として，会社にデータのバックアップがあり作業には影響がないことを確認するとともに，速やかに測量計画機関に報告し，その指示を求めた。また，再発防止の措置を講じた。

c．二つの測量計画機関A，Bから同時期に同じ地域での作業を受注した。作業効率を考慮し，Aから貸与された空中写真などの測量成果をBの作業にも使用した。その旨の報告は，A，Bそれぞれの成果納品時に行った。

d．基準点測量を実施する際，観測の支障となる樹木があった。現地作業を予定どおりに終わらせるため，所有者の承諾を得ずに伐採した。現地作業終了後，速やかに所有者に連絡した。

e．現地作業中は，測量計画機関から発行された身分証明書とともに，自社の身分証明書も携帯した。

1．a，b
2．a，e
3．b，d
4．c，d
5．c，e

本問は，公共測量における測量作業機関の対応に関する問題である。

a．正しい。 現地での測量作業においては，作業者の安全の確保について適切な措置を講じる必要がある（作業規程の準則第10条）。現地作業に当たり，気象情報に注意するとともに，作業地域のハザードマップを携行することは適切な措置である。

b．正しい。 測量計画機関から貸与された測量成果などのデータをコピーしたUSBメモリを紛失すれば，情報内容は貸与されたデータと同一のものであるから，第三者が取得して利用されれば測量計画機関の所有物（財産権）の侵害の恐れがある（作業規程の準則第4条）。会社にバックアップがあり作業に影響が無かったとしても，測量計画機関にUSBメモリの紛失を速やかに報告すべきであるし，再発防止の措置を講じることも大切である。

c．間違い。 測量計画機関及び測量作業機関並びに作業者は，現地での作業の実施においては，財産権，労働，安全，交通，土地利用規制，環境保全，個人情報の保護等に関する法令を遵守し，かつ，これらに関する社会的慣行を尊重する必要がある（作業規程の準則第4条）。作業機関が，計画機関Aから貸与された空中写真などの測量成果は，計画機関Aの所有物（財産権）であるから，作業機関が複写して保管するのであれば，計画機関Aの許可を要する。まして，当該測量成果を同時期の同じ地域の作業というだけで計画機関Bの作業に流用することは言語道断である。

d．間違い。 作業実施中に，樹木の伐採が必要になった場合は，あらかじめ障害となる樹木の所有者又は占有者の承諾を得てから行わなければならない（測量法第16条）。

e．正しい。 現地調査では公有又は私有の土地に立ち入る場合は，測量計画機関が発行する身分証明書を携帯し，必要があれば呈示しなければならない（測量法第15条1項，3項，4項，第39条）。

したがって，明らかに間違っているものはc，dであり，その組合せは**肢4**である。

正解 ▶ 4

2．測量作業の留意事項

No. 12　　次のa～eの文は，公共測量における対応について述べたものである。その対応として明らかに間違っているものだけの組合せはどれか。次の中から選べ。

a．道路上で水準測量を実施するため，あらかじめ所轄警察署長に道路使用許可申請書を提出し，許可を受けて水準測量を行った。

b．空中写真測量において，対空標識設置完了後に，使用しなかった材料は現地で処分せず全て持ち帰ることにして，作業区域の清掃を行った。

c．水準測量における新設点の観測を速やかに行うため，永久標識設置から観測までの工程を同一の日に行った。

d．夏季に行う現地作業に当たり，熱中症対策としてこまめに水分補給等をして，休憩を取りながら作業を行った。

e．現地測量に当たり，近傍の四等三角点の測量成果を国土地理院のウェブサイトで閲覧できたため，国土地理院の長の使用承認は得ずに，出典の明示をして使用した。

1．a，c
2．a，d
3．b，d
4．b，e
5．c，e

本問は，公共測量における対応に関する問題である。

a．**正しい**。道路において工事若しくは作業をしようとする場合，道路交通法第77条の規定により，当該行為に係る場所を管轄する警察署長の許可を受ける必要がある（作業規程の準則第4条）。

b．**正しい**。現地での作業の実施においては，財産権，労働，安全，交通，土地利用規制，環境保全，個人情報の保護等に関する法令を遵守し，かつ，これらに関する社会的慣行を尊重しなければならない（第4条）。本肢は，「環境保全」に該当する。

c．**間違い**。新設点の観測は，永久標識の設置後24時間以上経過してから行うものとされている（第64条4項）。これは，新設点の観測は，埋設した標識が安定した状態になってから行う必要があるが，コンクリート等により永久標識を埋設するため，少なくとも24時間以上の経過を必要とするためである。

d．**正しい**。測量作業機関は，現地での測量作業において，作業者の安全の確保について適切な措置を講じなければならない（第10条）。夏季に行う現地作業に当たり，熱中症対策としてこまめに水分補給等をして，休憩を取りながら作業を行うことは，作業者の安全確保のために適切な措置である。

e．**間違い**。国土地理院の基準点成果等閲覧サービスを利用して測量成果を閲覧し使用するには，国土地理院より「基本測量の測量標及び測量成果」の使用承認を受けなければならない（国土地理院コンテンツ利用規約）。

したがって，明らかに間違っているものは**c**，**e**であり，間違っているものだけの組合せは**肢5**である。

正解 ▶ 5

2．測量作業の留意事項

No. 13　　次のa〜eの文は，公共測量に従事する技術者が留意しなければならないことについて述べたものである。明らかに間違っているものだけの組合せはどれか。次の中から選べ。

a．水準測量作業中に，標尺が駐車中の自動車に接触しドアミラーを破損してしまった。警察に連絡するとともに，直ちに測量計画機関へも事故について報告した。

b．局地的な大雨による災害や事故が増えていることから，現地作業に当たっては，気象情報に注意するとともに，作業地域のハザードマップを携行した。

c．測量計画機関が発行した身分を示す証明書は大切なものであるから，私有の土地に立ち入る作業において，証明書の原本ではなく証明書のカラーコピーを携帯した。

d．基準点測量を実施する際，所有者に伐採の許可を得てから観測の支障となる樹木を伐採した。

e．測量計画機関から貸与された測量成果などのデータをコピーしたUSBメモリを紛失したが，会社にバックアップがあり作業には影響が無かったため，測量計画機関にはUSBメモリを紛失したことを報告しなかった。

1．a，c
2．a，d
3．b，d
4．b，e
5．c，e

　本問は，公共測量に従事する技術者が留意すべき事項に関する問題である。

a．正しい。水準測量作業中に，標尺が駐車中の自動車に接触しドアミラーを破損させて自動車所有者に損害を与えている。このとき，警察に連絡するとともに直ちに測量計画機関へも事故の報告をすることは，適切な行為である（作業規程の準則第4条）。

b．正しい。現地での測量作業においては，作業者の安全の確保について適切な措置を講じる必要がある（作業規程の準則第10条）。現地作業に当たり，気象情報に注意するとともに，作業地域のハザードマップを携行することは適切な措置である。

c．間違い。現地調査では公有又は私有の土地に立ち入る場合は，測量計画機関が発行する身分証明書を携帯し，必要があれば呈示しなければならない（測量法第15条，第39条）。原本の身分証明書を携帯しないで，カラーコピーした身分証明書を携帯することは，改ざんされたものか否かが判明できないため不適切な行為である。

d．正しい。基準点測量を実施するに際し，樹木の伐採が必要になった場合は，あらかじめ障害となる樹木の所有者又は占有者の承諾を得てから行わなければならない（測量法第16条）。所有者に伐採の許可を得てから，観測の支障となる樹木を伐採することは適切な行為である。

e．間違い。測量計画機関から貸与された測量成果などのデータをコピーしたUSBメモリを紛失すれば，情報内容は貸与されたデータと同一のものであるから，第三者が取得して利用されれば測量計画機関の所有物（財産権）の侵害の恐れがある（作業規程の準則第4条）。会社にバックアップがあり作業に影響が無かったとしても，測量計画機関にUSBメモリの紛失を報告すべきである。

　したがって，明らかに間違っているものは**c，e**であり，その組合せは**肢5**である。

正解▶5

2. 測量作業の留意事項

No. 14 次のa〜eの文は，公共測量における測量作業機関の対応について述べたものである。その対応として明らかに間違っているものだけの組合せはどれか。次の中から選べ。

a．新型コロナウイルス感染症の拡大防止対策として，トータルステーションによる基準点測量の現地作業において，マスクを着用し，近い距離での大声の会話を避けて観測を行った。

b．基本測量成果を使用して行う基準点測量において，国土地理院のホームページで公開している基準点閲覧サービスから測量成果が閲覧できたため，それを印刷して既知点座標の数値として使用し作業を行った。

c．測量士補の資格を有していたため，測量士が立案した作業計画に従い，測量技術者として公共測量に従事した。

d．GNSS観測で得られたデータで基線解析を実施したところ，観測データの後半で不具合がおき，計画していた観測時間よりも短い時間のデータしか解析ができなかった。それでも作業規程に規定された観測時間は満たしており，FIX解が得られ，点検計算でも問題はなかったので，そのまま作業を続けた。

e．測量計画機関から貸与された空中写真を，別の測量計画機関から同じ地域の作業を受注した場合に活用できるかもしれないと考え，社内で複写して保管した。

1．a，b
2．a，c
3．b，e
4．c，d
5．d，e

　本問は，公共測量における測量作業機関の対応に関する問題である。

a．正しい。 測量作業機関は，現地での測量作業において，作業者の安全の確保について適切な措置を講じなければならない（作業規程の準則第 10 条）。新型コロナウイルス感染症の拡大防止対策として，トータルステーションによる基準点測量の現地作業において，マスクを着用し，近い距離での大声の会話を避けて観測を行うことは，作業者の安全確保のために適切な措置である。

b．間違い。 国土地理院の基準点成果等閲覧サービスを利用して測量成果を閲覧し使用するには，国土地理院より「基本測量の測量標及び測量成果」の使用承認を受けなければならない（国土地理院コンテンツ利用規約）。

c．正しい。 測量士補の資格を有しているため，測量士が立案した作業計画に従い測量技術者として公共測量に従事できる（測量法 48 条 1 項，第 49 条）。

d．正しい。 GNSS 測量で得られた基線解析において，計画していた観測時間よりもデータの不具合で短時間のデータの解析ができなかったとしても，作業規程の規定観測時間を充足して，FIX 解も得て，点検計算も問題なく行われたのであれば，そのまま作業を続けることができる。作業機関は，上記であれば作業計画に基づき，適切な工程管理を行っているといえる（作業規程の準則第 12 条）。

e．間違い。 測量計画機関及び測量作業機関並びに作業者は，現地での作業の実施においては，財産権，労働，安全，交通，土地利用規制，環境保全，個人情報の保護等に関する法令を遵守し，かつ，これらに関する社会的慣行を尊重する必要がある（作業規程の準則第 4 条）。作業機関が，計画機関から貸与された空中写真は，計画機関の所有物（財産権）であるから，作業機関が複写して保管するのであれば，計画機関の許可を要する。

　したがって，明らかに間違っているものは **b，e** であり，間違っているものだけの組合せは**肢 3** である。

正解 ▶ 3

重要度 Ⓐ

2. 測量作業の留意事項

No. 15　次のa～eの文は，公共測量における測量作業機関の対応について述べたものである。明らかに間違っているものだけの組合せはどれか。次の中から選べ。

a．測量計画機関から個人が特定できる情報を記載した資料を貸与されたことから，紛失しないよう厳重な管理体制の下で作業を行った。

b．基準点測量の現地作業中に雨が降り続き，スマートフォンから警戒レベル3の防災気象情報も入手したことから，現地の作業責任者が判断して作業を一時中止し，作業員全員を安全な場所に避難させた。

c．水準測量における新設点の観測を速やかに行うため，現地の作業責任者からの指示に従い，永久標識設置から観測までの工程を同一の日に行った。

d．現地作業で伐採した木材と使用しなかった資材を現地で処分するため，作業地付近の草地で焼却した後に，灰などの焼却したゴミを残さないように清掃した。

e．空中写真撮影において，撮影終了時の点検中に隣接空中写真間の重複度が規定の数値に満たないことが分かったが，精度管理表にそのまま記入した。

1．a，b
2．a，c
3．b，e
4．c，d
5．d，e

本問は，公共測量における測量作業機関の対応に関する問題である。

a．**正しい。**現地での作業の実施においては，個人情報の保護等に関する法令等を遵
守し，かつ，これらに関する社会的慣行を尊重しなければならない（作業規程の準
則第4条）。測量計画機関から個人情報を記載した資料を貸与された場合，紛失，
漏洩，盗難に留意し，また厳重に管理し，使用後は測量計画機関に返却する。

b．**正しい。**現地での測量作業においては，作業者の安全の確保について適切な措置
を講じなければならない（第10条）。現地作業に当たり，防災気象情報を入手して，
警戒レベル3であれば現地の作業責任者が判断して作業を一時中止し，作業員全員
を安全な場所へ避難させることは適切な行為である。

c．**間違い。**新設点の観測は，永久標識の設置後24時間以上経過してから行うもの
とされている（第64条4項）。これは，新設点の観測は，埋設した標識が安定した
状態になってから行う必要があるが，コンクリート等により永久標識を埋設するた
め，少なくとも24時間以上の経過を必要とするためである。

d．**間違い。**現地での作業の実施においては，財産権，労働，安全，交通，土地利用
規制，環境保全，個人情報の保護等に関する法令を遵守し，かつ，これらに関する
社会的慣行を尊重しなければならない（第4条）。本肢は，「環境保全」に該当し，
廃棄物処理法などの法令の遵守が必要である。現地作業で伐採した木材と使用しな
かった資材は，現地から速やかに撤去する。

e．**正しい。**空中写真撮影において，撮影終了時の隣接空中写真間の重複度の数値は，
既定の数値に満たなくても当該数値を精度管理表にそのまま記入する。そして，そ
の後の精度管理表に基づき再撮影が必要か否かの判定の資料にする。

したがって，明らかに間違っているものはc，dであり，その組合せは**肢4**である。

正解 ▶ **4**

重要度 **A**

2. 測量作業の留意事項

出題年度　R01

チェック ☐☐☐☐☐

第1章

測量に関する法規

No. 16　次のa〜eの文は，公共測量における測量作業機関の対応について述べたものである。明らかに間違っているものだけの組合せはどれか。次の中から選べ。

a．気象庁から高温注意情報が発表されていたので，現地作業ではこまめな水分補給を心がけながら作業を続けた。

b．現地作業の前に，その作業に伴う危険に関する情報を担当者で話し合って共有する危険予知活動（KY活動）を行い，安全に対する意識を高めた。

c．測量計画機関から貸与された測量成果を，他の測量計画機関から受注した作業においても有効活用するため，社内で適切に保存した。

d．基準点測量を実施の際，観測の支障となる樹木があったが，現地作業を早く終えるため，所有者の承諾を得ずに伐採した。現地作業終了後，速やかに所有者に連絡した。

e．E市が発注する基準点測量において，E市の公園内に新点を設置することになった。利用者が安全に公園を利用できるように，新点を地下に設置した。

1．a，b
2．a，c
3．b，e
4．c，d
5．d，e

本問は，公共測量における測量作業機関の対応に関する問題である。

a．**正しい**。現地での測量作業においては，作業者の安全の確保について適切な措置を講じる必要がある（作業規程の準則第10条）。

b．**正しい**。現地での作業の実施においては，財産権，労働，安全，交通，土地利用規制，環境保全，個人情報の保護等に関する法令を遵守し，かつ，これらに関する社会的慣行を尊重する必要がある（第4条）。そのため，現地作業の前に，危険予知活動（KY活動）を行い，安全に対する意識を高めることは有益な方法である。

c．**間違い**。現地での作業の実施においては，個人情報の保護等に関する法令を遵守し，かつ，これらに関する社会的慣行を尊重する必要がある（第4条）。測量計画機関から測量成果を貸与された場合，紛失，漏洩，盗難に留意し，また厳重に管理し，使用後は測量計画機関に返却しなければならない。

d．**間違い**。作業実施中に，樹木の伐採が必要になった場合は，あらかじめ障害となる樹木の所有者又は占有者の承諾を得てから行わなければならない（測量法第16条）。

e．**正しい**。現地での作業の実施においては，財産権，労働，安全，交通，土地利用規制，環境保全，個人情報の保護等に関する法令を遵守し，かつ，これらに関する社会的慣行を尊重しなければならない（作業規程の準則第4条）。新点を設置する場合は，通行の妨害又は危険のないように配慮する必要がある。

したがって，明らかに間違っているものは**c**，**d**であり，その組合せは**肢4**である。

正解▶ **4**

2．測量作業の留意事項

重要度 **A**

No. 17　次のa～eの文は，公共測量における測量作業機関の対応について述べたものである。明らかに間違っているものだけの組合せはどれか。次の中から選べ。

a．測量作業着手前に，測量作業の方法，使用する主要な機器，要員，日程などについて作業計画を立案し，測量計画機関に提出して承認を得た。

b．現地作業中は，測量計画機関から発行された身分証明書を携帯するとともに，自社の身分証明書も携帯した。

c．測量法に規定する測量士補名簿には未登録であったが，測量士補となる資格を有しているので，測量技術者として公共測量に従事した。

d．道路上で水準測量を実施するため，あらかじめ所轄警察署長に道路占用許可申請書を提出し，許可を受けて水準測量を行った。

e．局地的な大雨による災害や事故が増えていることから，現地作業に当たっては，気象情報に注意するとともに，作業地域のハザードマップを携行した。

1．a，b
2．a，c
3．b，e
4．c，d
5．d，e

　本問は，公共測量における測量作業機関の対応において留意すべき事項に関する問題である。

a．正しい。 作業機関は，測量作業着手前に，測量作業の方法，使用する主要な機器，要員，日程等について適切な作業計画を立案し，これを計画機関に提出して，その承認を得なければならない（作業規程の準則第 11 条）。

b．正しい。 現地調査では公有又は私有の土地に立ち入る場合は，測量計画機関が発行する身分証明書を携帯し，必要があれば呈示しなければならない（測量法第 15 条 1 項，3 項，4 項，第 39 条）。

c．間違い。 測量士補となる資格を有していても未登録のままでは，測量技術者として公共測量に従事できない（測量法第 48 条 1 項，第 49 条）。

d．間違い。 道路上で測量作業を行う場合は，所轄警察署長に道路使用許可申請書を提出し，許可を受けなければならない（道路交通法第 77 条，作業規程の準則第 4 条）。道路使用許可申請は，道路の本来の用途に即さない道路の特別の使用行為で，交通の妨害となり，又は，交通に危険を生じさせるおそれのある場合に許可を必要とする。これに対し，道路占用許可申請は，道路に一定の工作物や施設を設け，継続して道路を占有する場合には，道路管理者の許可が必要となる（道路法第 32 条 1 項）。本肢は道路使用許可申請の記述であり，道路占用許可申請ではないため間違いである。

e．正しい。 現地での測量作業においては，作業者の安全の確保について適切な措置を講じなければならない（作業規程の準則第 10 条）。現地作業に当たり，気象情報に注意し，作業地域のハザードマップを携行するのは適切な行為である。

　したがって，明らかに間違っているものは**c，d**であり，その組合せは**肢4**である。

正解 ▶ 4

2. 測量作業の留意事項

No. 18　次のa～eの文は，公共測量における測量作業機関の対応について述べたものである。明らかに間違っているものだけの組合せはどれか。次の中から選べ。

a．測量計画機関から貸与された測量成果などのデータを格納したUSBメモリを紛失したが，作業進捗に何ら影響がなかったため，測量計画機関には作業終了時に報告した。

b．水準測量を実施する道路は，交通量が少ないため，当該地域を管轄する警察署長への道路使用許可申請書の提出は省略して水準測量を行った。

c．空中写真測量において，対空標識設置のため樹木の伐採が必要となったので，あらかじめ，その土地の所有者又は占有者に承諾を得て，当該樹木を伐採した。

d．作業地周辺の住民や周辺環境に影響がない場所と思われたが，基準点測量における測量標の埋設時に使用しなかった資材などを，速やかに現地から撤去した。

e．地形測量の現地調査で公有又は私有の土地に立ち入る必要があったので，測量計画機関が発行する身分を示す証明書を携帯した。

1．a，b
2．a，e
3．b，d
4．c，d
5．c，e

　本問は，公共測量における測量作業機関の対応において留意すべき事項に関する問題である。

a．間違い。 測量計画機関から貸与された測量成果などのデータを格納した USB メモリを紛失した場合は，紛失した時点で測量計画機関に報告し，その指示を受ける（作業規程の準則第 4 条）。

b．間違い。 道路において工事若しくは作業をしようとする場合は，道路交通法第 77 条の規定により，当該行為に係る場所を管轄する警察署長の許可を受けなければならない（作業規程の準則第 4 条）。

c．正しい。 作業実施中に，樹木の伐採が必要になった場合は，あらかじめ障害となる樹木の所有者又は占有者の承諾を得てから行わなければならない（測量法第 16 条）。

d．正しい。 現地での作業の実施においては，財産権，労働，安全，交通，土地利用規制，環境保全，個人情報の保護等に関する法令を遵守し，かつ，これらに関する社会的慣行を尊重する必要がある（作業規程の準則第 4 条）。本肢は，「環境保全」に該当する。

e．正しい。 現地調査では公有又は私有の土地に立ち入る場合は，測量計画機関が発行する身分証明書を携帯し，必要があれば呈示しなければならない（測量法第 15 条 1 項，3 項，4 項）。

　したがって，明らかに間違っているものは **a**，**b** であり，その組合せは**肢 1** である。

正解 ▶ 1

重要度 **A**

2．測量作業の留意事項

No. 19　　次のa～eの文は，公共測量に従事する技術者が留意しなければならないことについて述べたものである。明らかに間違っているものは幾つあるか。次の中から選べ。

a．測量計画機関から貸与された測量成果などのデータをコピーしたUSBメモリを紛失したが，会社にバックアップがあり作業進捗に何ら影響がなかったため，測量計画機関には作業終了時に報告した。

b．測量計画機関が発行した身分を示す証明書は大切なものであるから，現地での作業ではカラーコピーした身分を示す証明書を携帯した。

c．空中写真測量における数値地形図データ作成の現地調査において，調査した事項の整理及び点検を現地調査期間中に行った。

d．基準点測量を実施の際，所有者に伐採の許可を得てから観測の支障となる樹木を伐採した。

e．水準測量作業中に標尺が通行中の自動車に接触しドアミラーを破損したが，その場で示談が成立したため特に測量計画機関には報告しなかった。

1．0（間違っているものは1つもない。）
2．1つ
3．2つ
4．3つ
5．4つ

　本問は，公共測量における測量に従事する技術者が留意すべき事項に関する問題である。

ａ．間違い。 測量計画機関から貸与された測量成果などのデータをコピーした USB メモリを紛失した場合は，紛失した時点で測量計画機関に報告し，その指示を受ける（作業規程の準則第 4 条）。

ｂ．間違い。 現地調査では公有又は私有の土地に立ち入る場合は，測量計画機関が発行する身分証明書を携帯し，必要があれば呈示しなければならない（測量法第 15 条 1 項，3 項，4 項）。身分証明書のカラーコピーでは，改ざんのおそれが疑われるので，必ず原本を携帯する。

ｃ．正しい。 空中写真測量において，現地調査は，数値図化及び数値編集に必要な表現事項や名称等を現地で調査確認する作業である（作業規程の準則第 219 条）。現地調査期間中に，調査した事項の整理を行い，整理の際に点検を行う（第 222 条）。

ｄ．正しい。 作業実施中に，樹木の伐採が必要になった場合は，あらかじめ障害となる樹木の所有者又は占有者の承諾を得てから行わなければならない（測量法第 16 条）。

ｅ．間違い。 現地での作業の実施においては，財産権，労働，安全，交通，土地利用規制，環境保全，個人情報の保護等に関する法令を遵守し，かつ，これらに関する社会的慣行を尊重しなければならない（作業規程の準則第 4 条）。本肢は，「財産権」や「交通」に該当する。

　したがって，明らかに間違っているものはａ，ｂ，ｅの 3 つなので，**肢 4** が正解である。

正解 ▶ 4

重要度 **A**

出題年度　H27

2. 測量作業の留意事項

チェック■■■■■

No. 20 　次のa～eの文は，公共測量における測量作業機関の対応について述べたものである。明らかに間違っているものは幾つあるか。次の中から選べ。

a. 地形測量の現地調査で公有又は私有の土地に立ち入る必要があったので，測量計画機関が発行する身分を示す証明書を携帯した。

b. A市が発注する基準点測量において，A市の公園内に新点を設置することになったが，利用者が安全に公園を利用できるように，新点を地下埋設として設置した。

c. 地形図作成のために設置した対空標識は，空中写真撮影完了後，作業地周辺の住民や周辺環境に影響がない場所であったため，そのまま残しておいた。

d. B市が発注する水準測量において，すべてB市の市道上での作業になることから，道路使用許可申請を行わず作業を実施した。

e. 永久標識を設置した際，成果表は作成したが，点の記は作成しなかった。

1. 0（間違っているものは1つもない。）
2. 1つ
3. 2つ
4. 3つ
5. 4つ

本問は，公共測量における測量作業機関の対応に関する問題である。

a ．**正しい**。現地調査で公有又は私有の土地に立ち入る場合は，測量計画機関が発行する身分を示す証明書を携帯し，関係人の請求があったときは，これを呈示しなければならない（測量法第 15 条 1 項，3 項，4 項）。

b ．**正しい**。現地での作業の実施においては，財産権，労働，安全，交通，土地利用規制，環境保全，個人情報の保護等に関する法令を遵守し，かつ，これらに関する社会的慣行を尊重しなければならない（作業規程の準則第 4 条）。新点を設置する場合は，通行の妨害又は危険のないように配慮する必要がある。

c ．**間違い**。作業規程の準則第 177 条 3 項に，設置した対空標識は，撮影作業完了後，速やかに現状を回復するものとする，と規定されている。

d ．**間違い**。道路において工事若しくは作業をしようとする場合は，道路交通法第 77 条の規定により，当該行為に係る場所を管轄する警察署長の許可を受けなければならない（作業規程の準則第 4 条）。

e ．**間違い**。基準点測量の作業工程における「測量標の設置」では，永久標識を設置し，測量標設置位置通知書を作成する。また，今後の測量に当該点を利用するための資料として，設置した永久標識については，点の記を作成する（作業規程の準則第 32 条，第 33 条）。

　したがって，明らかに間違っているものは **c，d，e** の 3 つなので**肢 4** が正解である。

正解 ▶ 4

3．測量の基礎数学

No. 21 次の a 及び b の各問の答えとして最も近いものの組合せはどれか。次の 1 ～ 5 の中から選べ。

ただし，円周率 $\pi = 3.14$ とする。

なお，関数の値が必要な場合は，巻末の関数表を使用すること。

a．84° 15′ 36″ をラジアンに換算すると幾らか。

b．三角形 ABC で辺 AC = 8.0m，∠BCA=70°，∠ABC = 30° としたとき，辺 BC の長さは幾らか。

	a	b
1．	0.73 ラジアン	4.1m
2．	0.73 ラジアン	15.8m
3．	1.47 ラジアン	15.0m
4．	1.47 ラジアン	15.8m
5．	4.83 ラジアン	15.0m

本問は，測量における基礎数学に関する問題である。

a. 84° 15′ 36″ をラジアンに換算する

① 角度を表す方法の１つとして弧度法（ラジアン）がある。円の半径に等しい弧を含む中心角を１ラジアンという。ラジアンと度・分・秒には，次の関係が成立する。

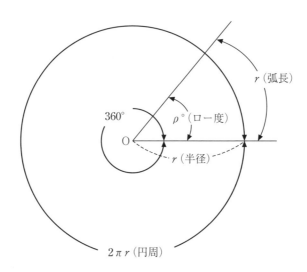

$\rho°:360°= r:2\pi r$ より $\rho° \times 2\pi r = 360° \times r \rightarrow \rho° = 180° \pi$

１ラジアン（$\rho°$）$= 180° \pi \fallingdotseq 57.3°$（度）

$\qquad\qquad\qquad = 57.3°$（度）$\times 60′$

$\qquad\qquad\qquad = 3,438′$（分）

$\qquad\qquad\qquad = 3,438′ \times 60″$

$\qquad\qquad\qquad = 206,280″$（秒）

$\qquad\qquad\qquad \fallingdotseq 206,000″$（秒）

以下，計算を簡易に行うために 206,000 秒を使用する。

② 84° 15′ 36″ を秒にすると，

$84 \times 60 \times 60 + 15 \times 60 + 36 = 303,336$（秒）

　よって，84° 15′ 36″（$= 303,336″$）をＸラジアンとすると，①より次式が成立する。

１ラジアン：$206,000″$ ＝Ｘラジアン：84° 15′ 36″（$= 303,336″$）

$206,000″$ Ｘ $= 303,336″$

$\qquad\qquad$ Ｘ $\fallingdotseq$ **1.47 ラジアン**

b. 三角形 ABC における辺 BC の長さ

∠ BCA = 70°, ∠ ABC = 30° より, ∠ BAC = 180° − (70° + 30°) = 80°

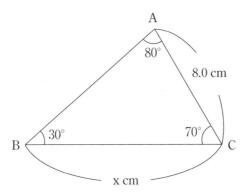

辺 BC の長さを xcm とすると, 正弦定理より

$$x / \sin80° = 8 / \sin30°$$
$$x = 8 × \sin80° / \sin30°$$

巻末の関数表より, sin80° = 0.98481.sin30° = 0.5 であるから,

$$x = 8 × 0.98481 / 0.5$$
$$= 15.75696$$
$$≒ \mathbf{15.8m}$$

したがって, **肢4**の答えの組合せが最も適当である。

正解 ▶ 4

📖 **参考・別解**

a. について, 1 ラジアン＝約 57° というのは受験生なら知っておきたい値。もしそれを知っていれば 84° 15′ 36″が 0.73 ラジアンや 4.83 ラジアンになりえないことは明らかである。したがって, 前記のような計算を何もしないでも 84° 15′ 36″が選択肢 3, 4 の「1.47 ラジアン」であることが瞬時にわかる。

3．測量の基礎数学

No. 　22　次の文の ア 及び イ に入る数値の組合せとして最も適当なものはどれか。次の中から選べ。

なお，関数の値が必要な場合は，巻末の関数表を使用すること。

点 A，B，C，D で囲まれた四角形の平たんな土地 ABCD について，幾つかの辺長と角度を観測したところ，∠ABC = 90°，∠DAB = 105°，AB = BC = 20m，AD = 10m であった。

このとき AC = ア m であり，土地 ABCD の面積は イ ㎡である。

	ア	イ
1．	28.284	270.711
2．	28.284	322.475
3．	34.641	150.000
4．	34.641	286.603
5．	34.641	350.000

■■■ 解　説 ■■■

本問は，測量における基礎数学に関する問題である。

1．辺 AC の長さを求める。

　①　次頁図の△ABC において，AB = BC = 20m，∠ABC=90° であり，∠ACB = ∠BAC=45° となるから，△ABC は，直角二等辺三角形となる。

　②　辺 AC= x m とし，△ABC に正弦定理を適用すると，

$$\frac{20}{\sin45°} = \frac{x}{\sin90°}$$

x = 20/0.70711 ≒ **28.284m** 　となる。 　（sin90° = 1）

2．点 D の座標を求める。

　①　B を原点として，問題文の指示をもとに，図示すると次頁図になる。

　　点 A から点 D への方向角 a は，180° − 105° = 75° となる。

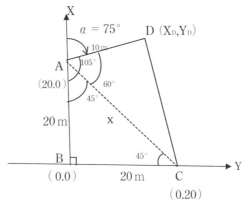

② 点Aの座標値 (X_A, Y_A) から点Dの座標値 (X_D, Y_D) は，次の式により計算できる。

$$X_D = X_A + L\cos a$$
$$Y_D = Y_A + L\sin a$$

（ただし，Lは，点A～点Dの平面距離，aは点Aにおける点Dへの方向角）

$$\begin{aligned}X_D = X_A + L\cos a &= 20m + 10m \times \cos75° \\ &= 20m + 10m \times 0.25882 \\ &= 20m + 2.5882m = 22.5882m\end{aligned}$$

$$\begin{aligned}Y_D = Y_A + L\sin a &= 0m + 10m \times \sin75° \\ &= 10m \times 0.96593 = 9.6593m\end{aligned}$$

③ 座標法による面積計算より，境界点A，B，C，Dで囲まれた土地の面積を求める。

座標法による面積 $= \Sigma \ |X_n (Y_{n+1} - Y_{n-1})| \ /2$ で計算する。なお，Y_{n+1} は Y_n の1つ次の点の値であり，Y_{n-1} は Y_n の1つ前の点の値である。

	A	B	C	D
x	+ 20m	0m	0m	+ 22.5882m
y	0m	0m	+ 20m	+ 9.6593m

$$X_n (Y_{n+1} - Y_{n-1})$$
$$20 \ (0 - 9.6593) = -193.186$$
$$0 \ (20 - 0) = 0$$
$$0 \ (9.6593 - 0) = 0$$
$$\underline{22.5882 \ (0 - 20) = -451.764}$$
$$倍面積 2A = -644.950$$
$$A = \mathbf{322.475㎡}$$

したがって，アは28.284 m，イは322.475㎡となり**肢2が正しい**。

正解 ▶ 2

重要度 Ⓐ

3．測量の基礎数学

No. 23　　次の a ～ c の各問の答えとして最も近いものの組合せはどれか。次の中から選べ。ただし，円周率 π = 3.14 とする。

なお，関数の値が必要な場合は，巻末の関数表を使用すること。

a．30° 11′ 26″ を 10 進法に換算すると幾らか。

b．120° をラジアンに換算すると幾らか。

c．三角形 ABC で辺 AB = 5.0m，辺 BC = 7.0m，辺 AC = 4.0m としたとき，∠ ABC の角度は幾らか。

	a	b	c
1．	30.19055°	1.05 ラジアン	44°
2．	30.19055°	2.09 ラジアン	34°
3．	30.19055°	2.09 ラジアン	44°
4．	30.61666°	1.05 ラジアン	34°
5．	30.61666°	2.09 ラジアン	44°

■■■　解　説　■■■

本問は，測量における基礎数学に関する問題である。

a．30° 11′ 26″ を 10 進法に換算

① 60 進法（度分秒）で表された数値を 10 進法の表記に変換するには，次式による。

　　度（10 進法表記）= 度 +（分／60）+（秒／3600）

② 10 進法表記の度を x° とすると，

　　x° = 30 + 11/60 + 26/3600

　　≒ 30 + 0.18333 + 0.00722

　　= **30.19055°**　となる。

b．120° をラジアンに換算

① 角度を表す方法の 1 つとして弧度法（ラジアン）がある。円の半径に等しい弧を含む中心角を 1 ラジアンという。ラジアンと度・分・秒には，次の関係が成立する。

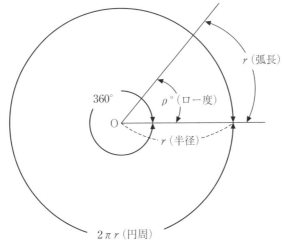

$$\rho°:360° = r:2\pi r より,\ \rho° \times 2\pi r = 360° \times r \rightarrow \rho° = \frac{180°}{\pi}$$

$$1 ラジアン（\rho°）= \frac{180°}{\pi} \fallingdotseq 57.3°（度）$$
$$= 57.3°（度）\times 60' = 3,438'（分）$$
$$= 3,438' \times 60'' = 206,280''（秒）\fallingdotseq 206,000''（秒）$$

以下，計算を簡易に行うために 206,000 秒を使用する。

② 120° をXラジアンとすると，①より次式が成立する。
$$1 ラジアン：206,000'' = X ラジアン：120°（= 432,000''）$$
$$206,000'' X = 432,000''（秒）$$
$$X ラジアン \fallingdotseq \textbf{2.09 ラジアン}$$

c. 三角形 ABC における∠ ABC の角度

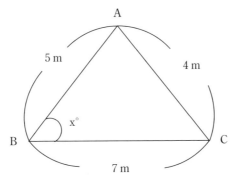

∠ABC= x°とし，△ABC に第二余弦定理（b² = a² + c² − 2ac cos β）を適用すると，

$$4^2 = 5^2 + 7^2 - 2 \times 5 \times 7 \times \cos x°$$
$$16 = 74 - 70 \times \cos x°$$
$$70 \times \cos x = 74 - 16$$
$$\cos x° = 58/70$$
$$\fallingdotseq 0.82857 \quad = 0.829$$
$$\therefore x° \fallingdotseq 34°$$

（巻末の関数表により，cos34° = 0.82904，cos44° = 0.71934 である。）

したがって，**肢2**の組合せが最も近い。

正解 ▶ 2

💡 ヒント

第二余弦定理　公式

$$a^2 = b^2 + c^2 - 2bc\,cos\alpha$$

$$b^2 = a^2 + c^2 - 2ac\,cos\beta$$

$$c^2 = a^2 + b^2 - 2ab\,cos\gamma$$

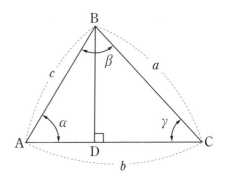

3．測量の基礎数学

No. 24　　次のa及びbの各問の答えの組合せとして最も適当なものはどれか。次の中から選べ。

ただし，円周率 $\pi = 3.142$ とする。

なお，関数の値が必要な場合は，巻末の関数表を使用すること。

a．0.81 [rad]（ラジアン）を度分に換算すると幾らか。

b．頂点 A，B，C を順に線分で結んだ三角形 ABC で辺 BC = 6.00 m，∠BAC = 110°，∠ABC = 35° としたとき，辺 AC の長さは幾らか。

	a	b
1．	46° 24′	3.66 m
2．	46° 24′	5.23 m
3．	46° 40′	5.23 m
4．	46° 40′	3.66 m
5．	92° 49′	5.23 m

■■■　解　説　■■■

　本問は，測量における基礎数学に関する問題である。

a．0.81 ラジアンを度分秒に換算

　① 角度を表す方法の1つとして弧度法（ラジアン）がある。円の半径に等しい弧を含む中心角を1ラジアンという。ラジアンと度・分・秒には，次の関係が成立する。

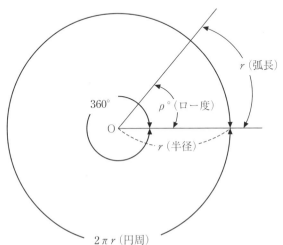

$$\rho° : 360° = r : 2\pi r \text{ より, } \rho° = \frac{180°}{\pi}$$

$$1 \text{ ラジアン}(\rho°) = \frac{180°}{\pi} \fallingdotseq 57.288° \fallingdotseq 57.3°\text{（度）}$$

$$= 57.3°\text{（度）} \times 60' = 3,438'\text{（分）}$$

$$= 3,438' \times 60'' = 206,280''\text{（秒）}$$

② 0.81 ラジアンを x 度分秒とすると，①より次式が成立する。

1 ラジアン：206,280″ = 0.81 ラジアン：x″

$$x = 206,280'' \times 0.81 \fallingdotseq 167,087''$$

$$= 2,784' \ 47''$$

$$= 46° \ 24' \ 47'' \fallingdotseq \mathbf{46° \ 24'}$$

（なお，上記①のラジアン（$\rho°$）を，近似値 206,000 秒を用いて計算すると 46° 21′ になる。また，x ラジアンを x″（秒）へ変換するには，x×206,280″（秒）で求める。）

b . 三角形 ABC における辺 AC の長さ

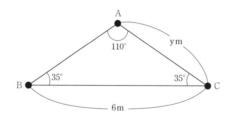

① ∠ BCA は，180° −（110° + 35°）= 35° となる。

② 辺 AC = ym とし，△ABC に正弦定理を適用すると，

$$\frac{6}{\sin110°} = \frac{y}{\sin35°}$$

$$y = \frac{6 \times \sin35°}{\sin110°}$$

$$y = \frac{6 \times 0.57358}{0.93969} \fallingdotseq 3.662$$

$$\fallingdotseq \mathbf{3.66m} \text{ となる。}$$

なお，$\sin110° = \sin\ (180° − 110°) = \sin70°$

巻末の関数表より，$\sin70° = 0.93969 \quad \sin35° = 0.57358$ である。

したがって，**肢 1** の答えの組合せが最も適当である。

正解 ▶ 1

3．測量の基礎数学

No. 25　次のa及びbの各問の答えの組合せとして最も適当なものはどれか。次の中から選べ。

ただし，円周率 $\pi = 3.142$ とする。

なお，関数の値が必要な場合は，巻末の関数表を使用すること。

a．51° 12′ 20″ をラジアン単位に換算すると幾らか。

b．頂点 A，B，C を順に直線で結んだ三角形 ABC で辺 AB = 6.0m，辺 AC = 3.0m，
∠ BAC = 125° としたとき，辺 BC の長さは幾らか。

	a	b
1．	0.447 ラジアン	8.1m
2．	0.447 ラジアン	8.6m
3．	0.766 ラジアン	8.6m
4．	0.894 ラジアン	8.1m
5．	0.894 ラジアン	8.6m

■ **解　説** ■

本問は，測量における基礎数学に関する問題である。

a．51° 12′ 20″ をラジアン単位に換算する

① 角度を表す方法の1つとして弧度法（ラジアン）がある。円の半径に等しい弧
を含む中心角を1ラジアンという。弧度法（ラジアン）と60進法（度・分・
秒）には，次の関係が成立する。

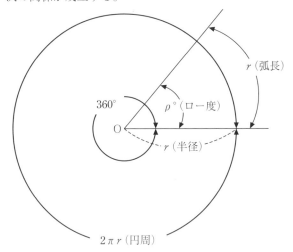

$$\rho^{\circ} : 360^{\circ} = r : 2\pi r \ \text{より},$$

$$\rho^{\circ} \times 2\pi r = 360^{\circ} \times r \ \rightarrow \ \rho^{\circ} = \frac{360^{\circ} \times r}{2\pi r} \ \rightarrow \ \rho^{\circ} = \frac{180^{\circ}}{\pi}$$

$$1 \ \text{ラジアン}(\rho^{\circ}) = \frac{180^{\circ}}{\pi} \fallingdotseq 57.29^{\circ} \fallingdotseq 57.3^{\circ}(\text{度}) \qquad (\pi = 3.142 \ \text{を使用})$$

これを分に直すと,

$\fallingdotseq 57.3^{\circ}(\text{度}) \times 60' = 3,438'(\text{分})$

これを秒に直すと,

$\fallingdotseq 3,438'(\text{分}) \times 60' = 206,280''(\text{秒}) \fallingdotseq 206,000''(\text{秒})$

以下,計算を簡易にするために 206,000 秒を使用する。

② ここで,51° 12′ 20″ を秒単位に換算すると,

$51° \ 12' \ 20'' = 3,600'' \times 51 + 60' \times 12 + 20''$

$\qquad\qquad\quad = 183,600'' + 720'' + 20''$

$\qquad\qquad\quad = 184,340'' \ \text{となる}。$

③ 51° 12′ 20″ を x ラジアンとすると,①より次式が成立する。

1 ラジアン : 206,000″ = x ラジアン : 51° 12′ 20″ (= 184,340″)

$206,000\text{x} = 184,340(\text{秒})$

x ラジアン $\fallingdotseq$ 0.8948 ラジアン $\fallingdotseq$ **0.894 ラジアン**となる。

b. 三角形 ABC における辺 BC の長さを求める

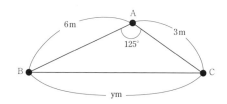

① 辺 BC = ym とし,△ABC に第二余弦定理を適用すると,

$\text{y}^2 = 6^2 + 3^2 - 2 \times 6 \times 3 \times \cos 125°$

$\quad = 36 + 9 - 36 \times \cos 125°$

$\quad = 36 + 9 - 36 \times (-0.57358)$

$\quad = 65.64888$

なお,$\cos 125° = -\cos(180° - 125°) = -\cos 55° = -0.57358$ である。

巻末の関数表より,$\cos 55° = 0.57358$ である。

② $\text{y}^2 = 65.64888$ この平方根を解くと,y $\fallingdotseq$ 8.102 m $\fallingdotseq$ **8.1 m**である。

または y $= \sqrt{65.64888} \fallingdotseq \sqrt{65} = 8.06226 \fallingdotseq 8.1$ (巻末の関数表の平方根の $\sqrt{65}$ を参照)。

したがって,**肢4**の答えの組合せが最も適当である。

正解 ▶ 4

3．測量の基礎数学

重要度 **B**

出題年度　H29

チェック □□□□□

No. 26　次のa～cの各問の答えの組合せとして最も適当なものはどれか。次の中から選べ。

ただし，円周率 $\pi = 3.142$ とする。

なお，関数の値が必要な場合は，巻末の関数表を使用すること。

a．$43° 52' 10''$ を秒単位に換算すると幾らか。

b．$43° 52' 10''$ をラジアン単位に換算すると幾らか。

c．頂点A，B，Cを順に直線で結んだ三角形ABCで，辺 BC = 6 m，∠ BAC = 130°，∠ ABC = 30° としたとき，辺 AC の長さは幾らか。

	a	b	c
1．	157,920″	0.383 ラジアン	3.916 m
2．	157,920″	0.766 ラジアン	4.667 m
3．	157,930″	0.766 ラジアン	3.916 m
4．	157,930″	0.383 ラジアン	4.667 m
5．	157,930″	0.766 ラジアン	4.667 m

■ **解　説** ■

本問は，測量における基礎数学に関する問題である。

a． $43° 52' 10''$ を秒単位に換算する

① 角度を表す方法の1つである60進法（度・分・秒）は，1直角の $\frac{1}{90}$ を1度（°）と定め，1度の $\frac{1}{60}$ を1分（′），1分の $\frac{1}{60}$ を1秒（″）とする。

したがって，1°（度）= 60′（分）= 3,600″（秒），
1分（′）= 60″（秒）となる。

② $43° 52' 10'' = 3,600'' \times 43 + 60'' \times 52 + 10''$
$= 154,800'' + 3,120'' + 10''$
$= \mathbf{157,930''}$ となる。

b． $43° 52' 10''$ をラジアン単位に換算する

① 角度を表す方法の1つとして弧度法（ラジアン）がある。円の半径に等しい弧を含む中心角を1ラジアンという。弧度法（ラジアン）と60進法（度・分・秒）には，次の関係が成立する。

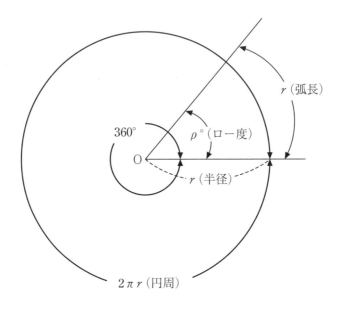

$$\rho° : 360° = r : 2\pi r \text{ より,}$$

$$\rho° \times 2\pi r = 360° \times r \quad \rightarrow \quad \rho° = \frac{360° \times r}{2\pi r} \quad \rightarrow \quad \rho° = \frac{180°}{\pi}$$

$$1 \text{ラジアン}(\rho°) = \frac{180°}{\pi} \fallingdotseq 57.29° \fallingdotseq 57.3°(度)$$

$$\fallingdotseq \frac{(180 \times 60')}{\pi} \fallingdotseq 3,437'(分)$$

$$\fallingdotseq \frac{(180 \times 60 \times 60'')}{\pi} \fallingdotseq 206,238''(秒) \fallingdotseq 206,000''(秒)$$

$$(\pi = 3.142 \text{ を使用})$$

以下，計算を簡易にするために 206,000 秒を使用する。

② 43° 52′ 10″ を x ラジアンとすると，①より次式が成立する。

1 ラジアン：206,000″ = x ラジアン：43° 52′ 10″ (= 157,930″)

206,000x = 157,930

x ラジアン ≒ **0.766 ラジアン**となる。

c. 三角形 ABC における辺 AC の長さを求める

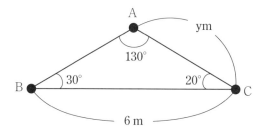

辺 AC = ym とし，
△ABC に正弦定理を
適用すると，

$$\frac{6}{\sin 130°} = \frac{y}{\sin 30°}$$

$$y = \frac{6 \times \sin 30°}{\sin 130°}$$

$$y = \frac{6 \times 0.5}{0.76604} ≒ 3.9162$$

$$y ≒ \mathbf{3.916m} となる。$$

なお，$\sin 130° = \sin(180° - 130°) = \sin 50°$
巻末の関数表より，$\sin 50° = 0.76604$　$\sin 30° = 0.50000$ である。

したがって，**肢3**の答えの組合せが最も適当である。

正解 ▶ 3

No. 27　　次の文の ア 及び イ に入る数値の組合せとして最も適当なものはどれか。次の中から選べ。

なお，関数の値が必要な場合は，巻末の関数表を使用すること。

三角形 ABC で∠ABC の角度を同じ条件で 5 回測定し，表の結果を得た。このとき，∠ABC の角度の最確値の標準偏差の値は ア となる。

また，表の測定値の最確値を∠ABC の角度とし，辺 AB の辺長を 3.0m，辺 BC の辺長を 8.0m としたとき，辺 CA の辺長は イ となる。

表

測定値
59° 59′ 57″
60° 0′ 1″
59° 59′ 59″
60° 0′ 5″
59° 59′ 58″

	ア	イ
1．	1.4″	7.0m
2．	1.4″	9.8m
3．	2.8″	5.6m
4．	2.8″	9.8m
5．	3.2″	7.0m

■■■■ **解　説** ■■■■

　本問は，水平角の最確値に対する標準偏差と三角形の辺長を求める問題である。

(1)　∠ABCの角度の最確値の標準偏差を求める。

　①　水平角 θ の最確値を求める。

$$\text{最確値m} = 59°\ 59'\ 50'' + \frac{7'' + 11'' + 9'' + 15'' + 8''}{5}$$

$$= 60°\ 0'\ 0''$$

　②　最確値の標準偏差 M（1 測定値の標準偏差ではない）は，

$$M = \sqrt{\frac{\sum v^2}{n(n-1)}}\text{で与えられる。}$$

（ただし $\sum v^2$：残差の二乗和，n：測定回数）

$$M = \sqrt{\frac{40}{5(5-1)}} = \sqrt{\frac{40}{20}} = \sqrt{2}$$

巻末の関数表より，$\sqrt{2} = 1.41421 \fallingdotseq 1.4''$

したがって，最確値の標準偏差の値は **1.4″** となる。

回数 n	測定値	最確値	残差 v	V^2
1	59° 59′ 57″	60° 0′ 0″	− 3″	9
2	60° 0′ 1″	〃	+ 1″	1
3	59° 59′ 59″	〃	− 1″	1
4	60° 0′ 5″	〃	+ 5″	25
5	59° 59′ 58″	〃	− 2″	4

$$\sum v^2 = 40$$

(2)　三角形ABCにおける辺CAの辺長を求める。

　　測定地の最確値を∠ABCの角度とすると，下図のようになる。

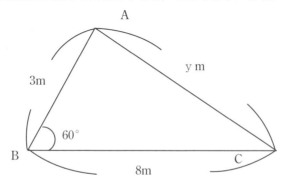

① 辺 AC = ym とし，△ ABC に第二余弦定理を適用すると，

$y^2 = 3^2 + 8^2 - 2 \times 3 \times 8 \times \cos 60°$

$\quad = 9 + 64 - 48 \times \cos 60°$

$\quad = 73 - 48 \times 0.5000$

$\quad = 73 - 24$

$\quad = 49$

なお，巻末の関数表より，$\cos 60 = 0.5000$ である。

② $y^2 = 49$　この平方根を解くと，$y = $**7 m**である。

したがって，**肢 1** が最も適当である。

正解 ▶ 1

💡 **ヒント**

　標準偏差とは，何回かの測定により求めた平均値（最確値）からのずれの量をいい，この値が小さいほど信頼度が高く，精度が高い。つまり，標準偏差とは，測定値の信頼度のことをいう。

　最確値の標準偏差 M は，次式で求められる。

$$M = \sqrt{\frac{\sum v^2}{n(n-1)}}$$

$\qquad \sum v^2$：残差の二乗和

$\qquad \quad n$：測定回数

4. 測量の誤差

No. 28　次の文は，測量の誤差について述べたものである。 ア ～ エ に入る語句及び数値の組合せとして最も適当なものはどれか。次の中から選べ。なお，関数の値が必要な場合は，巻末の関数表を使用すること。

　 ア は，測定の条件が変わらなければ大きさや現れ方が一定している誤差である。一方， イ は，原因が不明又は原因が分かってもその影響を除去できない誤差である。

　このように測定値には誤差が含まれ，真の値を測定することは不可能である。

　しかし，ある長さや角度に対する イ だけを含む測定値の一群を用いて，理論的に，真の値に最も近いと考えられる値を求めることは可能であり，このようにして求めた値を，最確値という。

　ある水平角について，トータルステーションを用いて同じ条件で5回測定し，表の結果を得たとき， ア が取り除かれているとすれば，最確値は ウ ，最確値の標準偏差の値は エ となる。

表

測定値
45° 22′ 25″
45° 22′ 28″
45° 22′ 24″
45° 22′ 25″
45° 22′ 23″

	ア	イ	ウ	エ
1.	系統誤差	偶然誤差	45° 22′ 23″	0.8″
2.	系統誤差	偶然誤差	45° 22′ 25″	0.8″
3.	系統誤差	偶然誤差	45° 22′ 25″	1.7″
4.	偶然誤差	系統誤差	45° 22′ 23″	1.7″
5.	偶然誤差	系統誤差	45° 22′ 25″	1.7″

■ 解 説 ■

　本問は，測量の誤差と水平角の最確値に対する標準偏差を求める問題である。

(1) **ア. 系統誤差** は，測定の条件が変わらなければ大きさや現れ方が一定している誤差である。一方， **イ. 偶然誤差** は，原因が不明又は原因が分かってもその影響を除去できない誤差である。

　このように測定値には誤差が含まれ，真の値を測定することは不可能である。

　しかし，ある長さや角度に対する **イ. 偶然誤差** だけを含む測定値の一群を用いて，理論的に，真の値に最も近いと考えられる値を求めることは可能であり，このようにして求めた値を，最確値という。

　ある水平角について，トータルステーションを用いて同じ条件で5回測定し，

表の結果を得たとき，<u>ア．系統誤差</u>が取り除かれているとすれば，最確値は<u>ウ．45° 22′ 25″</u>，最確値の標準偏差の値は<u>エ．0.8″</u>となる。

(2) 最確値の標準偏差を求める。

① 水平角 θ の最確値を求める。

$$\text{最確値m} = 45° 22′ 20″ + \frac{5″ + 8″ + 4″ + 5″ + 3″}{5}$$

$$= 45° 22′ 25″$$

② 最確値の標準偏差 M（1測定値の標準偏差ではない）は，

$$M = \sqrt{\frac{\sum v^2}{n(n-1)}}\text{で与えられる。}$$

（ただし $\sum v^2$：残差の二乗和，n：測定回数）

$$M = \sqrt{\frac{14}{5(5-1)}} = \sqrt{\frac{14}{20}} = \sqrt{\frac{70}{100}} = \frac{\sqrt{70}}{10}$$

巻末の関数表より，$\sqrt{70} = 8.36660$

したがって，$\dfrac{\sqrt{70}}{10} = \dfrac{8.36660}{10} ≒ 0.8″$ となる。

回数 n	測定値	最確値	残差 v	V^2
1	45° 22′ 25″	45° 22′ 25″	+ 0″	0
2	45° 22′ 28″	〃	+ 3″	9
3	45° 22′ 24″	〃	− 1″	1
4	45° 22′ 25″	〃	+ 0″	0
5	45° 22′ 23″	〃	− 2″	4

$$\sum v^2 = 14$$

したがって，**肢2**が最も適当である。

正解▶2

💡 ヒント

標準偏差とは，何回かの測定により求めた平均値（最確値）からのずれの量をいい，この値が小さいほど信頼度が高く，精度が高い。つまり，標準偏差とは，測定値の信頼度のことをいう。

最確値の標準偏差 M は，次式で求められる。

$$M = \sqrt{\frac{\sum v^2}{n(n-1)}}$$

$\sum v^2$：残差の二乗和

n：測定回数

1. GNSS 測量の原理

No. 29　次のa～dの文は，公共測量における GNSS 測量機を用いた基準点測量について述べたものである。 ア ～ エ に入る語句の組合せとして最も適当なものはどれか。次の中から選べ。

a．準天頂衛星は GPS 衛星と同等の衛星として扱うことが ア 。
b．2周波で基線解析を行うことにより， イ の影響による誤差を軽減することができる。
c．基線解析を行うには，測位衛星の ウ が必要である。
d．電子基準点のみを既知点とした2級基準点測量において， エ の緯度及び経度は，成果表の値又はセミ・ダイナミック補正を行った値のいずれかとする。

	ア	イ	ウ	エ
1.	できない	対流圏	飛来情報	基線解析の固定点
2.	できる	電離層	軌道情報	基線解析の固定点
3.	できない	電離層	飛来情報	三次元網平均計算で使用する既知点
4.	できる	対流圏	軌道情報	三次元網平均計算で使用する既知点
5.	できる	電離層	軌道情報	三次元網平均計算で使用する既知点

■■■ **解　説** ■■■

本問は，公共測量における GNSS 測量機を用いた基準点測量に関する問題である。

a．準天頂衛星は GPS 衛星と同等の衛星として扱うことが ア．**できる** （作業規程の準則第21条4項，第37条2項2号ニ）。

b．2周波で基線解析を行うことにより， イ．**電離層** の影響による誤差を軽減することができる（作業規程の準則解説と運用）。

c．基線解析を行うには，測位衛星の ウ．**軌道情報** が必要である（第41条4項2号）。

d．電子基準点のみを既知点とした2級基準点測量において， エ．**基線解析の固定点** の緯度及び経度は，成果表の値又はセミ・ダイナミック補正を行った値のいずれかとする（第41条，第42条）。

したがって，**肢2**の組合せが最も適当である。

正解 ▶ 2

重要度 **A**

1. GNSS 測量の原理

出題年度 R04

チェック ☐☐☐☐☐

No. 30 次の文は，GNSS 測量について述べたものである。　ア　～　オ　に入る語句の組合せとして最も適当なものはどれか。次の中から選べ。

　　ア　測位とは，搬送波位相を用いて 2 点間の相対的な位置関係を決定する方法をいう。　ア　測位では，共通の衛星について 2 点間の搬送波位相の差を取ることで，　イ　誤差が消去された一重位相差を求める。さらに，2 衛星についての一重位相差の差を取ることで　イ　誤差に加え　ウ　誤差が消去された二重位相差を得る。これらを含めた　エ　により，基線ベクトルを求める。

　公共測量における 1 級基準点測量において，電子基準点のみを既知点とした GNSS 測量を行う場合，測量計算に及ぼす地殻変動によるひずみの影響が大きくなるため，　オ　を行う必要がある。

	ア	イ	ウ	エ	オ
1.	単独	受信機時計	衛星時計	三次元網平均計算	PCV 補正
2.	単独	受信機時計	衛星時計	基線解析	セミ・ダイナミック補正
3.	干渉	衛星時計	受信機時計	三次元網平均計算	セミ・ダイナミック補正
4.	干渉	受信機時計	衛星時計	基線解析	PCV 補正
5.	干渉	衛星時計	受信機時計	基線解析	セミ・ダイナミック補正

■ **解 説** ■

　本問は，GNSS 測量に関する問題である。

　ア．干渉測位とは，搬送波位相を用いて 2 点間の相対的な位置関係を決定する方法をいう。**ア．干渉**測位では，共通の衛星について 2 点間の搬送波位相の差を取ることで，**イ．衛星時計**誤差が消去された一重位相差を求める。さらに，2 衛星についての一重位相差の差を取ることで**イ．衛星時計**誤差に加え**ウ．受信機時計**誤差が消去された二重位相差を得る。これらを含めた**エ．基線解析**により，基線ベクトルを求める。

　公共測量における 1 級基準点測量において，電子基準点のみを既知点とした GNSS 測量を行う場合，測量計算に及ぼす地殻変動によるひずみの影響が大きくなるため，**オ．セミ・ダイナミック補正**を行う必要がある。

　したがって，**肢5**の組合せが最も適当である。

正解 ▶ 5

1. GNSS 測量の原理

No. 31　次の文は，準天頂衛星システムを含む衛星測位システムについて述べたものである。明らかに間違っているものはどれか。次の中から選べ。

1．衛星測位システムとは，人工衛星からの電波によって位置を求めるシステムである。
2．衛星測位システムによる観測で，直接求められる高さは標高である。
3．衛星測位システムには，準天頂衛星システム以外に GPS や GLONASS などがある。
4．準天頂衛星システムは，日本と経度の近いアジア，オセアニア地域でも利用することができる。
5．準天頂衛星システムの準天頂軌道は，地上へ垂直に投影すると 8 の字を描く。

■ 解 説 ■

　本問は，準天頂衛星システムを含む衛星測位システムに関する問題である。
1．**正しい。**衛星測位システムとは，人工衛星からの信号を用いて位置を求めるシステムである（作業規程の準則第 21 条 4 項）。
2．**間違い。**衛星測位システムによる観測で，直接求められる高さは，地心直交座標系（WGS-84）からの楕円体高が求められる。
3．**正しい。**人工衛星からの信号を用いて位置を決定する衛星測位システムには，準天頂衛星システム以外に GPS，GLONASS，Galileo などがある（第 21 条 4 項）。
4．**正しい。**準天頂衛星からの測位信号（電波）は，日本を含むアジア・オセアニア全域で受信が可能であるから，利用することができる。
5．**正しい。**準天頂衛星システムの準天頂軌道は，地上へ垂直に投影すると 8 の字を描く。このことから，当初つけられたニックネームは「8 の字衛星」と呼ばれていた。

　したがって，**肢2** が正解である。

正解 ▶ 2

1. GNSS 測量の原理

No. 32　次の文は，準天頂衛星システムを含む衛星測位システムについて述べたものである。正しいものはどれか。次の中から選べ。

1．衛星測位システムには，準天頂衛星システム以外に GPS，GLONASS，Galileo などがある。
2．準天頂衛星と米国の GPS 衛星は，衛星の軌道が異なるので，準天頂衛星は GPS 衛星と同等の衛星として使用することができない。
3．衛星測位システムによる観測で，直接求められる高さは標高である。
4．準天頂衛星は，約 12 時間で軌道を 1 周する。
5．準天頂衛星の測位信号は，東南アジア，オセアニア地域では受信できない。

■ **解　説**

本問は，準天頂衛星システムを含む衛星測位システムに関する問題である。

1．**正しい。** 人工衛星からの信号を用いて位置を決定する衛星測位システムには，準天頂衛星システム以外に GPS，GLONASS，Galileo などがある（作業規程の準則第 21 条 4 項）。
2．**間違い。** 準天頂衛星と米国の GPS 衛星は，衛星の軌道は異なるが，近時の複数の衛星測位システムに対応できる GNSS 受信機が普及したこともあり，準天頂衛星は GPS 衛星と同等の衛星として使用することができる（第 21 条 4 項，第 37 条 2 項 2 号ニ）。
3．**間違い。** 衛星測位システムによる観測で，直接求められる高さは，地心直交座標系（WGS-84）からの楕円体高が求められる。
4．**間違い。** 準天頂衛星は，約 24 時間で軌道を 1 周する。
5．**間違い。** 準天頂衛星からの測位信号（電波）は，日本を含むアジア・オセアニア全域で受信が可能である。

したがって，**肢 1** が正解である。

正解 ▶ 1

1. GNSS 測量の原理

No. 33 次のa〜eの文は，GNSS測量について述べたものである。 ⬚ ア ⬚ 〜 ⬚ オ ⬚ に入る語句の組合せとして最も適当なものはどれか。次の中から選べ。

a．GNSSとは，人工衛星からの信号を用いて位置を決定する ⬚ ア ⬚ システムの総称である。

b．GNSS測量の基線解析を行うには，GNSS衛星の ⬚ イ ⬚ が必要である。

c．GNSS測量では， ⬚ ウ ⬚ が確保できなくても観測できる。

d．基線解析を行う観測点間の距離が長い場合において， ⬚ エ ⬚ の影響による誤差は，2周波の観測により軽減することができる。

e．GNSSアンテナの向きをそろえて整置することで， ⬚ オ ⬚ の影響を軽減することができる。

	ア	イ	ウ	エ	オ
1．	衛星測位	軌道情報	観測点間の視通	対流圏	アンテナ位相特性
2．	衛星測位	軌道情報	観測点間の視通	電離層	アンテナ位相特性
3．	衛星測位	品質情報	観測点上空の視界	対流圏	マルチパス
4．	GPS連続観測	軌道情報	観測点上空の視界	対流圏	アンテナ位相特性
5．	GPS連続観測	品質情報	観測点間の視通	電離層	マルチパス

■■ **解　説** ■■

本問は，GNSS測量に関する問題である。

a．GNSSとは，人工衛星からの信号を用いて位置を決定する ⬚**ア．衛星測位**⬚ システムの総称である（作業規程の準則第21条4項）。

b．GNSS測量の基線解析を行うには，GNSS衛星の ⬚**イ．軌道情報**⬚ が必要である（第41条4項2号）。

c．GNSS測量では， ⬚**ウ．観測点間の視通**⬚ が確保できなくても観測できる。

d．基線解析を行う観測点間の距離が長い場合において， ⬚**エ．電離層**⬚ の影響による誤差は，2周波の観測により軽減することができる。

e．GNSSアンテナの向きをそろえて整置することで， ⬚**オ．アンテナ位相特性**⬚ の影響を軽減することができる（作業規程の準則解説と運用）。

したがって，**肢2**の組合せが最も適当である。

正解 ▶ **2**

2. GNSS 測量の誤差

No. 34 次の1～5の文は，GNSS 測量機を用いた基準点測量における誤差やその軽減方法について述べたものである。**明らかに間違っているものはどれか。**次の1～5の中から選べ。

1. GNSS 衛星から発信される電波が GNSS 測量機周辺の構造物等に反射して GNSS 測量機に届くことにより，誤差が大きくなることがある。
2. 二重位相差を用いた基線解析により，GNSS 衛星の時計と GNSS 測量機の時計の精度の違いにより生じる時計誤差を消去することができる。
3. PCV 補正を行うことにより，入射角に依存して電波の受信位置が変化することによる影響を軽減することができる。
4. 電子基準点のみを既知点とした GNSS 測量機を用いた基準点測量を行う場合にセミ・ダイナミック補正を行う必要があるのは，地殻変動によるひずみの影響で生じる新点の成果と近傍の既設点の成果との不整合を軽減するためである。
5. 2周波で基線解析を行うことにより，対流圏の影響による誤差を軽減することができる。

■■■ **解 説** ■■■

本問は，GNSS 測量機を用いた基準点測量における誤差やその軽減方法に関する問題である。

1. 正しい。GNSS 衛星から直接到達する電波以外に，構造物などに当たって反射した電波が受信される現象をマルチパスといい，測量の誤差の原因となる（作業規程の準則解説と運用）。

2. 正しい。GNSS 衛星の時計と GNSS 測量機の時計の精度の違いにより生じる誤差を時計誤差という。搬送波位相を用いて2点間の相対的な位置関係を決定する方法である干渉測位では，共通の衛星について2点間の搬送波位相の差を取ることで衛星時計誤差が消去された一重位相差を求める。さらに，2衛星についての一重位相差の差を取ることで衛星時計誤差に加え受信機時計誤差が消去された二重位相差を得る。このように，二重位相差を用いた基線解析により時計誤差を消去できる。

3. 正しい。PCV（Phase Center Variation）とは，エポック（観測記録単位時間）ごとに受信機に飛び込んでくる GNSS 衛星からの電波の入射角に依存して受信位置が変化することをいう。この変化量は，アンテナ機種ごとによって異なり，アンテナ位相特性と呼ばれている。PCV 補正は，GNSS アンテナを同一の向きにそろえ，アンテナの衛星電波受信位置の変化（＝アンテナの位相特性）を軽減・補正するために必要な作業である。

4．正しい。 プレート境界に位置する我が国においては，プレート運動に伴う地殻変動により，各種測量の基準となる基準点の相対的な位置関係が徐々に変化し，基準点網のひずみとして蓄積していくことになる。GNSS を利用した測量の導入に伴い，基準点を新たに設置する際には遠距離にある電子基準点を既知点として用いることが可能となったが，地殻変動によるひずみの影響を考慮しないと，近傍の基準点の測量成果との間に不整合が生じることになる。その不整合を解決するために行われるのが，セミ・ダイナミック補正である。セミ・ダイナミック補正とは，プレート運動に伴う定常的な地殻変動による基準点間のひずみの影響を補正するため，国土地理院が電子基準点などの観測データから算出し提供している地殻変動補正パラメータを用いて，基準点測量で得られた測量結果を補正し，測地成果 2011（国家座標）の基準日（元期）における測量成果を求めるものである。地殻変動補正パラメータの提供範囲は，全国（一部離島を除く）である。

5．間違い。 2周波で基線解析を行うことにより誤差を軽減できるのは，周波数に依存する誤差である電離層の影響による場合である。一方，対流圏の影響による誤差は周波数に依存せず，2周波の観測により軽減することができないため，基線解析ソフトウェアで採用している標準値を用いて近似的に補正が行われる（作業規程の準則解説と運用）。

したがって，明らかに間違っているものは**肢5**である。

正解 ▶ 5

2．GNSS 測量の誤差

No. 35　次の文は，GNSS 測量機を用いた測量の誤差について述べたものである。　ア　〜　エ　に入る語句の組合せとして最も適当なものはどれか。次の中から選べ。

　GNSS 測量機を用いた測量における主要な誤差要因には，GNSS 衛星位置や時計などの誤差に加え，GNSS 衛星から観測点までに電波が伝搬する過程で生じる誤差がある。そのうち，　ア　は周波数に依存するため，2 周波の観測により軽減することができる。特に，10km より長い基線の観測では，2 周波を受信できる GNSS 測量機を使う必要がある。一方，　イ　は周波数に依存せず，2 周波の観測により軽減することができないため，基線解析ソフトウェアで採用している標準値を用いて近似的に補正が行われる。　ウ　法では，電子基準点の観測データから作られる補正量などを取得し，解析処理を行うことで，これらの誤差を軽減している。

　ただし，GNSS 衛星から直接到達する電波以外に電波が構造物などに当たって反射したものが受信される現象である　エ　による誤差は，　ウ　法によっても補正できないので，選点に当たっては，周辺に構造物などが無い場所を選ぶなどの注意が必要である。

	ア	イ	ウ	エ
1．	電離層遅延誤差	対流圏遅延誤差	ネットワーク型 RTK	マルチパス
2．	電離層遅延誤差	成層圏遅延誤差	キネマティック	サイクルスリップ
3．	成層圏遅延誤差	対流圏遅延誤差	ネットワーク型 RTK	アンテナ位相特性
4．	対流圏遅延誤差	成層圏遅延誤差	ネットワーク型 RTK	マルチパス
5．	対流圏遅延誤差	電離層遅延誤差	キネマティック	サイクルスリップ

　本問は，GNSS 測量機を用いた測量の誤差に関する問題である。

　GNSS 測量機を用いた測量における主要な誤差要因には，GNSS 衛星位置や時計などの誤差に加え，GNSS 衛星から観測点までに電波が伝搬する過程で生じる誤差がある。そのうち，ア．電離層遅延誤差 は周波数に依存するため，2 周波の観測により軽減することができる。特に，10km より長い基線の観測では，2 周波を受信できる GNSS 測量機を使う必要がある。一方，イ．対流圏遅延誤差 は周波数に依存せず，2 周波の観測により軽減することができないため，基線解析ソフトウェアで採用している標準値を用いて近似的に補正が行われる。ウ．ネットワーク型 RTK 法では，電子基準点の観測データから作られる補正量などを取得し，解析処理を行うことで，これらの誤差を軽減している。

　ただし，GNSS 衛星から直接到達する電波以外に電波が構造物などに当たって反射したものが受信される現象であるエ．マルチパス による誤差は，ウ．ネットワーク型 RTK 法によっても補正できないので，選点に当たっては，周辺に構造物などが無い場所を選ぶなどの注意が必要である。

　以上，作業規程の準則第 41 条，作業規程の準則解説と運用。

　したがって，**肢 1** の組合せが最も適当である。

正解 ▶ 1

2. GNSS 測量の誤差

No. 36　次の文は，GNSS 測量機を用いた測量における誤差について述べたものである。明らかに間違っているものはどれか。次の中から選べ。

1. GNSS アンテナの向きをそろえて整置することで，マルチパスの影響を軽減することができる。
2. GNSS 衛星と GNSS 測量機の時計の違いにより生じる時計誤差は，基線解析を行うことで消去することができる。
3. 仰角の低い GNSS 衛星を使用すると，対流圏の影響による誤差が増大する。
4. 2 周波で基線解析を行うことによって，電離層の影響による誤差を軽減することができる。
5. 観測点の近くに強い電波を発する施設などがあると，誤差が生じることがある。

■ 解　説 ■

本問は，GNSS 測量機を用いた測量における誤差に関する問題である。

1. **間違い。**GNSS アンテナの向きをそろえて設置したとしても，マルチパスの影響を防ぐことはできない。GNSS 衛星から直接到達する電波以外に，電波が構造物などに当たって反射したものが受信される現象がマルチパスによる誤差である。選点に当たり，周辺に構造物がない場所を選ぶなどの注意が必要である。なお，GNSS アンテナを同一の向きにそろえるのは，PCV 補正（アンテナの衛星電波受信位置の変化（＝アンテナの位相特性）を補正すること）を行うのに必要な条件としてする作業である。

2. **正しい。**GNSS 衛星と GNSS 測量機の時計の違いにより生じる時計誤差は，基線解析を行うことにより消去することができる。

3. **正しい。**仰角の低い地表付近の GNSS 衛星を使用すると，衛星から受信される電波は大気による遅延量が大きいため，また，地面などによる多重反射（マルチパス）の影響も受けやすいため対流圏遅延誤差が増大する。

4. **正しい。**GNSS 衛星から観測点までに電波が伝搬する過程で，電離層遅延誤差や対流圏遅延誤差を生じる。電離層遅延誤差は，周波数に依存するため，2 周波の観測により基線解析計算することで軽減することができる。

5. **正しい。**GNSS 測量機は衛星からの電波を受信して観測するため，観測点の近くに強い電波を発する構造物などがあると，衛星からの搬送波位相に影響を与えるおそれがあり，誤差が生じることがある。

以上，作業規程の準則解説と運用。

したがって，**肢 1** が間違っている。

正解 ▶ 1

2．GNSS 測量の誤差

No. 37　　次の文は，GNSS 測量における誤差について述べたものである。明らかに間違っているものはどれか。次の中から選べ。

1．GNSS 衛星の配置が片寄った時間帯に観測すると，観測精度が低下することがある。

2．観測点の近くに強い電波を発する構造物などがあると，観測精度が低下することがある。

3．仰角の低い GNSS 衛星を使用すると，多重反射（マルチパス）などの影響を受けやすいため，観測精度が低下することがある。

4．2 周波の観測により，電離層や対流圏の影響による誤差を軽減できる。

5．同一機種の GNSS アンテナでは，向きをそろえて整置することにより，アンテナの特性による誤差を軽減できる。

■■■　解　説　■■■

本問は，GNSS 測量機を用いた測量における誤差に関する問題である。

1．正しい。GNSS 衛星が片寄った時間に観測すると，観測精度が悪くなるので，事前に GNSS 衛星の飛来情報を確認する必要がある（作業規程の準則第 37 条 2 項 2 号ト）。

2．正しい。GNSS 測量機は衛星からの電波を受信して観測するため，観測点の近くに強い電波を発する構造物などがあると，衛星からの搬送波位相に影響を与えるおそれがあり，観測精度が低下することがある（作業規程の準則解説と運用）。

3．正しい。仰角の低い GNSS 衛星を使用すると，GNSS 衛星から直接到達する電波以外に電波が構造物などに当たって反射したものが受信されるため，観測精度が低下することがある（作業規程の準則解説と運用）。

4．間違い。GNSS 衛星から観測点までに電波が伝搬する過程で，電離層遅延誤差や対流圏遅延誤差を生じる。対流圏遅延誤差は，周波数に依存しないため，2 周波の観測により軽減することができない。これは，基線解析ソフトウェアで採用している標準値を用いて近似的な補正をする（作業規程の準則第 41 条 4 項 4 号）。

5．正しい。GNSS アンテナには位相特性があるが，同じ機種のアンテナは同じ特性を示すので，アンテナの向きを特定の方向にそろえると位相特性の影響を軽減できる（作業規程の準則解説と運用）。

したがって，**肢 4** が間違っている。

正解 ▶ 4

No. 38　　次の a ～ e の文は，GNSS 測量機を用いた基準点測量（以下「GNSS 測量」という。）について述べたものである。 ア ～ オ に入る語句の組合せとして最も適当なものはどれか。次の中から選べ。

a．GNSS 測量機を用いた 1 級基準点測量は，原則として， ア により行う。

b．アンテナ位相特性の影響による誤差は，各観測点の GNSS アンテナを イ 方向に整置することで軽減することができる。

c．GNSS 測量では， ウ が確保できなくても観測できる。

d． エ の影響による誤差は，GNSS 衛星から送信される 2 周波の信号を用いて解析することにより軽減することができる。

e．GNSS 衛星から直接到達する電波以外に，構造物などに当たって反射した電波が受信される現象を オ といい，測量の誤差の原因となる。

	ア	イ	ウ	エ	オ
1．	結合多角方式	不特定	観測点上空の視界	対流圏	マルチパス
2．	結合多角方式	同一	観測点間の視通	電離層	マルチパス
3．	単路線方式	同一	観測点間の視通	対流圏	サイクルスリップ
4．	単路線方式	同一	観測点上空の視界	対流圏	サイクルスリップ
5．	単路線方式	不特定	観測点間の視通	電離層	マルチパス

■■■ **解　説** ■■■

本問は，GNSS 測量機を用いた基準点測量に関する問題である。

a．GNSS 測量機を用いた 1 級基準点測量は，原則として， **ア．結合多角方式** により行う（作業規程の準則第 23 条 1 項 1 号）。

b．アンテナ位相特性の影響による誤差は，各観測点の GNSS アンテナを **イ．同一** 方向に整置することで軽減することができる（作業規程の準則解説と運用）。

c．GNSS 測量では， **ウ．観測点間の視通** が確保できなくても観測できる。

d． **エ．電離層** の影響による誤差は，GNSS 衛星から送信される 2 周波の信号を用いて解析することにより軽減することができる。

e．GNSS 衛星から直接到達する電波以外に，構造物などに当たって反射した電波が受信される現象を **オ．マルチパス** をといい，測量の誤差の原因となる（作業規程の準則解説と運用）。

したがって，**肢2**の組合せが最も適当である。

正解 ▶ 2

3. GNSS 測量による基準点測量

No. 39 次のａ～ｅの文は，公共測量における GNSS 測量機を用いた基準点測量について述べたものである。　ア　～　オ　に入る語句の組合せとして最も適当なものはどれか。次の中から選べ。

a．GNSS 測量では，　ア　が確保できなくても観測できる。

b．削除。

c．スタティック法による観測において，GPS 衛星のみを用いる場合は　ウ　以上を用いなければならない。

d．GNSS 測量の基線解析を行うには，GNSS 衛星の　エ　が必要である。

e．GNSS 測量による１級基準点測量は，原則として，　オ　により行う。

	ア	イ	ウ	エ	オ
1.	観測点上空の視界	削除	4 衛星	軌道情報	単路線方式
2.	観測点間の視通	削除	3 衛星	品質情報	単路線方式
3.	観測点間の視通	削除	3 衛星	軌道情報	結合多角方式
4.	観測点上空の視界	削除	3 衛星	品質情報	単路線方式
5.	観測点間の視通	削除	4 衛星	軌道情報	結合多角方式

※　平成 28 年 3 月の「作業規程の準則」の改正により，GNSS 測量による基準点測量の観測方法に変更がありました。
　　本問は，ｂとイを削除してあります。

■ **解 説** ■

本問は，公共測量における GNSS 測量機を用いた基準点測量に関する問題である。

a．GNSS 測量では，　**ア．観測点間の視通**　が確保できなくても観測できる。

b．削除。

c．スタティック法による観測において，GPS 衛星のみを用いる場合は**ウ．4 衛星**以上を用いなければならない（作業規程の準則第 37 条 2 項 2 号ニ）。

d．GNSS 測量の基線解析を行うには，GNSS 衛星の**エ．軌道情報**が必要である（第 41 条 4 項 2 号）。

e．GNSS 測量による１級基準点測量は，原則として**オ．結合多角方式**により行う（第 23 条 1 項 1 号）。

したがって，**肢 5** の組合せが最も適当である。

正解 ▶ 5

4. 楕円体高

No.　40　　次のa～eの文は，位置の基準について述べたものである。明らか
に間違っているものだけの組合せはどれか。次の1～5の中から選べ。

a. 地心直交座標系（平成14年国土交通省告示第185号）における任意の地点の座
　標値から，ジオイド高を用いなくても，緯度，経度及び標高に変換できる。

b. 基本測量及び公共測量では，標高は平均海面からの高さで表す。

c. ジオイドは重力の方向と直交であり，地球の表面に対して一様に平行である。

d. 基本測量及び公共測量において位置を緯度及び経度で表す場合は，地球を扁平な
　回転楕円体と想定する。

e. 標高，楕円体高，ジオイド高には，「標高＝楕円体高－ジオイド高」の関係が成
　立している。

1. a，c
2. a，d
3. b，d
4. b，e
5. c，e

本問は，測量の基準に関する問題である。

a．**間違い**。地心直交座標系はX軸，Y軸，Z軸からなる座標系であり，その座標値は，GNSS測量機を使った基準点測量の基線解析計算から求められる。その座標値と経度，緯度，標高は当然同じものではない。あくまでも地心直交座標系に地球を仮想した準拠回転楕円体を介することで，その座標値から緯度，経度，楕円体高が求められる。そして，「標高＝楕円体高－ジオイド高」（作業規程の準則第40条）であるから，地心直交座標系における任意の地点の座標値を緯度，経度及び標高に変換するにはジオイド高を用いることが必要である。

b．**正しい**。基本測量及び公共測量における「位置は，地理学的経緯度及び平均海面からの高さで表示する。ただし，場合により，直角座標及び平均海面からの高さ，極座標及び平均海面からの高さ又は地心直交座標で表示することができる」（測量法第11条1項1号）。

c．**間違い**。ジオイド面は，平均海面に相当する面を陸地内部まで延長したときにできる仮想の面であり，重力の方向と直交する。しかし，地球の内部構造の影響により凹凸があり，地球の表面に対して一様に平行にはならない。

d．**正しい**。基本測量及び公共測量において，「地理学的経緯度は，世界測地系に従って測定しなければならない」（測量法第11条2項）。世界測地系は，地球をその長半径及び扁平率が国際的な決定に基づき政令で定める値である回転楕円体であると想定する（測量法第11条3項）。なお日本では，世界の測地系で最も広く使われているGRS80楕円体を準拠楕円体として採用する。

e．**正しい**。標高は，楕円体高とジオイド高から算出することができる。「楕円体高＝ジオイド高＋標高」より，「標高＝楕円体高－ジオイド高」となる。

正解 ▶ 1

4. 楕円体高

No. 41 次の文は，地球の形状及び測量の基準について述べたものである。明らかに間違っているものはどれか。次の中から選べ。

1. 地球上の位置を緯度，経度で表すための基準として，地球の形状と大きさに近似した回転楕円体が用いられる。
2. 世界測地系において，回転楕円体はその中心が地球の重心と一致するものであり，その長軸が地球の自転軸と一致するものである。
3. GNSS測量で直接得られる高さは，楕円体高である。
4. ジオイド高は，楕円体高と標高の差から計算できる。
5. 地心直交座標系（平成14年国土交通省告示第185号）の座標値から，当該座標の地点における緯度，経度及び楕円体高を計算できる。

本問は，地球の形状及び測量の基準に関する問題である。

1．**正しい**。地球上の位置を経緯度で表すための基準としては，ジオイドに適合するような回転楕円体面を，地球と関連づけたものを採用する。すなわち，地球の形状と大きさに近似した回転楕円体が用いられる。

2．**間違い**。世界測地系において，測量法により地球を扁平な回転楕円体と想定する。回転楕円体は，その中心が地球の重心と一致するものであり，また，その短軸が地球の自転軸と一致するものであることを測量の基準の一つとしている。

3．**正しい**。楕円体高は，準拠楕円体面から観測点（地表）までの高さである。GNSS　測量機を使った基準点測量では，地心直交座標系（WGS-84）からの楕円体高が求められる。

4．**正しい**。準拠楕円体から観測点（地表）までの高さを，楕円体高という。また，標高はジオイド面（仮想平均海面）から地表までの高さなので，準拠楕円体からジオイド面までの高さであるジオイド高は，楕円体高－標高により計算することができる（作業規程の準則第40条）。

5．**正しい**。地心直交座標系の座標値は，GNSS測量機を使った基準点測量の基線解析計算から求められ，この座標値から緯度，経度，楕円体高が求められる。

したがって，**肢2**が間違っている。

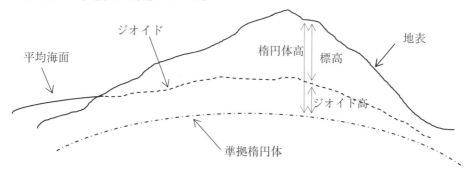

正解 ▶ 2

No.　42　　次の文は，地球の形状及び位置の基準について述べたものである。明らかに間違っているものはどれか。次の中から選べ。

1．地理学的経緯度は，世界測地系に基づく値で示される。

2．世界測地系では，地球をその長半径及び扁平率が国際的な決定に基づき政令で定める値である回転楕円体であると想定する。

3．標高は，ある地点において，平均海面を陸地内部まで仮想的に延長してできる面から地表面までの高さである。

4．緯度，経度及びジオイド高から，当該座標の地点における地心直交座標系（平成14年国土交通省告示第185号）の座標値が計算できる。

5．測量の原点は，日本経緯度原点及び日本水準原点である。ただし，離島の測量その他特別の事情がある場合において，国土地理院の長の承認を得たときは，この限りでない。

本問は，地球の形状及び位置の基準に関する問題である。

1. **正しい**。測量においては，位置は，地理学的経緯度及び平均海面からの高さで表示する。また，地理学的経緯度は，世界測地系に従って測定しなければならない（測量法第11条1項1号，2項，3項）。

2. **正しい**。世界測地系は，地球をその長半径及び扁平率が国際的な決定に基づき政令で定める値である回転楕円体であると想定する（第11条3項）。日本では，世界の測地系で最も広く使われているGRS80楕円体を準拠楕円体として採用する。

3. **正しい**。標高は，ある地点において，平均海面を陸地内部まで延長したと仮定した面（ジオイド面）から地表面までの高さである。

4. **間違い**。地心直交座標系の座標値は，GNSS測量機を使った基準点測量の基線解析計算から求められ，この座標値から緯度，経度，楕円体高が求められる。緯度，経度及びジオイド高から，当該座標の地点における地心直交座標系の座標値は，計算できない。

5. **正しい**。測量の原点は，日本経緯度原点及び日本水準原点である。ただし，離島の測量その他特別の事情がある場合において，国土地理院の長の承認を得たときは，この限りではない（第11条1項3号）。

したがって，**肢4**が間違っている。

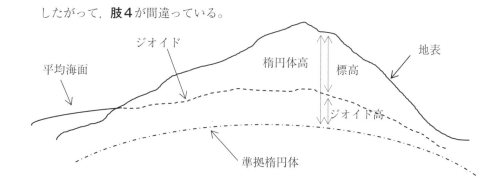

正解 ▶ 4

重要度 Ⓐ

4．楕円体高

No. 43　次の文は，地球の形状及び測量の基準について述べたものである。明らかに間違っているものはどれか。次の中から選べ。

1．標高とは，地球の形状と大きさに近似した回転楕円体の表面から，平均海面を陸側に延長したと仮定した面までの高さである。

2．測量法（昭和24年法律第188号）では，地球上の位置を緯度，経度で表すための基準として，地球の形状と大きさに近似した回転楕円体が用いられる。

3．地心直交座標系の座標値から，当該座標の地点における緯度，経度及び楕円体高へ変換できる。

4．GNSS測量で直接求められる高さは，楕円体高である。

5．ジオイドは，重力の方向と直交しており，地球の形状と大きさに近似した回転楕円体の表面に対して凹凸がある。

本問は，地球の形状及び位置の基準に関する問題である。

1. **間違い。** 標高は，ある地点において，平均海面を陸側に延長したと仮定した面（ジオイド面）から地表面までの高さである。

2. **正しい。** 地球上の位置を経緯度で表すための基準としては，ジオイドに適合するような回転楕円体面を，地球と関連づけたものとして採用する。すなわち，地球の形状と大きさに近似した回転楕円体が用いられる。

3. **正しい。** 地心直交座標系の座標値は，GNSS 測量機を使った基準点測量の基線解析計算から求められ，この座標値から緯度，経度，楕円体高が求められる。

4. **正しい。** 楕円体高は，準拠楕円体面から観測点（地表）までの高さである。GNSS 測量機を使った基準点測量では，地心直交座標系（WGS-84）からの楕円体高が求められる。

5. **正しい。** ジオイド面は，平均海面に相当する面を陸地内部まで延長したときにできる仮想の面であり，重力の方向と直交する。ジオイド面は，地球内部の質量分布の不均質などにより凹凸がある。

したがって，**肢1** が間違っている。

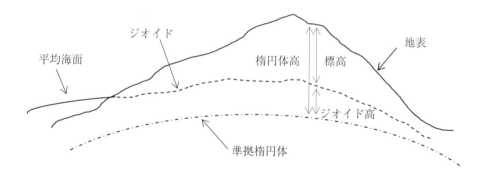

正解 ▶ 1

4. 楕円体高

No. 44 次のa〜dの文は，地球の形状及び位置の基準について述べたものである。 ア 〜 オ に入る語句の組合せとして最も適当なものはどれか。次の中から選べ。

a．測量法（昭和24年法律第188号）に規定する世界測地系では，回転楕円体として ア を採用しており，地球上の位置は世界測地系に従って測定された地理学的経緯度及び平均海面からの高さで表すことができる。

b．ジオイドは，重力の方向に イ であり，地球を回転楕円体で近似した表面に対して凹凸がある。

c．地心直交座標系の座標値から，回転楕円体上の緯度，経度及び ウ に変換できる。

d．GNSS測量などによって得られるその場所の ウ から エ を減ずることによって オ を計算することができる。

	ア	イ	ウ	エ	オ
1.	GRS80	垂直	楕円体高	ジオイド高	標高
2.	GRS80	垂直	ジオイド高	標高	楕円体高
3.	GRS80	平行	標高	楕円体高	ジオイド高
4.	WGS84	平行	標高	ジオイド高	楕円体高
5.	WGS84	垂直	楕円体高	ジオイド高	標高

本問は，地球の形状及び位置の基準に関する問題である。

a．測量法（昭和24年法律第188号）に規定する世界測地系では，回転楕円体として ア．GRS80 を採用しており，地球上の位置は世界測地系に従って測定された地理学的経緯度及び平均海面からの高さで表すことができる（測量法第11条）。

b．ジオイドは，重力の方向に イ．垂直 であり，地球を回転楕円体で近似した表面に対して凹凸がある。

c．地心直交座標系の座標値から，回転楕円体上の緯度，経度及び ウ．楕円体高 に変換できる。

d．GNSS測量などによって得られるその場所の ウ．楕円体高 から エ．ジオイド高 を減ずることによって オ．標高 を計算することができる（作業規程の準則第40条）。

したがって，**肢1**の組合せが最も適当である。

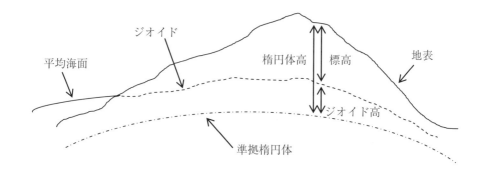

4. 楕円体高

No. 45　次の文は，地球の形状及び位置の基準について述べたものである。明らかに間違っているものはどれか。次の中から選べ。

1．測量法（昭和24年法律第188号）において，地球上の位置は，地球の形状と大きさに近似したジオイドの表面上における地理学的経緯度及び平均海面からの高さで表示することができると定められている。

2．ジオイドは，重力の方向と直交しており，地球の形状と大きさに近似した回転楕円体に対して凹凸がある。

3．標高は，ある地点において，平均海面を陸側に延長したと仮定した面から地表面までの高さである。

4．標高は，楕円体高及びジオイド高から計算できる。

5．地心直交座標系の座標値から，当該座標の地点における緯度，経度及び楕円体高が計算できる。

本問は，地球の形状及び位置の基準に関する問題である。

1．**間違い**。地球上の各位置を表すには，基準が必要となる。地球の形に近似した回転楕円体を測量の基準面として，位置はその表面上における地理学的経緯度及び平均海面からの高さで表すことができる（測量法第11条）。

2．**正しい**。ジオイド面は，平均海面に相当する面を陸地内部まで延長したときにできる仮想の面であり，重力の方向と直交する。ジオイド面は，地球内部の質量分布の不均質などにより凹凸がある。

3．**正しい**。標高は，ある地点において，平均海面を陸側に延長したと仮定した面（ジオイド面）から地表面までの高さである。

4．**正しい**。標高は，楕円体高とジオイド高から算出することができる。
　　楕円体高＝ジオイド高＋標高より，
　　標高＝楕円体高－ジオイド高となる。

5．**正しい**。地心直交座標系の座標値は，GNSS測量機を使った基準点測量の基線解析計算から求められ，この座標値から緯度，経度，楕円体高が求められる。

　　したがって，**肢1**が間違っている。

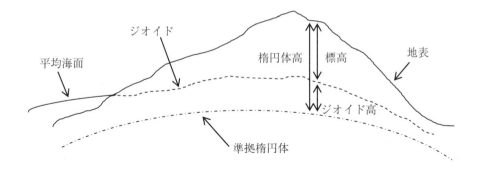

正解▶1

4．楕円体高

No. 46 　　次の文は，地球の形状及び位置の基準について述べたものである。明らかに間違っているものはどれか。次の中から選べ。

1．地球上の位置を緯度，経度で表すための基準として，地球の形状と大きさに近似した回転楕円体が用いられる。

2．標高は，楕円体高とジオイド高を用いて計算することができる。

3．ジオイドは，重力の方向と直交しており，地球の形状と大きさに近似した回転楕円体に対して凹凸がある。

4．地心直交座標系の座標値から，当該座標の地点における緯度，経度及び楕円体高が計算できる。

5．ジオイド高は，ある地点において，平均海面を陸側に延長したと仮定した面から地表面までの高さである。

　本問は，地球の形状及び位置の基準に関する問題である。

１. 正しい。 地球上の位置を経緯度で表すための基準としては，ジオイドに適合するような回転楕円面を，地球と関連づけたものを採用する。すなわち，地球の形状と大きさに近似した回転楕円体が用いられる。

２. 正しい。 GNSS 測量機を使った基準点測量では，地心直交座標系（WGS-84）から楕円体高を求めることができる。また，ジオイド高は，国土地理院から提供されている。これより，平均海面からの高さである標高は，ジオイドを基準として測定するので次式が成り立つ。

　　楕円体高＝ジオイド高＋標高　　この式より標高は，

　　標高＝楕円体高－ジオイド高　　より求めることができる（作業規程の準則第40条）。

３. 正しい。 ジオイド面は，平均海面に相当する面を陸地内部まで延長したときにできる仮想の面であり，重力の方向と直交する。ジオイド面は，地球内部の質量分布の不均質などにより凹凸がある。

４. 正しい。 地心直交座標系の座標値は，GNSS 測量機を使った基準点測量の基線解析計算から求められ，この座標値から緯度，経度，楕円体高が求められる。

５. 間違い。 測量の基準とする準拠楕円体面からジオイドまでの高さが，ジオイド高であり，本肢は標高のことを記述している。

　したがって，**肢5** が間違っている。

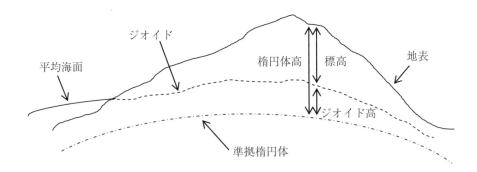

4．楕円体高

No. 47　次の文は，地球の形状と地球上の位置について述べたものである。明らかに間違っているものはどれか。次の中から選べ。

1．GNSS 測量で直接求められる高さは，楕円体高である。
2．ジオイドは，重力の方向に直交しており，地球の形状と大きさに近似した回転楕円体に対して凹凸がある。
3．地心直交座標系の座標値から，当該座標の地点における緯度，経度及び楕円体高が計算できる。
4．標高は，楕円体高とジオイド高から算出することができる。
5．ジオイド高とは，測量の基準とする回転楕円体面から地表までの高さである。

本問は，地球の形状と地球上の位置に関する問題である。

1．**正しい。**楕円体高は，準拠楕円体面から観測点（地表）までの高さである。GNSS測量機を使った基準点測量では，地心直交座標系（WGS-84）からの楕円体高が求められる。

2．**正しい。**ジオイド面は，平均海面に相当する面を陸地内部まで延長したときにできる仮想の面であり，重力の方向と直交する。ジオイド面は，地球内部の質量分布の不均質などにより凹凸がある。

3．**正しい。**地心直交座標系の座標値は，GNSS測量機を使った基準点測量の基線解析計算から求められ，この座標値から緯度，経度，楕円体高が求められる。

4．**正しい。**GNSS測量機を使った基準点測量では，地心直交座標系（WGS-84）から楕円体高を求めることができる。また，ジオイド高は，国土地理院から提供されている。これより，平均海面からの高さである標高は，ジオイドを基準として測定するので次式が成り立つ。

　　楕円体高＝ジオイド高＋標高　　この式より標高は，

　　標高＝楕円体高－ジオイド高　　より求めることができる（作業規程の準則第40条）。

5．**間違い。**測量の基準とする準拠楕円体面からジオイドまでの高さが，ジオイド高である。

　したがって，**肢5**が間違っている。

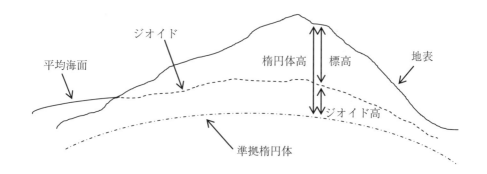

正解▶ 5

4．楕円体高

No. 48　次の文は，地球の形状と地球上の位置について述べたものである。明らかに間違っているものはどれか。次の中から選べ。

1．楕円体高と標高から，ジオイド高を計算することができる。

2．ジオイドは，重力の方向に平行であり，地球の形状と大きさに近似した回転楕円体面に対して凹凸がある。

3．測量法に規定する世界測地系では，回転楕円体として GRS80 を採用している。

4．地球上の位置は，世界測地系に従って測定された地理学的経緯度及び平均海面からの高さで表すことができる。

5．地心直交座標系の座標値から，当該座標の地点における緯度，経度及び楕円体高が計算できる。

本問は，地球の形状と地球上の位置に関する問題である。

1．正しい。準拠楕円体から観測点（地表）までの高さを，楕円体高という。また，標高はジオイド面（仮想平均海面）から地表までの高さなので，準拠楕円体からジオイド面までの高さであるジオイド高は，楕円体高−標高により計算することができる（下図参照）（作業規程の準則第40条）。

2．間違い。ジオイド面は，平均海面に相当する面を陸地内部まで延長したときにできる仮想の面であり，重力の方向と直交する（本肢では平行となっている）。ジオイド面は，地球内部の質量分布の不均質などにより凹凸がある。

3．正しい。測量法第11条に規定する世界測地系では，回転楕円体としてGRS80楕円体を採用している（測量法施行令第3条）。

4．正しい。地球上の各位置を表すには，基準が必要となる。地球の形に近似した回転楕円体を測量の基準面として，位置はその表面上における地理学的経緯度及び平均海面からの高さで表すことができる（測量法第11条）。

5．正しい。地心直交座標系の座標値は，GNSS測量機を使った基準点測量の基線解析計算から求められ，この座標値から緯度，経度，楕円体高が求められる。

したがって，**肢2**が間違っている。

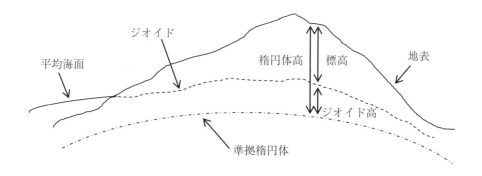

4. 楕円体高

No. 49　次の文は，地球の形状及び位置の基準について述べたものである。明らかに間違っているものはどれか。次の中から選べ。

1．地球上の位置を緯度，経度で表すための基準として，地球の形状と大きさに近似した回転楕円体が用いられる。
2．地心直交座標系の座標値から，当該座標の地点における緯度，経度及び楕円体高が計算できる。
3．ジオイドは，重力の方向と直交しており，地球の形状と大きさに近似した回転楕円体に対して凹凸がある。
4．ジオイド高は，楕円体高と標高を用いて計算することができる。
5．ジオイド高は，平均海面を延長したジオイドから地表面までの高さである。

本問は，地球の形状と地球上の位置に関する問題である。

1．正しい。 地球上の位置を経緯度で表すための基準としては，ジオイドに適合するような回転楕円体面を，地球と関連づけたものとして採用する。すなわち，地球の形状の近似回転楕円体が用いられる。

2．正しい。 地心直交座標系の座標値は，回転楕円体の中心を原点とする値で，GNSS測量機を使った基準点測量の基線解析計算などから求めることができる。この座標値から緯度，経度，楕円体高が求められる。

3．正しい。 ジオイド面は，平均海面に相当する面を陸地内部まで延長したときにできる仮想の面であり，重力の方向と直交する。ジオイド面は，地球内部の質量分布の不均質などにより凹凸がある。

4．正しい。 準拠楕円体から観測点（地表）までの高さを，楕円体高という。また，標高はジオイド面（仮想平均海面）から地表までの高さなので，準拠楕円体からジオイド面までの高さであるジオイド高は，楕円体高－標高により計算することができる（作業規程の準則第40条）。

5．間違い。 測量の基準とする準拠楕円体面からジオイドまでの高さが，ジオイド高である。

したがって，**肢5**が間違っている。

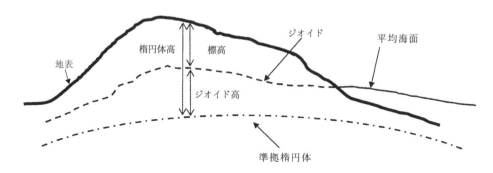

正解▶ 5

5. 基線解析（セミ・ダイナミック補正）

No. 50　次の文は，公共測量における GNSS 測量機を用いた基準点測量において，電子基準点 A，B を既知点とした場合のセミ・ダイナミック補正について述べたものである。

表－1は，観測で得られた電子基準点 A から新点 C 及び新点 C から電子基準点 B までの基線ベクトルの Y 成分を示したものである。表－2 は各点における地殻変動補正パラメータから求めた Y 方向の補正量を示しており，元期座標値と今期座標値は，「今期座標値＝元期座標値＋地殻変動補正パラメータから求めた補正量」の関係がある。新点 C における元期の Y 座標値を求めるとき，表－3 の ┃ ア ┃ ～ ┃ エ ┃ に入る数値の組合せとして最も適当なものはどれか。次の 1 ～ 5 の中から選べ。

ただし，基線ベクトルの観測誤差並びに X 方向及び楕円体高の補正量は考えないものとする。

なお，関数の値が必要な場合は，巻末の関数表を使用すること。

表－1

基線	基線ベクトルの Y 成分（m）
電子基準点 A → 新点 C	＋ 7,000.000
新点 C → 電子基準点 B	＋ 13,000.040

表－2

名称	地殻変動補正パラメータから求めた Y 方向の補正量（m）（今期の Y 座標値－元期の Y 座標値）
電子基準点 A	＋ 0.010
電子基準点 B	＋ 0.040
新点 C	＋ 0.020

表－3

名称	時期	Y 座標値（m）
電子基準点 A	元期	－ 0.010
	今期	ア
電子基準点 B	元期	＋ 20,000.000
	今期	イ
新点 C	元期	ウ
	今期	エ

〈次のページに続く〉

	ア	イ	ウ	エ
1.	−0.020	+ 19,999.960	+ 6,999.960	+ 6,999.980
2.	−0.020	+ 19,999.960	+ 7,000.000	+ 6,999.980
3.	0.000	+ 20,000.020	+ 6,999.960	+ 7,000.000
4.	0.000	+ 20,000.040	+ 6,999.980	+ 7,000.000
5.	0.000	+ 20,000.040	+ 7,000.020	+ 7,000.000

■■■ **解　説** ■■■

　本問は，基線解析に関する問題である。

　ポイントは，各点のY軸上の位置関係をしっかりと把握することと，元期と今期の
プラスマイナスの関係を間違えないことである。

　表－1を見ると，基線ベクトルのY成分に関してA→C，C→Bがともに＋の値
をとっていることから点A，B，Cの位置関係はY軸上の正方向に向かって
A→B→Cの順に並んでいることがわかる（この把握は非常に基本的で簡単なこと
ではあるが，大事な前提ポイントである）〈表a〉。

　そして，表－1と表－2の両者から元期と今期の点A，B，Cの位置関係は以下の
ようになっていることがわかる〈表β〉

※一気に図にすることを考えるのではなく，表－1から〈表a〉を作成し，そこに表
　－2の情報を足して〈表β〉のようにすればいい。

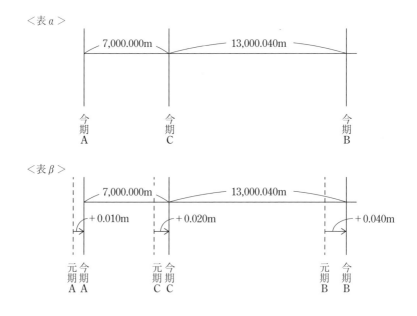

ア．表－2より，電子基準点Aの「今期のY座標値－元期のY座標値」が－0.010であることから，元期のY座標値－0.010mに＋0.010をすれば今期のY座標値が求まる。よって，電子基準点Aの今期のY座標値は，－0.010m＋0.010 ＝ **＋0.000**（m）　**ア**

イ．表－2より，電子基準点Bの「今期のY座標値－元期のY座標値」が－0.010であることから，元期のY座標値＋20,000.000mに＋0.040をすれば今期のY座標値が求まる。よって，電子基準点Bの今期のY座標値は，＋20,000.000＋0.040 ＝ **＋20,000.040**（m）　**イ**

ウ．エ．元期と今期の座標値がともに四角で隠されているため，ア，イと同じようには求められない。

　しかし，表－1より簡単に求められる。より容易に求めやすい点Cの今期のY座標値から求める。

　表－1より今期A→Cが＋7,000.000mであることと，アより点Aの今期の座標値が0.000であることから，点Cの今期のY座標値は0＋7,000.000 ＝ **＋7,000.000**（m）である。　**エ**

　次に，表－2より，電子基準点Cの「今期のY座標値－元期のY座標値」が＋0.020であることから，点Cの今期のY座標値＋7,000.000mに－0.020をすれば元期のY座標値が求まる。よって，電子基準点Cの元期のY座標値は，＋7,000.000－0.020 ＝ **＋6,999.980**（m）である。　**ウ**

したがって，**肢4**の組合せが最も適当である。

正解 ▶ 4

5．基線解析（セミ・ダイナミック補正）

No. 51　公共測量の２級基準点測量において，電子基準点 A，B を既知点とし，新点 C に GNSS 測量機を設置して観測を行った後，セミ・ダイナミック補正を適用して元期における新点 C の Y 座標値を求めたい。基線解析で得た基線ベクトルに測定誤差は含まれないものとし，基線 AC から点 C の Y 座標値を求めることとする。

元期における電子基準点 A の Y 座標値，観測された電子基準点 A から新点 C までの基線ベクトルの Y 成分，観測時点で使用するべき地殻変動補正パラメータから求めた各点の補正量がそれぞれ表－1，表－2，表－3のとおり与えられるとき，元期における新点 C の Y 座標値は幾らか。最も近いものを次の中から選べ。

ただし，座標値は平面直角座標系（平成 14 年国土交通省告示第 9 号）における値で，点 A，C の X 座標値及び楕円体高は同一とする。

また，地殻変動補正パラメータから求めた X 方向および楕円体高の補正量は考慮しないものとする。

なお，関数の値が必要な場合は，巻末の関数表を使用すること。

表－1

名称	元期における Y 座標値
電子基準点 A	0.000m

表－2

基線	基線ベクトルの Y 成分
A → C	＋ 15,000.040m

表－3

名称	地殻変動補正パラメータから求めた Y 方向の補正量（元期→今期）
電子基準点 A	－ 0.030m
新点 C	0.030m

1．14,999.980m
2．15,000.010m
3．15,000.040m
4．15,000.070m
5．15,000.100m

■■■■ 解 説 ■■■■

本問は，基線解析に関する問題である。

① 電子基準点Aの元期におけるY座標値は，0.000 mである（表－1）。

② 電子基準点Aの地殻変動パラメータから求めたY方向の元期から今期の補正量は，－0.030 mであり，電子基準点Aの今期から，新点Cの今期の基線ベクトルのY成分は，15,000.040 mである（表－2Y，a～d間）。

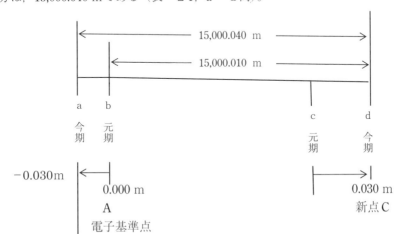

③ A点の元期からC点の今期までの基線ベクトルのY成分を計算すると，

15,000.040 m － 0.030 m

＝ 15,000.010 m（b～d間）となる。

④ ③をもとに，元期における新点CのY座標値を求めると地殻変動パラメータから求めたY方向の補正量（元期→今期）（表－3）は，0.030mであるから，15,000.010m － 0.030 m ＝ **14,999.980m** となる。

したがって，**肢1**が最も近い。

正解 ▶ 1

5. 基線解析（セミ・ダイナミック補正）

No. 52　次の文は，公共測量におけるセミ・ダイナミック補正について述べたものである。

ア ～ エ に入る語句の組合せとして最も適当なものはどれか。次の中から選べ。

　セミ・ダイナミック補正とは，プレート運動に伴う ア 地殻変動による基準点間のひずみの影響を補正するため，国土地理院が電子基準点などの観測データから算出し提供している イ を用いて，基準点測量で得られた測量結果を補正し，ウ （国家座標）の基準日（元期）における測量成果を求めるものである。イ の提供範囲は，全国（一部離島を除く）である。

　三角点や公共基準点を既知点とする測量を行う場合であれば，既知点間の距離が短く相対的な位置関係の変化も小さいため，地殻変動によるひずみの影響はそれほど問題にならない。しかし，電子基準点のみを既知点として測量を行う場合は，既知点間の距離が長いため地殻変動によるひずみの影響を考慮しないと，近傍の基準点との間に不整合を生じる。例えば，地殻変動による平均のひずみ速度を約 0.2ppm/year と仮定した場合，電子基準点の平均的な間隔が約 25km であるため，電子基準点間には 10 年間で約 エ mm の相対的な位置関係の変化が生じる。

　このような状況で網平均計算を行っても，精度の良い結果は得られないが，セミ・ダイナミック補正を行うことにより，測量を実施した今期の観測結果から，ウ （国家座標）の基準日（元期）において得られたであろう測量成果を高精度に求めることができる。

	ア	イ	ウ	エ
1.	定常的な	地殻変動補正パラメータ	測地成果 2011	50
2.	突発的な	標高補正パラメータ	測地成果 2011	50
3.	定常的な	標高補正パラメータ	測地成果 2000	20
4.	定常的な	地殻変動補正パラメータ	測地成果 2011	20
5.	突発的な	標高補正パラメータ	測地成果 2000	20

本問は，公共測量におけるセミ・ダイナミック補正に関する問題である。

セミ・ダイナミック補正とは，プレート運動に伴う ア．定常的な 地殻変動による基準点間のひずみの影響を補正するため，国土地理院が電子基準点などの観測データから算出し提供している イ．地殻変動補正パラメータ を用いて，基準点測量で得られた測量結果を補正し， ウ．測地成果2011 （国家座標）の基準日（元期）における測量成果を求めるものである。 イ．地殻変動補正パラメータ の提供範囲は，全国（一部離島を除く）である。

三角点や公共基準点を既知点とする測量を行う場合であれば，既知点間の距離が短く相対的な位置関係の変化も小さいため，地殻変動によるひずみの影響はそれほど問題にならない。しかし，電子基準点のみを既知点として測量を行う場合は，既知点間の距離が長いため地殻変動によるひずみの影響を考慮しないと，近傍の基準点との間に不整合を生じる。例えば，地殻変動による平均ひずみ速度を約0.2ppm／yearと仮定した場合，電子基準点の平均的な間隔が約25kmであるため，電子基準点間には10年間で約 エ．50 mmの相対的な位置関係の変化が生じる。

このような状況で網平均計算を行っても，精度の良い結果は得られないが，セミ・ダイナミック補正を行うことにより，測量を実施した今期の観測結果から， ウ．測地成果2011 （国家座標）の基準日（元期）において得られたであろう測量成果を高精度に求めることができる。

・相対的位置関係の変化である観測値と測量成果の不都合は，次式によって求められる。

測量値と測量成果の不整合（mm）
＝ひずみ速度（ppm／年）×経過元期からの時間（年）×基線長（km）
＝ 0.2ppm／年×10年×25km（25,000,000mm）
＝ 0.2×0.000001×10×25,000,000
＝ 50mm
となる。

なお，ppm（parts per million）とは，100万分の1の単位，百万分率と呼ばれるものであり，1ppm＝0.000001＝10^{-6}である。

したがって，**肢1**の組合せが最も適当である。

5. 基線解析（セミ・ダイナミック補正）

No. 53 　次の文は，公共測量におけるセミ・ダイナミック補正について述べたものである。

　　ア　～　エ　に入る語句の組合せとして最も適当なものはどれか。次の中から選べ。

　プレート境界に位置する我が国においては，プレート運動に伴う　　ア　　により，各種測量の基準となる基準点の相対的な位置関係が徐々に変化し，基準点網のひずみとして蓄積していくことになる。

　GNSS を利用した測量の導入に伴い，基準点を新たに設置する際には遠距離にある　　イ　　を既知点として用いることが可能となったが，　　ア　　によるひずみの影響を考慮しないと，近傍の基準点の測量成果との間に不整合が生じることになる。

　そのため，測量成果の位置情報の基準日である「測地成果 2011」の　　ウ　　から新たに測量を実施した　　エ　　までの　　ア　　によるひずみの補正を行う必要がある。

	ア	イ	ウ	エ
1.	地殻変動	三角点	今期	元期
2.	地盤沈下	三角点	今期	元期
3.	地殻変動	電子基準点	今期	元期
4.	地盤沈下	三角点	元期	今期
5.	地殻変動	電子基準点	元期	今期

　本問は，公共測量におけるセミ・ダイナミック補正に関する問題である。

　セミ・ダイナミック補正とは，以下の補正をいう。

　測量に利用される基準点は，我が国が複数のプレートの境界上に位置するため，この地殻変動の影響を受け，時間の経過とともにずれている。

　そのため，この地殻変動による歪みの補正を行う必要があり，この補正をセミ・ダイナミック補正という。

　プレート境界に位置する我が国においては，プレート運動に伴う ア．地殻変動 により，各種測量の基準となる基準点の相対的な位置関係が徐々に変化し，基準点網のひずみとして蓄積していくことになる。

　GNSS を利用した測量の導入に伴い，基準点を新たに設置する際には遠距離にある イ．電子基準点 を既知点として用いることが可能となったが， ア．地殻変動 によるひずみの影響を考慮しないと，近傍の基準点の測量成果との間に不整合が生じることになる。

　そのため，測量成果の位置情報の基準日である「測地成果2011」の ウ．元期 から新たに測量を実施した エ．今期 までの ア．地殻変動 によるひずみの補正を行う必要がある。

　したがって，**肢5**の組合せが最も適当である。

正解▶ 5

重要度A

5．基線解析

出題年度　R05

チェック□□□□□

No. 54　GNSS 測量機を用いた基準点測量を行い，基線解析により基準点 A から基準点 B 及び基準点 C から基準点 B までの基線ベクトルを得た。

表は，地心直交座標系（平成 14 年国土交通省告示第 185 号）における X 軸，Y 軸，Z 軸方向について，それぞれの基線ベクトル成分（ΔX，ΔY，ΔZ）を示したものである。基準点 A から基準点 C までの斜距離は幾らか。最も近いものを次の中から選べ。

なお，関数の値が必要な場合は，巻末の関数表を使用すること。

表

区間	基線ベクトル成分		
	ΔX	ΔY	ΔZ
A → B	＋400.000 m	＋100.000 m	＋300.000 m
C → B	＋200.000 m	－500.000 m	＋500.000 m

1．　489.898m
2．　663.325m
3．　720.912m
4．　870.179m
5．1,077.032m

解　説

本問は，基準点 A から基準点 C までの基線ベクトル成分を求める問題である。

① 基線ベクトルとは，GNSS 測量において，２観測点間を結ぶベクトルのことであり，２観測点間の距離（測線の長さ）と方向角（方向）をいう。

基準点 B を原点として，基準点 A，基準点 C を三次元空間上の図を，上部方向より見た図及び側面から見た図を描くと次図のようになる。

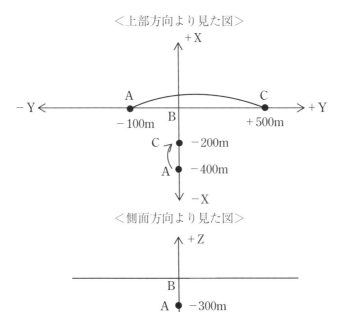

<＜上部方向より見た図＞>

<＜側面方向より見た図＞>

②　基準点Aから基準点Cまでの基線ベクトル成分を考えるとき，
　　A→Cのx軸，y軸，z軸の向きを図から考えると
　　　x軸：-400 m→-200 m　　（-200 m）$-$（-400 m）$= +200$ m
　　　　　よってx方向の移動量（A→CのX成分）は$+200$ m
　　　y軸：-100 m→$+500$ m　　（$+500$ m）$-$（-100 m）$= +600$ m
　　　　　よってy方向の移動量（A→CのY成分）は$+600$ m
　　　z軸：-300 m→-500 m　　（-500 m）$-$（-300 m）$= -200$ m
　　　　　よってz方向の移動量（A→CのZ成分）は-200 mとなる。

③　以上より，AC間の斜距離は，次式（座標差による三平方の定理）で計算できる
　　（Lは，2点間の距離）。

$$L = \sqrt{(+200)^2 + (+600)^2 + (-200)^2}$$
$$= \sqrt{440000}$$
$$= \sqrt{44 \times 10000}$$
$$= \sqrt{44} \times 100$$
$$= 6.63325 \times 100 \quad (\sqrt{44}\text{ は関数表より求める。} \sqrt{44} = 6.63325)$$
$$= 663,325\text{m}$$

したがって，**肢2**が最も近い。

正解 ▶ 2

No. 55　　GNSS 測量機を用いた基準点測量において，基準点 A から基準点 B，基準点 A から基準点 C までの基線ベクトルを得た。表は，地心直交座標系における X 軸，Y 軸，Z 軸方向について，それぞれの基線ベクトル成分（ΔX，ΔY，ΔZ）を示したものである。基準点 B から基準点 C までの基線ベクトルを求めたとき，基線ベクトル成分の組合せとして正しいものはどれか。次の中から選べ。

　なお，関数の値が必要な場合は，巻末の関数表を使用すること。

表

区間	基線ベクトル成分		
	ΔX	ΔY	ΔZ
A→B	−150.000m	+100.000m	−5.000m
A→C	−200.000m	−300.000m	−10.000m

	ΔX	ΔY	ΔZ
1．	−50.000m	−400.000m	−5.000m
2．	+50.000m	+400.000m	+5.000m
3．	−350.000m	−200.000m	−15.000m
4．	−50.000m	−400.000m	−15.000m
5．	+350.000m	+200.000m	+15.000m

■■■ 解 説 ■■■

　本問は，基準点 B から基準点 C までの基線ベクトル成分を求める問題である。

　基線ベクトルとは，GNSS 測量において，2 観測点間を結ぶベクトルのことであり，2 観測点間の距離（測線の長さ）と方向角（方向）をいう。

　基準点 A を原点として，基準点 B，基準点 C を三次元空間上の図を，上部方向より見た図及び側面から見た図を描くと下図のようになる。

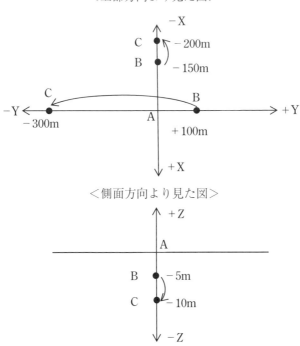

<上部方向より見た図>

<側面方向より見た図>

　基準点 B から基準点 C までの基線ベクトル成分を考えるとき，

　　B → C の x 軸，y 軸，z 軸の向きを図から考えると

　　　　x 軸：− 150 m → − 200 m　　　　よって x 方向の移動量は **− 50 m**
　　　　y 軸：+ 100 m → − 300 m　　　　よって y 方向の移動量は **− 400 m**
　　　　z 軸：− 5 m → − 10 m　　　　　　よって z 方向の移動量は **− 5 m** となる。

したがって，基線ベクトル成分の組合せは，**肢 1** が正解となる。

正解 ▶ 1

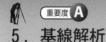
5．基線解析

No. 56　GNSS 測量機を用いた基準点測量を行い，基線解析により基準点 A から基準点 B，基準点 A から基準点 C までの基線ベクトルを得た。表は，地心直交座標系（平成 14 年国土交通省告示第 185 号）における X 軸，Y 軸，Z 軸方向について，それぞれの基線ベクトル成分（ΔX, ΔY, ΔZ）を示したものである。基準点 C から基準点 B までの斜距離は幾らか。最も近いものを次の中から選べ。

なお，関数の値が必要な場合は，巻末の関数表を使用すること。

表

区間	基線ベクトル成分		
	ΔX	ΔY	ΔZ
A → B	＋ 300.000m	＋ 100.000m	－ 400.000m
A → C	＋ 100.000m	－ 400.000m	－ 200.000m

1．538.516m
2．574.456m
3．781.025m
4．806.226m
5．877.496m

　本問は，基線ベクトル成分が与えられた 2 点間の距離を求める問題である。

　基線ベクトル成分は，基準点 A を原点としたときの B，C 点の座標値と考えてよいから，B 点から C 点までの斜距離は，次式で計算する（L は 2 点間の距離）。

$$
\begin{aligned}
L &= \sqrt{(\Delta X_B - \Delta X_C)^2 + (\Delta Y_B - \Delta Y_C)^2 + (\Delta Z_B - \Delta Z_C)^2} \\
&= \sqrt{(300 - 100)^2 + (100 - (-400))^2 + (-400 - (-200))^2} \\
&= \sqrt{(200)^2 + (500)^2 + (-200)^2} \\
&= \sqrt{330000} \\
&= \sqrt{33 \times 10000} \\
&= \sqrt{33} \times \sqrt{10000} \\
&= 100\sqrt{33} \\
&= 5.74456 \times 100 \quad (\sqrt{33} \text{ は関数表より求める。}) \\
&= \mathbf{574.456m}
\end{aligned}
$$

したがって，**肢 2** が最も近い。

5．基線解析

No. 57　GNSS 測量機を用いた基準点測量を行い，基線解析により基準点 A から基準点 B，基準点 A から基準点 C までの基線ベクトルを得た。表は，地心直交座標系（平成 14 年国土交通省告示第 185 号）における X 軸，Y 軸，Z 軸方向について，それぞれの基線ベクトル成分（ΔX，ΔY，ΔZ）を示したものである。基準点 B から基準点 C までの斜距離は幾らか。最も近いものを次の中から選べ。

なお，関数の値が必要な場合は，巻末の関数表を使用すること。

表

区間	基線ベクトル成分		
	ΔX	ΔY	ΔZ
A→B	＋400.000 m	－200.000 m	＋100.000 m
A→C	＋100.000 m	＋200.000 m	－500.000 m

1．640.312 m
2．670.820 m
3．754.983 m
4．781.025 m
5．877.496 m

解　説

本問は，基線ベクトル成分が与えられた 2 点間の距離を求める問題である。

基線ベクトル成分は，基準点 A を原点としたときの B，C 点の座標値と考えてよいから，B 点から C 点までの斜距離は，次式で計算する（L は，2 点間の距離）。

$$
\begin{aligned}
L &= \sqrt{(\Delta X_B - \Delta X_C)^2 + (\Delta Y_B - \Delta Y_C)^2 + (\Delta Z_B - \Delta Z_C)^2} \\
&= \sqrt{(400-100)^2 + (-200-200)^2 + (100-(-500))^2} \\
&= \sqrt{(300)^2 + (-400)^2 + (600)^2} \\
&= \sqrt{610000} = \sqrt{61 \times 10000} \\
&= \sqrt{61} \times \sqrt{10000} \\
&= 100\sqrt{61} \\
&= 7.81025 \times 100 \quad (\sqrt{61}\ \text{は関数表より求める。}) \\
&= 781.025\ \text{m}
\end{aligned}
$$

したがって，**肢 4** が最も近い。

正解 ▶ 4

5．基線解析

No. 58　GNSS 測量機を用いた基準点測量を行い，基線解析により基準点 A から基準点 B，基準点 A から基準点 C までの基線ベクトルを得た。表は，地心直交座標系における X 軸，Y 軸，Z 軸方向について，それぞれの基線ベクトル成分（ΔX，ΔY，ΔZ）を示したものである。基準点 B から基準点 C までの基線ベクトル成分を求めたとき，基線ベクトル成分の符号の組合せとして正しいものはどれか。次の中から選べ。

ただし，±0.000 の符号は，＋（プラス）とする。

表

区　間	基線ベクトル成分		
	ΔX	ΔY	ΔZ
A→B	＋100.000 m	−200.000 m	−300.000 m
A→C	−100.000 m	＋400.000 m	＋300.000 m

	ΔXの符号	ΔYの符号	ΔZの符号
1．	＋	＋	＋
2．	＋	＋	−
3．	＋	−	＋
4．	＋	−	−
5．	−	＋	＋

本問は，基準点Bから基準点Cまでの基線ベクトル成分の符号を求める問題である。

基線ベクトルとは，GNSS測量において，2観測点間を結ぶベクトルのことであり，2観測点間の距離（測線の長さ）と方向角（方向）をいう。

基準点Aを原点として，基準点B，基準点Cを3次元空間上に描くと下図のようになる。

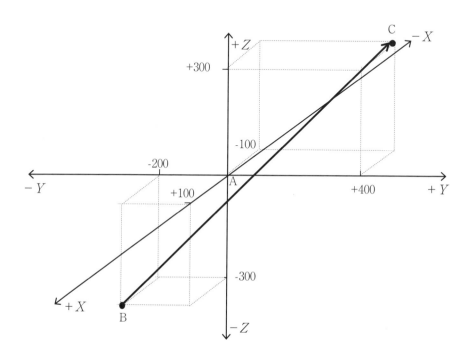

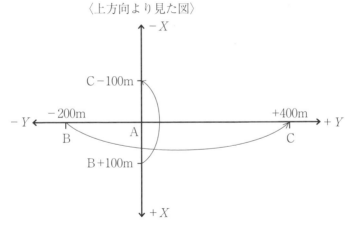

〈上方向より見た図〉

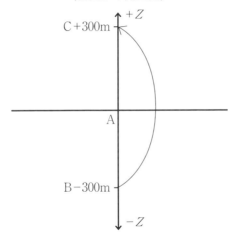

〈側面から見た図〉

　基準点Bから基準点Cまでの基線ベクトル成分を考えるとき,
　　B→CのX軸, Y軸, Z軸の向きを図から考えると
　　　　X軸：＋100m→－100m　　　よってX方向の移動量は－200m
　　　　Y軸：－200m→＋400m　　　よってY方向の移動量は＋600m
　　　　Z軸：－300m→＋300m　　　よってZ方向の移動量は＋600m　となる。

　したがって, 符号の組合せは, ΔXの符号は（－）, ΔYの符号は（＋）, ΔZの符号
は（＋）となり, **肢5**が正解となる。

正解▶ 5

No. 59　　図は，公共測量における多角測量による基準点測量の標準的な作業工程を示したものである。図中の ア ～ オ に入る語句の組合せとして最も適当なものはどれか。次の中から選べ。

作業計画→ ア → イ →観測→ ウ → エ → オ
→成果等の整理

図

	ア	イ	ウ	エ	オ
1.	選点	測量標の設置	点検計算	品質評価	平均計算
2.	選点	測量標の設置	平均計算	点検計算	品質評価
3.	選点	測量標の設置	点検計算	平均計算	品質評価
4.	測量標の設置	選点	平均計算	点検計算	品質評価
5.	測量標の設置	選点	品質評価	平均計算	点検計算

　本問は，公共測量における多角測量による基準点測量の標準的な作業工程に関する問題である。

　標準的な基準点測量の工程別作業区分及び作業順序は，作業規程の準則第24条〜第46条に次のように定められている。

(1)　作業計画・準備

　　地図上で新点の概略位置を決定し，平均計画図を作成する（第25条）。

(2)　**踏査・選点（ア）**

　　平均計画図に基づき，現地において既知点の現況を調査するとともに，新点の位置を選定し，選点図及び平均図を作成する（第26条）。

(3)　**測量標の設置（イ）**

　　新設点の位置に永久標識等を設置し，測量標設置位置通知書を作成する（第31条，第32条1項）。また，設置した永久標識について点の記を作成する（第33条1項）。

(4)　観測

　　平均図等に基づき，トータルステーション，セオドライト，測距儀等を用いて，関係点間の水平角，鉛直角，距離等を観測する。また，GNSS測量機を用いて，GNSS衛星からの電波を受信し，位相データ等を記録する（第34条1項）。

(5)　**計算（点検計算（ウ）→ 平均計算（エ））**

　　新点の水平位置及び標高を求めるため，これらに関する諸要素の計算を行い，成果表等を作成する（第40条）。また，点検計算は観測終了後に行うものとし，許容範囲を超えた場合は，再測等適切な措置を講ずる（第42条1項）。これに対し，平均計算は，許容範囲内にある閉合差の値を平均化する調整計算を行うものである。したがって，点検計算を行った後に平均計算を行う。

(6)　**品質評価（オ）**

　　測量成果について，製品仕様書が規定するデータ品質を満足しているか評価する（第44条）。

(7)　成果等の整理（第45条，第46条）

　したがって，**肢3**の組合せが最も適当である。

No. 60　次の文は，公共測量におけるトータルステーション（以下「TS」という。）を用いた1級基準点測量及び2級基準点測量の作業工程について述べたものである。 ア ～ エ に入る語句の組合せとして最も適当なものはどれか。次の中から選べ。

選点とは，平均計画図に基づき，現地において既知点の現況を調査するとともに，新点の位置を選定し， ア 及び平均図を作成する作業をいう。

観測とは，TSを用いて関係点間の水平角，鉛直角，距離等を観測する作業をいい，原則として イ により行う。観測値について倍角差，観測差等の点検を行い，許容範囲を超えた場合は，再測する。

平均計算とは，新点の水平位置及び標高を求めるもので，計算結果が正しいと確認されたプログラムを使用して，既知点2点以上を固定する ウ 等を実施するとともに，その結果を エ にとりまとめる。

	ア	イ	ウ	エ
1.	選点図	結合多角方式又は単路線方式	厳密水平網平均計算	品質評価表
2.	選点図	結合多角方式	厳密水平網平均計算	精度管理表
3.	観測図	結合多角方式又は単路線方式	三次元網平均計算	精度管理表
4.	観測図	結合多角方式	厳密水平網平均計算	品質評価表
5.	観測図	結合多角方式又は単路線方式	三次元網平均計算	品質評価表

■■■ **解　説** ■■■

本問は，1級基準点測量及び2級基準点測量の作業工程に関する問題である。

選点とは，平均計画図に基づき，現地において既知点の現況を調査するとともに，新点の位置を選定し， **ア. 選点図** 及び平均図を作成する作業をいう（作業規程の準則第26条）。

観測とは，TSを用いて関係点間の水平角，鉛直角，距離等を観測する作業をいい，原則として **イ. 結合多角方式** により行う（第23条1項）。観測値について倍角差，観測差等の点検を行い，許容範囲を超えた場合は，再測する（第38条）。

平均計算とは，新点の水平位置及び標高を求めるもので，計算結果が正しいと確認されたプログラムを使用して既知点2点以上を固定する **ウ. 厳密水平網平均計算** 等を実施するとともに，その結果を **エ. 精度管理表** に取りまとめる（第43条3項1号，6項）。

したがって，**肢2**の組合せが最も適当である。

正解 ▶ 2

1. 基準点測量の作業区分

No. **61**　　次のa～eの文は，トータルステーションを用いた基準点測量の作業内容について述べたものである。明らかに間違っているものだけの組合せはどれか。次の中から選べ。

a．測量作業を実施するに当たっては，基準点配点図，既設基準点の成果表及び点の記などを準備する。

b．新点の位置は，平均計画図に基づき後続作業での利用などを考慮して，適切な位置に選定する。

c．新点位置に永久標識を設置した後に，土地の所有者又は管理者から承諾を得る。

d．観測においては，水平角観測，鉛直角観測及び距離測定を1視準で同時に行う。

e．点検計算は，平均計算の結果を用いて行う。

1．a，b
2．a，c
3．b，d
4．c，e
5．d，e

第3章

多角測量

本問は，基準点測量の作業内容に関する問題である。

a．**正しい。**基準点測量は，既知点に基づき，新点である基準点の位置を定める作業であるから，その作業を実施するに当たっては，基準点配点図，既設基準点の成果表及び点の記などを準備する（作業規程の準則第 24 条以下）。

b．**正しい。**新点は後続の細部測量の基準点として用いられるので，点間の視通や観測機械の運搬，据付けなど後続作業の利用のしやすさを考慮して適切な位置に選定する必要がある（第 28 条）。

c．**間違い。**新点位置に永久標識を設置しようとするときは，土地の所有者又は，管理者から建標承諾書等により承諾を得なければならない（第 29 条）。承諾を得た後に，新点位置に永久標識を設置する。

d．**正しい。**トータルステーションを用いる観測では，水平角観測，鉛直角観測及び距離測定は，1 視準で同時に行うことを原則とする（第 37 条 2 項 1 号ロ）。

e．**間違い。**点検計算は観測終了後に行い，その結果，許容範囲を超えた場合は，再測を行うなど適切な措置を講ずる必要がある（第 42 条 1 項柱書）。

また，点検計算は，再測が必要かを現地で判断する計算であり，点検路線について水平位置と標高の閉合差，標高差の正反較差を計算して，許容範囲内かを確認する。

これに対し，平均計算は，許容範囲内にある閉合差の値を平均化する調整計算を行うものである。したがって，点検計算を行った後に平均計算を行う。

したがって，明らかに間違っているものは c，e なので，その組合せは**肢 4** である。

重要度 **B**

1. 基準点測量の作業区分

No. 62　次のa～fは，基準点測量で行う主な作業工程である。標準的な作業の順序として，最も適当なものはどれか。次の中から選べ。

a．踏査・選点
b．成果等の整理
c．観測
d．計画・準備
e．測量標の設置
f．平均計算

1．d→a→e→c→f→b
2．d→e→a→f→c→b
3．d→e→c→a→f→b
4．d→a→f→e→c→b
5．d→a→e→f→c→b

第3章

多角測量

本問は，基準点測量で行う主な作業工程に関する問題である。

標準的な基準点測量の工程別作業区分及び作業順序は，作業規程の準則第24条～第46条に次のように定められている。

(1) 作業**計画・準備**（**d**）

地図上で新点の概略位置を決定し，平均計画図を作成する（第25条）。

(2) **踏査・選点**（**a**）

平均計画図に基づき，現地において既知点の現況を調査するとともに，新点の位置を選定し，選点図及び平均図を作成する（第26条）。

(3) **測量標の設置**（**e**）

新設点の位置に永久標識等を設置し，測量標設置位置通知書を作成する（第31条，第32条1項）。また，設置した永久標識について点の記を作成する（第33条1項）。

(4) **観測**（**c**）

平均図等に基づき，トータルステーション，セオドライト，測距儀等を用いて，関係点間の水平角，鉛直角，距離等を観測，及びGNSS測量機を用いて，GNSS衛星からの電波を受信し，位相データ等を記録する（第34条1項）。

(5) **計算**（**平均計算**）（**f**）

新点の水平位置及び標高を求めるため，これらに関する諸要素の計算を行い，成果表等を作成する（第40条）。また，点検計算は観測終了後に行うものとし，許容範囲を超えた場合は，再測等適切な措置を講ずる（第42条1項）。

(6) 品質評価

測量成果について，製品仕様書が規定するデータ品質を満足しているか評価する（第44条）。

(7) **成果等の整理**（第45条，第46条）（**b**）

したがって，**肢1**の組合せが最も適当である。

正解 ▶ 1

1. 基準点測量の作業区分

No. **63**　次の文は，公共測量におけるトータルステーションを用いた基準点測量の工程別作業区分について述べたものである。明らかに間違っているものはどれか。次の中から選べ。

1. 作業計画の工程において，地形図上で新点の概略位置を決定し，平均計画図を作成する作業を行った。
2. 選点の工程において，平均計画図に基づき，現地において既知点の現況を調査するとともに，新点の位置を選定し，選点図及び観測図を作成した。
3. 測量標の設置の工程において，新設点の位置に永久標識を設置し，測量標設置位置通知書を作成した。
4. 観測の工程において，平均図などに基づき関係する点間の水平角，鉛直角，距離などの観測を行った。
5. 計算の工程において，点検計算で許容範囲を超過した路線の再測を行った。

■■■ **解　説** ■■■

本問は，基準点測量の工程別作業区分に関する問題である。

1. **正しい。**作業計画の工程では，作業の方法，使用する主要な機器，要員，日程等について適切な計画をし，作業計画を計画機関に提出し承認を得る（作業規程の準則第25条，第11条）。また，地形図上で新点の概略位置を決定し，平均計画図を作成する（第25条）。
2. **間違い。**選点の工程では，平均計画図に基づき，現地において既知点の現況を調査するとともに，新点の位置を選定し，選点図及び平均図を作成する（第26条）。
3. **正しい。**測量標の設置の工程では，新設点の位置に永久標識を設置し，測量標設置位置通知書を作成する（第32条1項）。また，設置した永久標識について，点の記を作成する（第33条1項）。
4. **正しい。**観測の工程では，平均図等に基づき，トータルステーション，セオドライト，測距儀等を用いて，関係点間の水平角，鉛直角，距離等を観測し，及びGNSS測量機を用いて，GNSS衛星からの電波を受信し，位相データ等を記録する（第34条1項）。
5. **正しい。**点検計算は観測終了後に行い，その結果，許容範囲を超えた場合は，再測を行うなど適切な措置を講ずる（第42条1項柱書）。

したがって，**肢2**が間違っている。

正解 ▶ 2

第3章

多角測量

No.	64

次の文は，公共測量におけるトータルステーションを用いた多角測量について述べたものである。明らかに間違っているものはどれか。次の中から選べ。

1. 水平角観測，鉛直角観測及び距離測定は，1視準で同時に行うことを原則とする。
2. 水平角観測は，1視準1読定，望遠鏡正及び反の観測を2対回とする。
3. 水平角観測及び鉛直角観測の良否を判定するため，観測点において倍角差，観測差及び高度定数の較差を点検する。
4. 距離測定は，1視準2読定を1セットとする。
5. 距離測定の気象補正に使用する気温及び気圧の測定は，距離測定の開始直前又は終了直後に行う。

■■ **解　説** ■■

本問は，公共測量におけるトータルステーション（TS）を用いた多角測量に関する問題である。

1. **正しい。** 作業規程の準則第37条2項1号ロに，「TSを使用する場合は，水平角観測，鉛直角観測及び距離測定は，1視準で同時に行うことを原則とする。」と規定されている。

2. **間違い。** 第37条2項1号ハに，「水平角観測は，1視準1読定，望遠鏡正及び反の観測を1対回とする。」と規定されている。

3. **正しい。** 第38条に，「観測値について点検を行い，許容範囲を超えた場合は，再測するものとする。（1号）TS等による許容範囲は，次表を標準とする。」と規定されている。水平角観測及び鉛直角観測の良否を判定するため，観測点において倍角差，観測差及び高度定数の較差を第38条1号の表に基づいて点検する。

4. **正しい。** 第37条2項1号ホに，「距離測定は，1視準2読定を1セットとする。」と規定されている。

5. **正しい。** 第37条2項1号ヘ(2)に，「距離測定の気象補正に使用する気温及び気圧の測定は，次のとおり行うものとする。…（中略）…(2)気温及び気圧の測定は，距離測定の開始直前又は終了直後に行うものとする。」と規定されている。

したがって，**肢2**が間違っている。

正解 ▶ 2

2. 基準点測量の留意点

No. 65　次の文は，公共測量におけるトータルステーション（以下「TS」という。）を用いた基準点測量の精度について述べたものである。明らかに間違っているものはどれか。次の中から選べ。

1. 多角網の外周路線に属する新点は，外周路線に属する隣接既知点を結ぶ直線から外側 40° 以上の地域内に選点し，路線の中のきょう角を 60° 以下にする。
2. 多角路線内の未知点数が多いほど，水平位置の精度は低下する。
3. 正反観測を行うことにより，器械の視準軸誤差，水平軸誤差，目盛盤の偏心誤差が軽減される。
4. 既知点と既知点を結合させた点検路線で，閉合差を計算し，観測値の良否を判定する。
5. TS で測定される斜距離には，反射鏡定数の誤差などの測定距離に比例しない誤差が含まれる。

■■■ **解　説** ■■■

本問は，公共測量におけるトータルステーション（TS）を用いた基準点測量の精度に関する問題である。

1. **間違い。** 1 級・2 級基準点測量においては，多角網の外周路線に属する新点は，外周路線に属する隣接既知点を結ぶ直線から外側 40° 以下の地域内に選点するものとし，路線の中のきょう角は，60° 以上とする（作業規程の準則第 23 条 2 項，路線図形の項）。
2. **正しい。** 基準点測量における多角測量は，既知点から新点（未知点）までを観測し，新点の平均座標と平均標高を求めるものである。このとき求める新点の数が多いと観測回数が多くなるため観測に伴う誤差も多くなり，水平位置の精度は低下する。したがって，新点の位置誤差を小さくするために新点の数に制限が設けられている（第 23 条）。
3. **正しい。** 望遠鏡の正（右）・反（左）観測の平均値をとることにより，器械の視準軸誤差，水平軸誤差，目盛盤の偏心誤差が軽減される。
4. **正しい。** 観測値の良否は，既知点と既知点を結合させた点検路線で，閉合差を計算して行う（第 42 条 1 項 1 号）。
5. **正しい。** トータルステーションで測定される斜距離には，反射鏡定数の誤差などの測定距離に比例しない誤差が含まれる。

したがって，**肢 1** が間違っている。

正解 ▶ 1

2．基準点測量の留意点

出題年度　R03

チェック ☐☐☐☐☐

No. 66　　次のa～eの文は，トータルステーションを用いた基準点測量の点検計算について述べたものである。明らかに間違っているものだけの組合せはどれか。次の中から選べ。

a．点検路線は，既知点と既知点を結合させる。
b．点検路線は，なるべく長いものとする。
c．すべての既知点は，1つ以上の点検路線で結合させる。
d．すべての単位多角形は，路線の1つ以上を点検路線と重複させる。
e．点検計算（水平位置及び標高の閉合差）の結果が許容範囲を超えた場合は，点検路線の経路を変更して再計算する。

1．a，c
2．a，d
3．b，d
4．b，e
5．c，e

■ 解 説 ■

　本問は，トータルステーションを用いた基準点測量の点検計算に関する問題である。
a．正しい。 観測点の点検は，既知点と既知点を結合させた閉合差を計算して，観測の良否を判断して行うため，点検路線は既知点と既知点を結合させる（作業規程の準則第42条1項1号イ(1)）。
b．間違い。 作業規程の準則第42条1項1号イ(2)に，TS等観測における水平位置及び標高の閉合差の「点検路線は，なるべく短いものとする。」と規定されている。
c．正しい。 水平位置及び標高の閉合差を求め，観測値の良否を判定するために，すべての既知点は，1つ以上の点検路線で結合させる必要がある（第42条1項1号イ(3)）。
d．正しい。 上記cと同様に観測値の良否を判定するため，すべての単位多角形は，路線の1つ以上を点検路線で重複させる（第42条1項1号イ(4)）。
e．間違い。 すべての点検路線について，水平位置及び標高の閉合差を計算し，観測値の良否を判定する。許容範囲を超えた場合は，再測を行うなど適切な措置を講ずる必要がある（第42条1項柱書）。

　したがって，間違っているものはb，eであり，その組合せは**肢4**である。

正解 ▶ 4

2. 基準点測量の留意点

No.　67　　次のa～dの文は，公共測量において実施するトータルステーションを用いた基準点測量について述べたものである。 ア ～ エ に入る語句の組合せとして最も適当なものはどれか。次の中から選べ。

a．1級基準点測量及び2級基準点測量は，原則として ア 方式で行う。

b．距離測定は，1視準 イ 読定を1セットとする。

c．器械高は， ウ 単位まで測定する。

d．基準面上の距離の計算は， エ を用いる。

	ア	イ	ウ	エ
1．	結合多角	1	センチメートル	標高
2．	単路線	1	ミリメートル	楕円体高
3．	結合多角	2	ミリメートル	楕円体高
4．	単路線	2	センチメートル	標高
5．	結合多角	2	ミリメートル	標高

■■■ **解　説** ■■■

　本問は，公共測量において実施するトータルステーションを用いた基準点測量に関する問題である。

a．1級基準点測量及び2級基準点測量は，原則として **ア．結合多角** 方式で行う（作業規程の準則第23条1項1号）。

b．距離測定は，1視準 **イ．2** 読定を1セットとする（第37条2項1号ホ）。

c．器械高は， **ウ．ミリメートル** 単位まで測定する（第37条2項1号イ）。

d．基準面上の距離の計算は， **エ．楕円体高** を用いる（第40条1号）。

　したがって，**肢3**の組合せが最も適当である。

正解 ▶ 3

3．セオドライト（TS 等）の誤差と消去法

No. 68　　　次の１～５の文は，トータルステーション（以下「TS」という。）を用いた水平角観測において生じる誤差について述べたものである。正反観測の平均値をとっても消去できない誤差はどれか。次の１～５の中から選べ。

1．TS の水平目盛盤の中心が鉛直軸と一致していないことで生じる目盛盤の偏心誤差。
2．TS の望遠鏡の視準線と鉛直軸が交わっていないために生じる外心誤差。
3．TS の視準軸と視準線が一致していないことで生じる視準線誤差。
4．TS の水平軸と鉛直軸が直交していないことで生じる水平軸誤差。
5．TS の鉛直軸が鉛直線から傾いていることで生じる鉛直軸誤差。

■ **解　説** ■

　本問は，トータルステーション（TS）を用いた水平角観測において生じる誤差に関する問題である。
　トータルステーションは，光波測距儀の測距機能とセオドライト（トランシット）の測角機能を組み合わせた測量機器である。距離と角度を同時に観測することで，斜距離，水平距離，水平角，高度角及び高低差などを測定できる。

1．消去できる。 水平目盛盤の中心が鉛直軸の中心と一致していないために生じる誤差（目盛盤の偏心誤差）は，望遠鏡の正反観測の平均値をとることにより消去できる。
2．消去できる。 望遠鏡の視準線が TS の鉛直軸の中心から外れているために生じる外心誤差は，望遠鏡の正反観測の平均値をとることにより消去できる。
3．消去できる。 視準線が水平軸に直交してないために生じる誤差（視準軸誤差）は，望遠鏡の正反観測の平均値をとることにより消去できる。
4．消去できる。 水平軸と鉛直線が直交してないために生じる誤差（水平軸誤差）は，望遠鏡の正反観測の平均値をとることにより消去できる。
5．消去できない。 鉛直軸が鉛直線の方向に一致していないために生じる誤差（鉛直軸誤差）は，鉛直軸の傾きを測定し，計算によって補正することはできるが，観測方法による誤差の消去方法はない。

　したがって，**肢5** が正反観測の平均値をとっても消去できない誤差である。

正解 ▶ 5

重要度 **A**

出題年度 R03

3. セオドライト（TS 等）の誤差と消去法 チェック□□□□□

No. 69 次の a 〜 e の文は，トータルステーション（以下「TS」という。）を用いた水平角観測において生じる誤差について述べたものである。**明らかに間違っているものだけの組合せ**はどれか。次の中から選べ。

a．水平軸誤差は，TS の水平軸と鉛直軸が直交していないために生じる誤差である。
b．鉛直軸誤差は，TS の鉛直軸と鉛直線の方向が一致していないために生じる誤差である。
c．視準軸誤差は，TS の視準軸と望遠鏡の視準線が一致していないために生じる誤差である。
d．偏心誤差は，TS の水平目盛盤が，水平軸と平行でないために生じる誤差である。
e．外心誤差は，望遠鏡の視準線が TS の水平軸から外れているために生じる誤差である。

1．a，b
2．a，c
3．b，d
4．c，e
5．d，e

■ **解 説** ■

本問は，トータルステーション（TS）を用いた水平角観測において生じる誤差に関する問題である。なお，TS は，光波測距儀の測距機能とセオドライトの測角機能を組み合わせた測量機器である。

a．正しい。 TS の水平軸と鉛直軸が直交していないために生じる誤差は，水平軸誤差である。

b．正しい。 TS の鉛直軸が鉛直線の方向に一致していない（鉛直線から傾いている）ために生じる誤差は，鉛直軸誤差である。

c．正しい。 TS の水平軸と望遠鏡の視準線が直交していないために生じる誤差は，視準軸誤差である。

d．間違い。 偏心誤差は，TS の水平目盛盤の中心が鉛直軸の中心と一致していないために生じる誤差である。

e．間違い。 外心誤差は，望遠鏡の視準線が TS の鉛直軸の中心から外れているために生じる誤差である。

したがって，間違っているものは **d，e** であり，その組合せは **肢 5** である。

正解 ▶ 5

No. 70　次のa～dの文は，測量における誤差について述べたものである。明らかに間違っているものだけの組合せはどれか。次の中から選べ。

a．測量機器の正確さには限度があり，観測時の環境条件の影響を受けるため，十分注意して距離や角度などを観測しても，得られた観測値は真値にわずかな誤差が加わった値となる。

b．系統誤差とは，測量機器の特性，大気の状態の影響など一定の原因から発生する誤差である。この誤差は，観測方法を工夫することによりすべて消去できる。

c．偶然誤差とは，発生要因に特段の因果関係がないため，観測方法を工夫しても消去できないような誤差である。この誤差は，観測値の平均をとれば小さくできる。

d．最確値は最も確からしいと考えられる値であり，一般的に最小二乗法で求めた値である。

1．aのみ
2．bのみ
3．b，c
4．c，d
5．間違っているものはない

本問は，測量における誤差に関する問題である。

a．**正しい**。観測時に気温・気圧などの突然の変化により光線の不規則な屈折が生じたり，また風や各種の微振動で測量機器の変位が生じて誤差を伴う。そのため，観測時には環境条件の影響を受けるため，十分注意して観測しても，得られた観測値は真値にわずかな誤差が加わった値となる。

b．**間違い**。系統誤差は，器械の狂いやゼロ点の未調整による器械誤差，測定者の癖による個人誤差，理論誤差など一定の原因から起こるくり返し現れる誤差である。この誤差は，原因が分かれば除去できる。しかし，観測方法を工夫することで，すべて消去できるわけではない。

c．**正しい**。偶然誤差は，測定値から系統的誤差を除去しても，不定の事情により偶然生じる誤差である。測定の環境や条件，観測者の不注意や不熟練により生じる過失誤差である。観測方法を工夫しても消去できない誤差であるから，この誤差は，観測値の平均をとれば小さくできる。

d．**正しい**。観測において，真値（測定値の正しい値）は存在しても，測定し求めることはできない。そのため多くの観測の測定値の平均値が，真の値に近い値，すなわち最も確からしいと考えられる値，最確値となる。また，この最確値は，観測（値）データのバラツキの度合いを表わす値である最小二乗法（標準偏差）で求めた値である。

したがって，間違っているものは**b**のみでありその組合せは**肢2**である。

正解 ▶ 2

No. 71　次の文は，トータルステーション（以下「TS」という。）を用いた水平角観測において生じる誤差について述べたものである。　ア　～　エ　に入る語句の組合せとして最も適当なものはどれか。次の中から選べ。

　TS を用いた水平角観測において生じる誤差は，望遠鏡の正（右）・反（左）観測の平均値をとることによって消去できるものとできないものに分けられる。望遠鏡の正反観測の平均値をとることによって消去できる誤差としては，以下が挙げられる。
　　・TS の水平軸と望遠鏡の視準線が，直交していないために生じる視準軸誤差
　　・TS の水平軸と鉛直軸が，直交していないために生じる　ア　誤差
　　・TS の水平目盛盤の中心が，鉛直軸の中心と一致していないために生じる　イ　誤差
　　・望遠鏡の視準線が，TS の鉛直軸の中心から外れているために生じる外心誤差
　一方，望遠鏡の正反観測の平均値をとることによって消去できない誤差としては，以下が挙げられる。
　　・TS の鉛直軸が，鉛直線から傾いているために生じる　ウ　誤差
　空気密度の不均一さによる目標像のゆらぎのために生じる誤差は，望遠鏡の正反観測の平均値をとることによって消去　エ　。

	ア	イ	ウ	エ
1．	水平軸	偏心	鉛直軸	できない
2．	水平軸	鉛直軸	偏心	できない
3．	垂直軸	偏心	鉛直軸	できる
4．	垂直軸	鉛直軸	偏心	できる
5．	水平軸	偏心	鉛直軸	できる

　本問は，トータルステーション（TS）を用いた水平角観測において生じる誤差に
関する問題である。TS は，光波測距儀の測距機能とセオドライトの測角機能を組み
合わせた測量機器である。

　TS を用いた水平角観測において生じる誤差は，望遠鏡の正（右）・反（左）観測の
平均値をとることによって消去できるものとできないものに分けられる。望遠鏡の正
反観測の平均値をとることによって消去できる誤差としては，以下が挙げられる。

　・TS の水平軸と望遠鏡の視準線が，直交していないために生じる視準軸誤差
　・TS の水平軸と鉛直軸が，直交していないために生じる ア. 水平軸 誤差
　・TS の水平目盛盤の中心が，鉛直軸の中心と一致していないために生じる
　　 イ. 偏心 誤差
　・望遠鏡の視準線が，TS の鉛直軸の中心から外れているために生じる外心誤差

　一方，望遠鏡の正反観測の平均値をとることによって消去できない誤差としては，
以下が挙げられる。

　・TS の鉛直軸が，鉛直線から傾いているために生じる ウ. 鉛直軸 誤差

　空気密度の不均一さによる目標像のゆらぎのために生じる誤差は，望遠鏡の正反観
測の平均値をとることによって消去 エ. できない 。

　したがって，**肢1** の組合せが最も適当である。

正解 ▶ 1

セオドライト（トランシット）には，図のように，視準軸（C），水平軸（H），鉛直軸（V），気泡管軸（L）の軸線がある。これらの軸線は次のような条件を満たしていなければならない。

1) 視準軸⊥水平軸　　（C⊥H）
2) 水平軸⊥鉛直軸　　（H⊥V）
3) 鉛直軸⊥気泡管軸　（V⊥L）

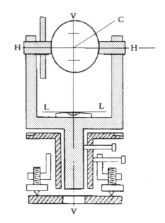

1. セオドライト（トランシット）の3軸誤差

1) 視準軸誤差

　視準軸が水平軸に対して正しく直交していないために生じる誤差で，水平角の観測値に影響を与える誤差である。図のように望遠鏡の正位と反位では誤差の符号が逆になるので，**望遠鏡正・反の観測を行って平均を取ればこの誤差は消去できる。**

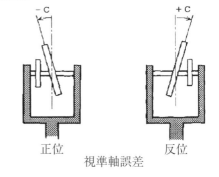

視準軸誤差

2) 水平軸誤差

　水平軸が鉛直軸に対して正しく直交していないために生じる誤差で，水平角の観測値に影響を与える誤差である。図のように望遠鏡の正位と反位では誤差の符号が逆になるので，**望遠鏡正・反の観測を行って平均を取ればこの誤差は消去できる。**

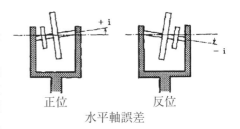

水平軸誤差

3）鉛直軸誤差

鉛直軸が正しく鉛直でない（傾いている）ために生じる誤差で，水平角の観測値に影響を与える誤差である。図のようにセオドライト（トランシット）が正しく据え付けられていない場合（水平に整置されていない）は鉛直軸が傾くことになり，望遠鏡が正位あるいは反位においても常に一定方向に傾く

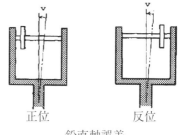

正位   反位

鉛直軸誤差

ことになる。鉛直軸は，鉛直線に対して対称の位置に移動しない。したがって，正・反の観測を行っても**この誤差は消去できない**。鉛直軸と気泡管軸が正しく直交するように調整をしておかなければならない。

以上の視準軸誤差，水平軸誤差，鉛直軸誤差をセオドライト（トランシット）の3軸誤差という。

2．偏心誤差

器械（セオドライトなど）の鉛直軸（回転軸）中心と目盛盤中心が一致していない誤差である。この誤差は，目盛盤付属のバーニヤ（180°対立して1対ある）A，B（又はⅠ，Ⅱ）の読みを平均することにより消去することができる。

また，望遠鏡正・反の観測を行って平均を取ることによっても消去できる。

3．外心誤差

望遠鏡の視準線がセオドライト（トランシット）の鉛直軸の中心から外れているために生じる誤差で，水平角の観測値に影響を与える誤差である。この誤差も，望遠鏡正・反の観測を行って平均を取れば消去できる。

4．目盛誤差

目盛盤に刻んである目盛りの不正により生じる誤差である。この誤差を小さくするためには，目盛盤全体を使用するようにするか，初読位置を2対回であるなら0°，90°に，3対回であるなら0°，60°，120°にする。

3. セオドライト（TS等）の誤差と消去法

No. 72　次の文は，トータルステーション（以下「TS」という。）を用いた水平角観測において生じる誤差について述べたものである。望遠鏡の正（右）・反（左）の観測値を平均しても消去できない誤差はどれか。次の中から選べ。

1．TSの水平軸と望遠鏡の視準線が，直交していないために生じる視準軸誤差。
2．TSの水平軸と鉛直線が，直交していないために生じる水平軸誤差。
3．TSの鉛直軸が，鉛直線から傾いているために生じる鉛直軸誤差。
4．TSの水平目盛盤の中心が，鉛直軸の中心と一致していないために生じる偏心誤差。
5．望遠鏡の視準線が，TSの鉛直軸の中心から外れているために生じる外心誤差。

■■■ **解　説** ■■■

　本問は，トータルステーション（TS）を用いた水平角観測において生じる誤差に関する問題である。

　トータルステーションは，光波測距儀の測距機能とセオドライト（トランシット）の測角機能を組み合わせた測量機器である。距離と角度を同時に観測することで，斜距離，水平距離，水平角，高度角及び高低差などを測定できる。

1．消去できる。 視準線が水平軸に直交してないために生じる誤差（視準軸誤差）は，望遠鏡の正反観測値を平均することにより消去できる。

2．消去できる。 水平軸と鉛直線が直交してないために生じる誤差（水平軸誤差）は，望遠鏡の正反観測値を平均することにより消去できる。

3．消去できない。 鉛直軸が鉛直線の方向に一致していないために生じる誤差（鉛直軸誤差）は，鉛直軸の傾きを測定し，計算によって補正することはできるが，観測方法による誤差の消去方法はない。

4．消去できる。 水平目盛盤の中心が鉛直軸の中心と一致していないために生じる誤差（目盛盤の偏心誤差）は，望遠鏡の正反観測値を平均することにより消去できる。

5．消去できる。 望遠鏡の視準線がTSの鉛直軸の中心から外れているために生じる外心誤差は，望遠鏡の正反観測値を平均することにより消去できる。

　したがって，**肢3** が正反観測値を平均しても消去できない誤差である。

正解▶ 3

4. 偏心補正

No. 73　図は，トータルステーションによる偏心観測について示したものである。図のように，既知点 B において，既知点 A を基準方向として新点 C 方向の水平角を測定しようとしたところ，既知点 B から既知点 A への視通が確保できなかったため，既知点 A に偏心点 P を設けて，水平角 T'，偏心距離 e 及び偏心角 ϕ の観測を行い，表の結果を得た。このとき，既知点 A 方向と新点 C 方向の間の水平角 T は幾らか。最も近いものを次の中から選べ。

ただし，既知点 A，B 間の距離 S は，1,500m であり，S 及び e は基準面上の距離に補正されているものとする。

また，角度 1 ラジアンは，$(2 \times 10^5)''$ とする。

なお，関数の値が必要な場合は，巻末の関数表を使用すること。

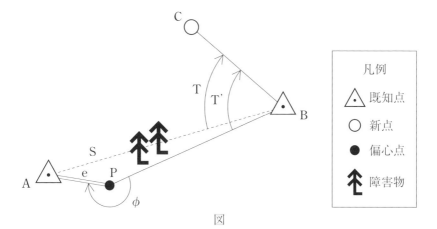

図

表

ϕ	210° 00′ 00″
e	2.70m
T'	50° 41′ 00″

1. 50° 30′ 00″
2. 50° 32′ 00″
3. 50° 34′ 00″
4. 50° 36′ 00″
5. 50° 38′ 00″

本問は，トータルステーションによる偏心補正に関する問題である。

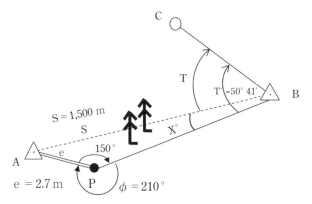

① ∠ABP＝x°とし，三角形ABPに正弦定理を適用すると，

sin150° = sin（180° − 150°）=sin30° より，

$$\frac{1,500\text{m}}{\sin150°} = \frac{2.7\text{m}}{\sin x°} \qquad \sin x° \times 1,500 = 2.7 \times \sin30°$$

$$\therefore \sin x° = \frac{2.7 \times \sin30°}{1,500}$$

② ここで，xは微小角であり，ラジアンで表すと，sin x = x（ラジアン）とみなせるから，

$$\text{x（ラジアン）} = \frac{2.7 \times \sin30°}{1,500} \text{となる。}$$

③ これを秒に換算すると

1ラジアンは，$2'' \times 10^5$（20万秒）であるから

$$\text{x 秒} = \frac{2.7 \times \sin30°}{1,500} \times 2'' \times 10^5 = \frac{2.7 \times 0.5}{1,500} \times 2'' \times 10^5$$

$$= 180'' = 3'\ 00''$$

（巻末の関数表より，sin30° = 0.5 である。）

T = T′ − x = 50° 41′ 00″ − 3′ 00″ = **50° 38′ 00″**

したがって，**肢5**が最も近い。

重要度 **B**

出題年度　　R06

チェック ■ ■ ■ ■ ■

5. 高低角の観測

No. 74　　公共測量における3級基準点測量において，トータルステーションを用いて既知点から新点A，新点Bの鉛直角を観測し，表の結果を得た。新点A，新点Bの高低角及び高度定数の較差の組合せとして最も適当なものはどれか。次の1～5の中から選べ。

なお，関数の値が必要な場合は，巻末の関数表を使用すること。

表

望遠鏡	視準点		鉛直角観測値
	測　点	測　標	
r	A	⊤	65° 41′ 50″
l			294° 18′ 10″
l	B	⊤	312° 33′ 30″
r			47° 26′ 40″

r ：望遠鏡正方向での観測　　⊤：目標板

l ：望遠鏡反方向での観測

	新点Aの高低角	新点Bの高低角	高度定数の較差
1．	−24° 18′ 10″	−42° 33′ 25″	5″
2．	+24° 18′ 10″	+42° 33′ 25″	5″
3．	+24° 18′ 10″	+42° 33′ 25″	10″
4．	+65° 41′ 50″	+47° 26′ 35″	5″
5．	+65° 41′ 50″	+47° 26′ 35″	10″

■■■■ **解　説** ■■■■

　本問は，高低角及び高度定数の較差を求める問題である。

　高度定数は，鉛直角観測における望遠鏡正による読定値（r）と望遠鏡反による読定値（ℓ）の和から360°を差し引いた値のことである。

　また，高度定数の較差とは，一連の鉛直角観測における高度定数の最大値と最小値の差のことである。

① 点A点，Bの高低角は，次式により求められる。

高低角 $a = 90° - Z$,　$Z = 1/2 \, (360° + r - \ell)$

ただし，Z：天頂角（天頂からの角度），a：高低角（高度角）

点Aでは，

$Z = 1/2 \, (360° + r - \ell)$

したがって，$Z = 1/2 \, (360° + 65° \, 41' \, 50'' - 294° \, 18' \, 10'')$

$\qquad\qquad = 1/2 \, (131° \, 23' \, 40'')$

$\qquad\qquad = 65.5° \, 11.5' \, 20''$

$\qquad\qquad = 65° \, (11 + 30)' \, (20 + 30)'' \, (\because 0.5° = 30', \; 0.5' = 30'')$

$\qquad\qquad = 65° \, 41' \, 50''$

よって，$a = 90° - Z$

$\qquad\quad = 90° - (65° \, 41' \, 50'')$

$\qquad\quad = $ **24° 18′ 10″**

点Bでは，

$Z = 1/2 \, (360° + r - \ell)$

したがって，$Z = 1/2 \, (360° + 47° \, 26' \, 40'' - 312° \, 33' \, 30'')$

$\qquad\qquad = 1/2 \, (94° \, 53' \, 10'')$

$\qquad\qquad = 47° \, 26.5' \, 5''$

$\qquad\qquad = 47° \, 26' \, (5 + 30)'' \, (\because 0.5' = 30'')$

$\qquad\qquad = 47° \, 26' \, 35''$

よって，$a = 90° - Z$

$\qquad\quad = 90° - (47° \, 26' \, 35'')$

$\qquad\quad = $ **42° 33′ 25″**

② 高度定数Kは，$K = (r + \ell) - 360°$ により計算できる。

点Aでは，$K = (65° \, 41' \, 50'' + 294° \, 18' \, 10'') - 360°$

$\qquad\qquad = 0''$

点Bでは，$K = (47° \, 26' \, 40'' + 312° \, 33' \, 30'') - 360°$

$\qquad\qquad = 10''$

高度定数の較差は，一連の鉛直角観測における高度定数の最大値と最小値の差のことであるから，$10'' - 0'' = $ **10″**となる。

したがって，**肢3**の組合せが最も適当となる。

正解 ▶ 3

5. 高低角の観測

No. 75　公共測量におけるトータルステーションを用いた 1 級基準点測量において，図に示すように，既知点 A と新点 B との間の距離及び高低角の観測を行い，表の観測結果を得た。D を斜距離，α_A を既知点 A から新点 B 方向の高低角，α_B を新点 B から既知点 A 方向の高低角，i_A，f_A を既知点 A の器械高及び目標高，i_B，f_B を新点 B の器械高及び目標高とするとき，新点 B の標高は幾らか。最も近いものを次の中から選べ。

ただし，既知点 A の標高は 10.00m とし，D は気象補正等必要な補正が既に行われているものとする。

なお，関数の値が必要な場合は，巻末の関数表を使用すること。

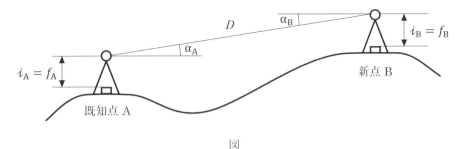

図

表

α_A	$11°\ 00'\ 05''$
α_B	$-10°\ 59'\ 55''$
D	1,000.000m
i_A, f_A	1.500m
i_B, f_B	1.600m

1．190.71m
2．190.81m
3．200.71m
4．200.81m
5．204.28m

■ **解　説** ■

本問は，高低角観測により新点の標高を求める間接水準測量の問題である。

① 新点の座標は，既知点（与点）と新点（求点）の両方から観測するものであるから，次式によって求めることができる。

高低計算の公式（両方観測）

$$H_B = H_A + D\sin\frac{1}{2}(\alpha_A - \alpha_B) + \frac{1}{2}(i_A + f_A) - \frac{1}{2}(i_B + f_B)$$

（ただし，H_A：既知点（与点）A の標高
$\quad\quad\quad H_B$：新点（求点）B の標高
$\quad\quad\quad D$ ：斜距離
$\quad\quad\quad \alpha_A$：既知点 A から新点 B 方向の高低角
$\quad\quad\quad \alpha_B$：新点 B から既知点 A 方向の高低角
$\quad\quad\quad i_A$：既知点 A の器機高
$\quad\quad\quad i_B$：新点 B の器機高
$\quad\quad\quad f_A$：既知点 A の目標高
$\quad\quad\quad f_B$：新点 B の目標高）

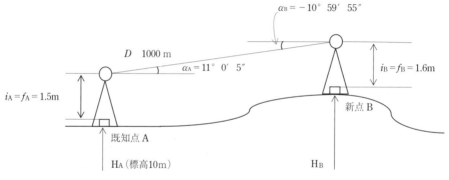

② 上記公式に，本問の与えられた数値を代入すると

$$H_B = H_A + D\sin\frac{1}{2}(\alpha_A - \alpha_B) + \frac{1}{2}(i_A + f_A) - \frac{1}{2}(i_B + f_B)$$

$$H_B = 10\text{m} + 1000\text{m}\sin\frac{1}{2}(11°\,0'\,5'' - (-10°59'\,55''))$$

$$\quad\quad + \frac{1}{2}(1.5\text{m} + 1.5\text{m}) - \frac{1}{2}(1.6\text{m} + 1.6\text{m})$$

$$= 10\text{m} + 1000\text{m}\sin 11° + 1.5\text{m} - 1.6\text{m}$$

$$= 10\text{m} + 190.81\text{m} - 0.1\text{m}$$

$$= \mathbf{200.71m}$$

（$\sin 11°$は関数表より 0.19081）

したがって，**肢3**が最も近い。

正解 ▶ 3

重要度 **A**

5. 高低角の観測

チェック □□□□□

No. 76 　図に示すとおり，新点 A の標高を求めるため，既知点 B から新点 A に対して高低角 α 及び斜距離 D の観測を行い，表の結果を得た。新点 A の標高は幾らか。最も近いものを次の中から選べ。

　ただし，既知点 B の器械高 iB は 1.40m，新点 A の目標高 fA は 1.60m，既知点 B の標高は 350.00m，両差は 0.10m とする。また，斜距離 D は気象補正，器械定数補正及び反射鏡定数補正が行われているものとする。

　なお，関数の値が必要な場合は，巻末の関数表を使用すること。

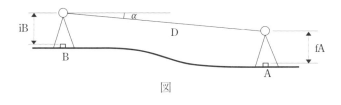

表

α	− 3° 00′ 00″
D	950.00m

図

1. 297.38m
2. 300.08m
3. 300.18m
4. 300.38m
5. 303.38m

本問は，高低角観測により新点の標高を求める間接水準測量の問題である。

① 新点の座標は，既知点から求点（新点）を観測するものであるから，直視にあたり，次式によって求めることができる。

高低計算の公式（直視）

$H_A = H_B + D\sin\theta + i - f + K$

（ただし，H_A：求点標高　　i：器械高

　　　　　H_B：既知点標高　f：目標高

　　　　　D　：斜距離　　　K：両差）

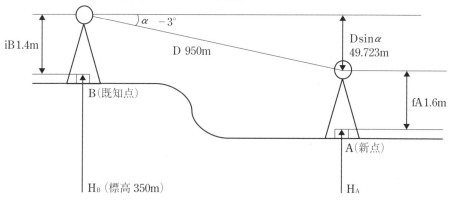

② 上記公式に，本問の与えられた数値を代入すると

$H_A = H_B + D\sin\alpha + iB - fA + K$

（ただし，H_A：新点 A の標高，H_B：既知点 B の標高，

　　　　　D：AB 間の斜距離，iB：B 点での器械高，

　　　　　fA：点 A の目標高，α：目標の高低角，

　　　　　K：両差〔直視では，計算上プラスに作用するので，プラスで補正する〕）

なお，問題の図及び表から高低角 α はマイナス（−）なので，新点 A は既知点 B より低い位置にあることがわかる。

$H_A = 350\,\text{m} + 950\,\text{m} \times \sin(-3°) + 1.4\text{m} - 1.6\,\text{m} + 0.1\,\text{m}$

$\quad = 350\,\text{m} - 950\,\text{m} \times \sin 3° + 1.4\text{m} - 1.6\,\text{m} + 0.1\,\text{m}$

$\quad = \textbf{300.177 m}$

（$\sin 3°$ は関数表より 0.05234）

したがって，**肢3**が最も近い。

正解 ▶ **3**

5. 高低角の観測

No. 77　図のとおり，新点Aの標高を求めるため，既知点Bから新点Aに対して高低角 α 及び斜距離 D の観測を行い，表の結果を得た。新点Aの標高は幾らか。最も近いものを次の中から選べ。

ただし，既知点Bの器械高 i_B は1.50m，新点Aの目標高 f_A は1.70m，既知点Bの標高は250.00m，両差は0.10mとする。また，斜距離 D は気象補正，器械定数補正及び反射鏡定数補正が行われているものとする。

なお，関数の値が必要な場合は，巻末の関数表を使用すること。

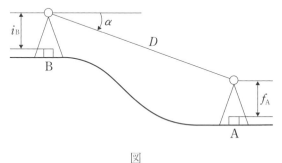

図

表

α	$-3°\,00'\,00''$
D	1,200.00 m

1．186.89 m
2．186.99 m
3．187.09 m
4．187.19 m
5．187.29 m

本問は，高低角観測により新点の標高を求める間接水準測量の問題である。

① 新点の座標は，既知点から求点（新点）を観測するものであるから，直視にあたり，次式によって求めることができる。なお，既知点Bから新点Aへの観測であるから，直視である。

　　高低計算の公式（直視）　$H_A = H_B + D\sin\theta + i - f + K$

　　（ただし，H_A：求点標高，i：器械高，H_B：既知点標高，
　　　　f：目標高，D：斜距離，K：両差）

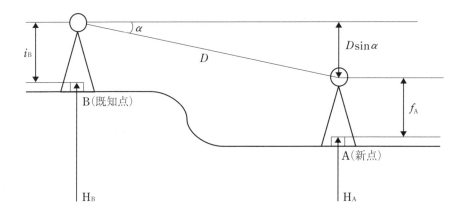

② 上記公式に，本問の与えられた数値を代入すると，

　　$H_A = H_B + D\sin\alpha + i_B - f_A + K$

　　　ただし，H_A：新点Aの標高，H_B：既知点Bの標高，
　　　　　　　D：点AB間の斜距離，i_B：点Bでの器械高，
　　　　　　　f_A：点Aでの目標高，α：目標の高低角，
　　　　　　　K：両差（直視では，計算上プラスに作用するので，プラスで補正する）

　　なお，問題の図及び表から高低角 α はマイナス（－）なので，新点Aは既知点Bより低い位置にあることがわかる。

　　$H_A = 250\,\mathrm{m} + 1{,}200\,\mathrm{m} \times \sin(-3°) + 1.5\,\mathrm{m} - 1.7\,\mathrm{m} + 0.1\,\mathrm{m}$
　　　　$= 250\,\mathrm{m} - 1{,}200\,\mathrm{m} \times \sin3° + 1.5\,\mathrm{m} - 1.7\,\mathrm{m} + 0.1\,\mathrm{m}$
　　　　$= \mathbf{187.092m}$

　　（sin3°は関数表より0.05234）

したがって，**肢3** が最も近い。

正解▶ 3

重要度 **B**

出題年度　R01

チェック ☐☐☐☐☐

6．光波測距儀の測定誤差

No. 78　図に示すように，平たんな土地に点 A，B，C を一直線上に設けて，各点におけるトータルステーションの器械高と反射鏡高を同一にして距離測定を行った結果，器械定数と反射鏡定数の補正前の測定距離は，表のとおりである。表の測定距離に，器械定数と反射鏡定数を補正した AC 間の距離は幾らか。最も近いものを次の中から選べ。

ただし，測定距離は気象補正済みとする。また，測定誤差は考えないものとする。

なお，関数の値が必要な場合は，巻末の関数表を使用すること。

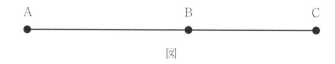

図

表

測定区間	測定距離（m）
AB	600.005
BC	399.555
AC	999.590

1．999.560 m
2．999.570 m
3．999.590 m
4．999.610 m
5．999.620 m

第3章　多角測量

本問は，光波測距儀による補正後の測定距離を求める問題である。

なお，トータルステーション（TS）は，光波測距儀の測距機能とセオドライトの測角機能を組み合わせた測量機器である。

器械定数及び反射鏡定数は測定距離に比例しない誤差であるから，これらの合計をKとすると，補正後の測定結果は次のようになる。

AC 間の正しい距離 = 999.590 m + K

AB 間の正しい距離 = 600.005 m + K

BC 間の正しい距離 = 399.555 m + K

これらの関係を下図に示す。

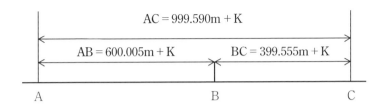

AC = AB + BC であるから，

$(999.590 \text{ m} + \text{K}) = (600.005 \text{ m} + \text{K}) + (399.555 \text{ m} + \text{K})$ となる。

$999.590 \text{ m} + \text{K} = 999.560 \text{ m} + 2\text{K}$

$\text{K} = 999.590 \text{ m} - 999.560 \text{ m} = 0.03 \text{m}$ ∴ K = 0.03 m

以上により，AC 間の距離は，999.590 m + 0.03 m = **999.62 m**

したがって，**肢5**が最も近い。

正解 ▶ 5

重要度 **B**

出題年度　　H30

チェック ☐☐☐☐☐

6. 光波測距儀の測定誤差

No. 79　　図に示すように，平たんな土地に点A，B，Cを一直線上に設けて，各点におけるトータルステーションの器械高及び反射鏡高を同一にして AB，BC，AC 間の距離を測定した。その結果から，器械定数と反射鏡定数の和を求め，定数補正後の AC 間の距離 718.400m を得た。定数補正前の AB，AC 間の測定距離は，表のとおりである。この場合の定数補正前の BC 間の測定距離は，幾らか。最も近いものを次の中から選べ。

　ただし，測定距離は気象補正済みとする。また，測定誤差はないものとする。

　なお，関数の値が必要な場合は，巻末の関数表を使用すること。

図

表

測定区間	測定距離
AB	362.711m
AC	718.370m

1．355.629m
2．355.644m
3．355.659m
4．355.674m
5．355.689m

　本問は，光波測距儀による補正前の測定距離を求める問題である。

　なお，トータルステーション（TS）は，光波測距儀の測距機能とセオドライトの測角機能を組み合わせた測量機器である。

(1)　器械定数及び反射鏡定数は測定距離に比例しない誤差であるから，これらの合計をKとすると，補正後の測定結果は次のようになる。なお，BC間の補正前の距離をXmとする。

　　AC間の正しい距離 = 718.370m + K(= 718.400m)

　　AB間の正しい距離 = 362.711m + K

　　BC間の正しい距離 = Xm + K

これらの関係を下図に示す。

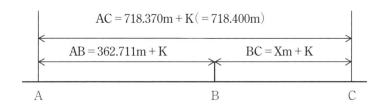

(2)　AC=AB + BC であるから，

　　718.400m = (718.370m + K) = (362.711m + K) + (Xm + K)となる。…①

　　718.370m + K = 718.400m であるから，K = 0.03m である。

(3)　これを①に代入すると，

　　718.400m = (718.370m + K) = (362.711m + K) + (Xm + K)

　　　　　　　 = 362.711m + 0.03m + Xm + 0.03m

　　　　　　　 = 362.711m + 0.06m + Xm

　　718.400m − 362.711m − 0.06m = Xm

　　これより，Xm = 718.400m − 362.711m − 0.06m = **355.629m**

したがって，**肢1** が最も近い。

正解 ▶ 1

重要度 **B**

6. 光波測距儀の測定誤差

No. 80 図に示すように，平たんな土地に点A，B，Cを一直線上に設けて，各点におけるトータルステーションの器械高及び反射鏡高を同一にして距離測定を行い，表の結果を得た。この結果から器械定数と反射鏡定数の和を求め，AC間の測定距離を補正した。補正後のAC間の距離は幾らか。最も近いものを次の中から選べ。

ただし，測定距離は気象補正済みとする。また，測定誤差はないものとする。

なお，関数の値が必要な場合は，巻末の関数表を使用すること。

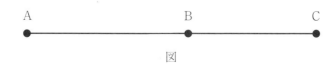

図

表

測定区間	測定距離
AB	355.647 m
BC	304.553 m
AC	660.180 m

1. 660.160 m
2. 660.170 m
3. 660.180 m
4. 660.190 m
5. 660.200 m

　本問は，光波測距儀による補正後の測定距離を求める問題である。

　なお，トータルステーション（TS）は，光波測距儀の測距機能とセオドライトの測角機能を組み合わせた測量機器である。

　器械定数及び反射鏡定数は測定距離に比例しない誤差であるから，これらの合計をKとすると，補正後の測定結果は次のようになる。

　　　AC 間の正しい距離 = 660.180 m + K

　　　AB 間の正しい距離 = 355.647 m + K

　　　BC 間の正しい距離 = 304.553 m + K

これらの関係を下図に示す。

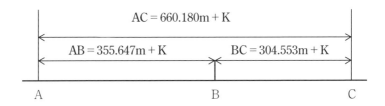

AC = AB + BC であるから，

　(660.180 m + K) = (355.647 m + K) + (304.553 m + K) となる。

　　660.180 m + K = 660.200 m + 2K 　→ 　660.180m − 660.200m = 2K − K

　　　　　　　K = 660.180 m − 660.200 m 　∴ K = − 0.02 m

以上により，AC 間の距離は，660.180 m − 0.02 m = **660.160m**

したがって，**肢 1** が最も近い。

正解 ▶ 1

重要度 **B**　出題年度　H28

チェック ▢▢▢▢▢

6. 光波測距儀の測定誤差

No.　81　　次のa〜eは，トータルステーションによる距離測定に影響する誤差である。このうち，距離に比例する誤差の組合せはどれか。次の中から選べ。

a. 器械定数及び反射鏡定数の誤差
b. 変調周波数の誤差
c. 位相測定の誤差
d. 致心誤差
e. 気象測定の誤差

1. a，d
2. a，e
3. b，c
4. b，e
5. c，e

第3章

多角測量

■ **解　説** ■

　本問は，トータルステーションによる距離測定に影響する誤差に関する問題である。
　トータルステーションは，光波測距儀の測距機能とセオドライト（トランシット）の測角機能を一体にした測量機器である。
　トータルステーション（光波測距儀）の距離測定には，測定距離に比例する誤差と，測定距離に比例しない誤差がある。
　（1）　測定距離に比例する誤差
　　①　**気象誤差**…気温，気圧，湿度の測定誤差（**e**）
　　②　**変調周波数誤差**…周波数の変調誤差（**b**）
　（2）　測定距離に比例しない誤差
　　①　器械定数誤差…光波測距儀固有の誤差（a）
　　②　反射鏡定数誤差…反射鏡固有の誤差（a）
　　③　位相差測定誤差…位相差の測定誤差（c）
　　④　致心誤差…光波測距儀据付け時の誤差（d）

　したがって，測定距離に比例する誤差は，**b**. 変調周波数の誤差と **e**. 気象測定の誤差であるから，組合せは**肢4**となる。

正解 ▶ 4

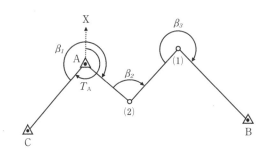

7. 方向角の計算

No.　82　図に示すように多角測量を実施し，表のとおり，きょう角の観測値を得た。新点(1)における既知点 B の方向角は幾らか。最も近いものを次の中から選べ。

ただし，既知点 A における既知点 C の方向角 T_A は，225° 12′ 40″とする。

なお，関数の値が必要な場合は，巻末の関数表を使用すること。

図

表

きょう角	観測値
β_1	262° 26′ 30″
β_2	94° 32′ 10″
β_3	273° 08′ 50″

1.　42° 11′ 20″
2.　44° 39′ 50″
3.　86° 51′ 10″
4.　135° 20′ 10″
5.　137° 48′ 40″

　本問は，方向角を計算する問題である。

　方向角とは，座標の北から右回りに測った角度であり，前点の方向角から順次計算する。

(1)　既知点 A における新点(2)の方向角①は，

　　① 　= T_A + β_1 − 360°
　　　　= 225° 12′ 40″ + 262° 26′ 30″ − 360°
　　　　= 127° 39′ 10″

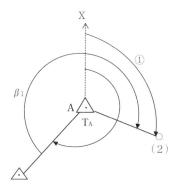

(2)　新点(2)における新点(1)の方向角②は，

　　② 　= ① + β_2 − 180°
　　　　= 127° 39′ 10″ + 94° 32′ 10″ − 180°
　　　　= 42° 11′ 20″

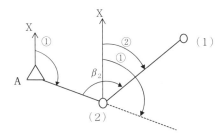

(3) 新点(1)における既知点Bの方向角③は,

$$③ = ② + \beta_3 - 180°$$
$$= 42° \, 11' \, 20'' + 273° \, 08' \, 50'' - 180°$$
$$= 135° \, 20' \, 10''$$

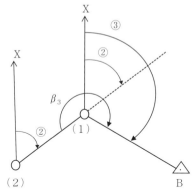

したがって，**肢4**が最も近い。

正解 ▶ 4

重要度 **A**

7. 方向角の計算

出題年度　H30

チェック ☐☐☐☐☐

No. 83　　図に示すように多角測量を実施し，表のとおり，きょう角の観測値を得た。新点(3)における既知点Bの方向角は幾らか。最も近いものを次の中から選べ。

ただし，既知点Aにおける既知点Cの方向角 Ta は 320° 16′ 40″とする。

なお，関数の値が必要な場合は，巻末の関数表を使用すること。

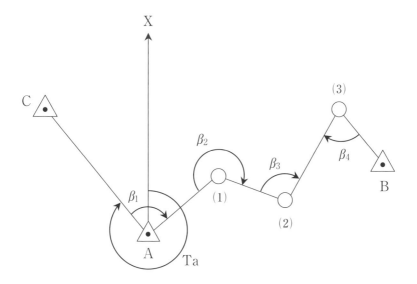

図

表

きょう角	観測値
β_1	92° 18′ 22″
β_2	246° 35′ 44″
β_3	99° 42′ 04″
β_4	73° 22′ 18″

1．112° 15′ 08″
2．139° 39′ 32″
3．140° 53′ 48″
4．145° 30′ 32″
5．166° 38′ 24″

第3章

多角測量

　本問は，方向角を計算する問題である。

　方向角とは，座標の北から右回りに測った角度であり，前点の方向角から順次計算する。

1)　既知点Aにおける新点(1)の方向角①は，

　　① = Ta + β_1 - 360°
　　　 = 320° 16′ 40″ + 92° 18′ 22″ - 360°
　　　 = 52° 35′ 02″
　　　（右図で，㋐+㋑部分は，360°になる）

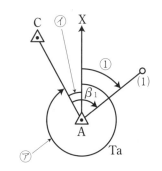

2)　新点(1)における新点(2)の方向角②は，

　　② = ① + β_2 - 180°
　　　 = 52° 35′ 02″ + 246° 35′ 44″ - 180°
　　　 = 119° 10′ 46″

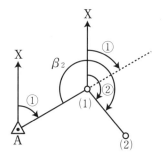

3)　新点(2)における新点(3)の方向角③は，

　　③ = ② + β_3 - 180°
　　　 = 119° 10′ 46″ + 99° 42′ 04″ - 180°
　　　 = 38° 52′ 50″

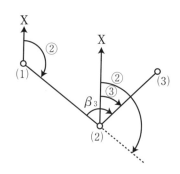

4) 新点(3)における既知点Bの方向角④は,

$$④ = ③ + (360° - β_4) - 180°$$
$$= 38° 52' 50'' + (360° - 73° 22' 18'') - 180°$$
$$= 145° 30' 32''$$

又は,

$$④ = ③ + 180° - β_4$$
$$= 38° 52' 50'' + 180° - 73° 22' 18''$$
$$= \mathbf{145° 30' 32''}$$

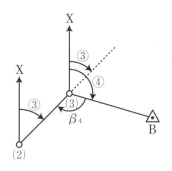

したがって, **肢4**が最も近い。

No.	84

公共測量における1級基準点測量において，トータルステーションを用いて水平角を観測し，表5の観測角を得た。 ア ～ コ に入る数値のうち明らかに間違っているものはどれか。次の中から選べ。

表

目盛	望遠鏡	番号	視準点	観測角	結果	倍角	較差	倍角差	観測差
0°	r	1	303	0° 0′ 20″	0° 0′ 0″				
		2	(1)	97° 46′ 19″	ア	オ	キ		
	l	2		277° 46′ 26″	イ				
		1		180° 0′ 28″	0° 0′ 0″				
								ケ	コ
90°	l	1		270° 0′ 21″	0° 0′ 0″				
		2		7° 46′ 20″	ウ	カ	ク		
	r	2		187° 46′ 13″	エ				
		1		90° 0′ 11″	0° 0′ 0″				

1．結果のアは97° 45′ 59″であり，イは97° 45′ 58″である。
2．結果のウは97° 45′ 59″であり，エは97° 46′ 2″である。
3．倍角のオは117″であり，カは121″である。
4．較差のキは＋1″であり，クは－3″である。
5．倍角差のケは4″であり，観測差のコは2″である。

本問は，方向観測法による野帳の記入に関する問題である。

1．正しい。 視準点303から視準点(1)を観測すると，観測角は，97° 46′ 19″である。(1)の観測角97° 46′ 19″から303の観測角を引けば，観測結果は97° 45′ 59″と判明する。

$$\boxed{ア} = 97° 46′ 19″ − 0° 0′ 20″ = 97° 45′ 59″$$

次に，$\boxed{イ}$は，ℓ（反位）観測である。望遠鏡を反転させて(1)を視準すると，観測角は277° 46′ 26″である。これより303を視準したときの観測角180° 0′ 28″を引けば，観測結果は97° 45′ 58″と判明する。

$$\boxed{イ} = 277° 46′ 26″ − 180° 0′ 28″ = 97° 45′ 58″$$

2．正しい。 2対回目は，1対回目後の反転したままで目盛を90°付近に移動し303を視準すると，観測角は270° 0′ 21″である。

そして，303から(1)を視準した観測角は，7° 46′ 20″である。この(1)の観測角から303を視準した観測角を引けば，観測結果は97° 45′ 59″と判明する。

$$\boxed{ウ} = 7° 46′ 20″ + 360° − 270° 0′ 21″ = 97° 45′ 59″$$

次に，r（正位）に反転した結果は

$$\boxed{エ} = 187° 46′ 13″ − 90° 0′ 11″ = 97° 46′ 2″$$と判明する。

3．正しい。 倍角は，同一視準点に対する1対回の正位・反位の秒数の和（r + ℓ）であるから，（r + ℓ）を求めると，

$$\boxed{オ} = 59″ + 58″ = 117″$$
$$\boxed{カ} = 59″ + 62″ = 121″ \quad となる。$$

4．間違い。 較差は，同一視準点に対する1対回の正位・反位の秒数の差（r − ℓ）であるから，（r − ℓ）を求めると，

$$\boxed{キ} = 59″ − 58″ = + 1″$$
$$\boxed{ク} = 62″ − 59″ = + 3″ \quad となる。$$

5．正しい。 倍角差は，各対回の同一視準点に対する倍角の最大と最小の差（最大値 − 最小値）であるから，（最大値 − 最小値）を求めると，

$$121″ − 117″ = 4″となる。$$

観測差は，各対回の同一視準点に対する較差の最大と最小の差（最大値 − 最小値）であるから，（最大値 − 最小値）を求めると，

$$3″ − 1″ = 2″となる。$$

したがって，**肢4**が間違っている。

9. 基準点成果情報

No. 85 　表は，基準点成果等閲覧サービスで閲覧できる基準点成果情報の抜粋である。 ア 及び イ に入るべき符号と ウ に入るべき縮尺係数の組合せとして最も適当なものはどれか。次の中から選べ。

　ただし，平面直角座標系の5系における座標原点は，次のとおりである。

　　　緯度（北緯）36° 00′ 00″.0000　　　経度（東経）134° 20′ 00″.0000

表

基準点基本情報	
基準点コード	TR35234250501
等級種別	三等三角点
冠字選点番号	伊73
基準点名	姫路城
部号	93
基準点成果情報	
20万分の1地勢図名	姫路
5万分の1地形図名	龍野
成果区分	世界測地系 （測地成果2011）
北緯	34° 50′ 19″.6382
東経	134° 41′ 38″.2752
標高（m）	45.49
平面直角座標系（番号）	5
平面直角座標系（X）（m）	ア　128,762.258
平面直角座標系（Y）（m）	イ　32,982.651
縮尺係数	ウ

	ア	イ	ウ
1.	−	+	0.999913
2.	−	+	1.000013
3.	+	−	0.999913
4.	+	−	1.000013
5.	+	+	1.000013

本問は，基準点成果情報の見方に関する問題である。

① 平面直角座標系のX軸は北の方向を（＋），Y軸は東の方向を（＋）としている。

　平面直角座標系の5系原点数値は，緯度＝北緯36°，経度＝東経134°20′であるから，緯度＝北緯34°50′19″.6382，経度＝東経134°41′38″.2752の三等三角点姫路城は原点の南東に位置することがわかる。

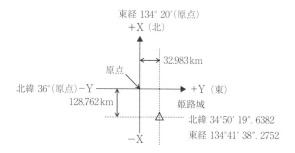

東経 134° 20′（原点）
＋X（北）

32.983 km

原点

北緯 36°（原点）－Y
128.762 km

＋Y（東）

姫路城

北緯 34°50′19″.6382
東経 134°41′38″.2752

－X

　したがって，X座標の符号（**ア**）は（**－**），Y座標の符号（**イ**）は（**＋**）となる。

② また，平面直角座標系では，X軸上の縮尺係数は 0.9999，原点から約 90 km のところで 1.0000 となる。基準点姫路城は原点から約 32.983 km 離れているので，縮尺係数（**ウ**）は 0.9999 ～ 1 の範囲となり，あてはまるのは **0.999913** となる。

したがって，**肢 1** の組合せが最も適当である。

正解▶1

ヒント

平面直角座標と UTM 図法との比較表

	平面直角座標	UTM 図法
投影法	ガウス・クリューゲル図法 （正角図法）	ガウス・クリューゲル図法 （正角図法）
投影範囲	我が国の国土全般	北緯 84 度から南緯 80 度までの全地球表面
縮尺係数＝1 の距離 1.0001 の距離	原点から約 90km 〃　　　130km	原点から約 180km 〃　　　200km
中央経線の縮尺係数	0.9999	0.9996

10. 座標値の計算

No. 86　平面直角座標系（平成 14 年国土交通省告示第 9 号）において，点 B は，点 A からの方向角が 305° 00′ 00″，平面距離が 1,000.00m の位置にある。点 A の座標値を，$X_A = -800.00$m，$Y_A = +1,100.00$m とする場合，点 B の座標値（X_B, Y_B）は幾らか。最も近いものを次の 1 ～ 5 の中から選べ。

なお，関数の値が必要な場合は，巻末の関数表を使用すること。

	X_B	Y_B
1.	$-1,619.15$ m	$+1,673.58$ m
2.	$-1,507.11$ m	$+1,807.11$ m
3.	$-1,373.58$ m	$+1,919.15$ m
4.	-226.42 m	$+280.85$ m
5.	$+19.15$ m	$+526.42$ m

■■■ 解　説 ■■■

本問は，平面直角座標値を計算する問題である。

点 O を原点として，問題文の指示をもとに，点 A および点 B の位置関係を図示すると次のようになる。

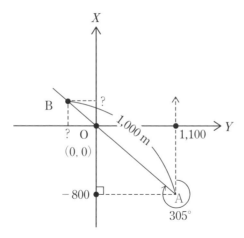

（なお，問題を実際に解く際には，点Bが第何象限にあるかを気にする必要はない。大体の位置関係が把握できていれば十分である。また，もっと言うと，平面直角座標系において，点Aの座標値 (X_A, Y_A) と点Aからの距離と方向角がわかれば点Bの座標値 (X_B, Y_B) は，以下①で示す通り，公式を使うようにして簡単に解けるので，図上で考える必要すらないともいえる）。

① 平面直角座標系では，点Aの座標値 (X_A, Y_A) から点Bの座標値 (X_B, Y_B) は，次の式で計算できる。

$$X_B = X_A + L\cos a$$
$$Y_B = Y_A + L\sin a$$

（ただし，L：点A〜点Bの平面距離，a：点Aにおける点Bの方向角）

② $X_B = X_A + L\cos a$
   $= -800 \text{ m} + 1,000 \text{ m} \times \cos 305°$
   $= -800 \text{ m} + 1,000 \text{ m} \times \cos 55°$
   $= -800 \text{ m} + 1,000 \text{ m} \times 0.57358$ （∵巻末の関数表より）
   $= -226.42 \text{ m}$

③ $Y_B = Y_A + L\sin a$
   $= +1,100 \text{ m} + 1,000 \text{ m} \times \sin 305°$
   $= +1,100 \text{ m} + 1,000 \text{ m} \times (-\sin 55°)$
   $= +1,100 \text{ m} - 1,000 \text{ m} \times 0.81915$ （∵巻末の関数表より）
   $= +1,100 \text{ m} + 1,000 \text{ m} \times \sin 305°$
   $= +280.85 \text{ m}$

したがって，**肢4**が最も近い。

正解 ▶ 4

10. 座標値の計算

No. 87　平面直角座標系（平成14年国土交通省告示第9号）において，点Ｂは，点Ａからの方向角が 198° 00′ 00″，平面距離が 1,200.00 mの位置にある。点Ａの座標値を，$X=-1,000.00$ m，$Y=+500.00$ mとする場合，点Ｂの座標値は幾らか。最も近いものを次の中から選べ。

なお，関数の値が必要な場合は，巻末の関数表を使用すること。

1．$X=-1,370.82$ m，$Y=-641.17$ m
2．$X=-1,370.82$ m，$Y=-641.27$ m
3．$X=-1,370.82$ m，$Y=-641.37$ m
4．$X=-2,141.27$ m，$Y=+129.18$ m
5．$X=-2,141.27$ m，$Y=+129.28$ m

本問は，平面直角座標値を計算する問題である。

① 平面直角座標系では，点 A の座標値 (X_A, Y_A) から点 B の座標値 (X_B, Y_B) は，次の式で計算できる。

$X_B = X_A + L \cos a$

$Y_B = Y_A + L \sin a$

　　（ただし，L：点 A ～点 B の平面距離，a：点 A における点 B の方向角）

② $X_B = X_A + L \cos a = -1{,}000\,\text{m} + 1{,}200\,\text{m} \times \cos 198°$

　　$\cos 198°$ は，$-\cos 18°$ と同じ値であるから，

　　$= -1{,}000\,\text{m} + 1{,}200\,\text{m} \times (-\cos 18°)$

　　$\cos 18°$ を関数表で求めると，

　　$= -1{,}000\,\text{m} + 1{,}200\,\text{m} \times (-0.95106) = \textbf{− 2,141.272 m}$

③ $Y_B = Y_A + L \sin a = +500\,\text{m} + 1{,}200\,\text{m} \times \sin 198°$

　　$\sin 198°$ は，$-\sin 18°$ と同じ値であるから，

　　$= +500\,\text{m} + 1{,}200\,\text{m} \times (-\sin 18°)$

　　$\sin 18°$ を関数表で求めると，$\sin 18° = 0.30902$ であるから，

　　$= +500\,\text{m} + 1{,}200\,\text{m} \times (-0.30902) = \textbf{+ 129.176 m}$

したがって，**肢 4** が最も近い。

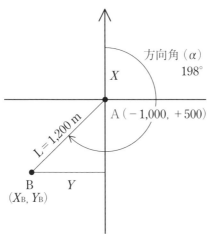

（既知点 A と点 B の位置関係）

正解 ▶ 4

No. 88　平面直角座標系上において，点Pは，点Aから方向角が 230° 00′ 00″，平面距離が 1,000.00 m の位置にある。点Aの座標値を，$X = -100.00$ m，$Y = -500.00$ m とする場合，点Pの座標値は幾らか。最も近いものを次の中から選べ。

なお，関数の数値が必要な場合は，巻末の関数表を使用すること。

1．$X = -1,266.04$ m，　$Y = \quad -742.79$ m
2．$X = \quad -866.04$ m，　$Y = -1,142.79$ m
3．$X = \quad -742.79$ m，　$Y = -1,266.04$ m
4．$X = \quad -666.04$ m，　$Y = \quad -142.79$ m
5．$X = \quad -642.79$ m，　$Y = \quad -766.04$ m

■ 解　説 ■

本問は，平面直角座標値を計算する問題である。

平面直角座標系では，点Aの座標値 (X_A, Y_A) から点Pの座標値 (X_P, Y_P) は，次の式で計算できる。

$X_P = X_A + L \cos \alpha$

$Y_P = Y_A + L \sin \alpha$

　　　（ただし，Lは点A〜点Pの平面距離，α は点Aにおける点Pへの方向角）

$$
\begin{aligned}
X_P = X_A + L \cos \alpha &= -100 \text{ m} + 1,000 \text{ m} \times \cos 230° \\
&= -100 \text{ m} + 1,000 \text{ m} \times \{-\cos(230° - 180°)\} \\
&= -100 \text{ m} + 1,000 \text{ m} \times (-\cos 50°) \\
&\quad \cos 50° \text{を関数表で求めると，0.64279 であるから，} \\
&= -100 \text{ m} + 1,000 \text{ m} \times (-0.64279) = \mathbf{-742.79 \text{ m}}
\end{aligned}
$$

$$
\begin{aligned}
Y_P = Y_A + L \sin \alpha &= -500 \text{ m} + 1,000 \text{ m} \times \sin 230° \\
&= -500 \text{ m} + 1,000 \text{ m} \times \{-\sin(230° - 180°)\} \\
&= -500 \text{ m} + 1,000 \text{ m} \times (-\sin 50°) \\
&\quad \sin 50° \text{を関数表で求めると，0.76604 であるから，} \\
&= -500 \text{ m} + 1,000 \text{ m} \times (-0.76604) = \mathbf{-1,266.04 \text{ m}}
\end{aligned}
$$

したがって，**肢3**が最も近い。

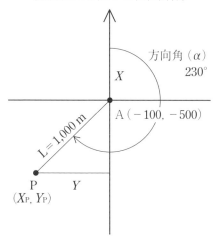

正解 ▶ 3

各象限における $\sin\theta$，$\cos\theta$ の値は次表のように求められる。

象限	角度（α）	$\sin\theta$	$\cos\theta$
第Ⅰ象限	$0°\ \sim 90°$	$\sin\theta$	$\cos\theta$
第Ⅱ象限	$90°\ \sim 180°$	$\sin\ (180°\ -\alpha)$	$-\cos\ (180°\ -\alpha)$
第Ⅲ象限	$180°\ \sim 270°$	$-\sin\ (\alpha-180°)$	$-\cos\ (\alpha-180°)$
第Ⅳ象限	$270°\ \sim 360°$	$-\sin\ (360°\ -\alpha)$	$\cos\ (360°\ -\alpha)$

　測量士補試験では，三角関数表が与えられるが，これは $0°$ から $90°$ までの真数表である。真数表を使うために，上表のように $90°$ 以下の角度に直して計算することが必要となる場合がある。$90°$ 以下の角度に直しても，符号を除き値は同じである。

　また，各象限における $\sin\theta$，$\cos\theta$ の符号は次図のようになる。

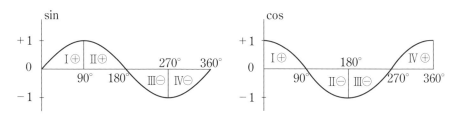

第4章 水準測量

1. 観測作業の留意点

No. 89　　公共測量における1級水準測量を実施するに当たり，既知点間が1.7kmの平たんな路線において，最大視準距離を45mとして観測することとした。往路におけるレベルの設置回数（測点数）は最低何点になるか。次の1〜5の中から選べ。

ただし，全測点において視通や観測時の環境条件を考えずにレベルを設置できるものとする。

なお，関数の値が必要な場合は，巻末の関数表を使用すること。

1．18点
2．19点
3．20点
4．38点
5．39点

■ 解　説 ■

本問は，1級水準測量における，最大視準距離とレベルの設置回数との関係に関する問題である。

最大視準距離を45mとする場合，1回の設置において前視と後視を合わせて90mの距離の観測を行うことになる。既知点間の距離が1.7km = 1,700mの路線であるから，1,700m ÷ 90mをすると，18.888…を得る。

設置回数は当然整数回である必要があり，最低18.888…回ということは最低19回でなければならない。

また，水準点間レベルの設置回数は，標尺の零目盛誤差を消去するために偶数回である必要がある（作業規定の準則第64条2項3号）。

したがって，往路におけるレベルの設置回数（測点数）は最低19 + 1 = **20点**必要である。

したがって，**肢3**が正答である。

正解 ▶ 3

1. 観測作業の留意点

No. 90 　　次の1～5の文は，公共測量における水準測量を実施するときに留意すべき事項について述べたものである。明らかに間違っているものはどれか。次の1～5の中から選べ。

1. 標尺は2本1組とし，往路及び復路の出発点で立てる標尺を同じにする。
2. 手簿に記入した読定値及び水準測量作業用電卓に入力した観測データは，訂正してはならない。
3. 前視標尺と後視標尺の視準距離は等しくし，レベルはできる限り両標尺を結ぶ直線上に設置する。
4. 水準点間の測点数が多い場合は，適宜固定点を設け，往路及び復路の観測に共通して使用する。
5. 1級水準測量においては，観測は1視準1読定とし，後視，前視，前視，後視の順に標尺を読定する。

第4章

水準測量

　本問は，公共測量における水準測量を実施するときに留意すべき事項に関する問題
である。

1. **間違い**。標尺は２本１組とし，往路の出発点にⅠ号標尺を立てた場合は到着点に
   もⅠ号標尺が立つようにする。これは，標尺の零目盛誤差を消去するためである。
   復路の観測では，２本の標尺の尺定数を平均して標尺補正を行うため，標尺のⅠ号
   とⅡ号を交換して，到着点にはⅡ号標尺を立てて出発する。すなわち，往路と復路
   の観測においては，標尺のⅠ号とⅡ号を交換する必要がある（作業規定の準則第
   64条２項３号）。
2. **正しい**。手簿に記載した読定値及び水準測量作業用電卓に入力した観測データは，
   訂正してはならない。誤記・誤読等が判明したときは，再度その観測点すべての観
   測をやり直す。訂正したい観測値は不採用とする。観測作業の信頼性を高めるため
   である（作業規程の準則解説と運用）。
3. **正しい**。レベルの視準線誤差，球差の影響を消去するために，レベルの前視の標
   尺と後視の標尺の距離は等しくする。また，レベルはできる限り両標尺を結ぶ直線
   上に設置する（作業規定の準則第64条２項５号）。
4. **正しい**。往復観測を行う水準測量において，水準点間の観測点数が多い場合は，
   適宜固定点を設け，往路及び復路の観測に共通して使用する（第64条２項６号）。
5. **正しい**。１級水準測量では，「観測は１視準１読定とし，標尺の読定方法は，気
   泡管レベル及び自動レベルでは，後視小目盛，前視小目盛，前視大目盛，後視大目
   盛の順，電子レベルでは，後視，前視，前視，後視の順を標準とする」と規定され
   ている（第64条２項１号ロ）。

　したがって，明らかに間違っているものは**肢１**である。

正解 ▶ 1

1．観測作業の留意点

No. 91　　次のa～eの文は，公共測量における1級水準測量について述べたものである。明らかに間違っているものだけの組合せはどれか。次の中から選べ。

a．三脚の沈下による誤差を軽減するため，標尺を後視，後視，前視，前視の順に読み取る。

b．標尺補正のための温度測定は，観測の開始時，終了時及び固定点到着時ごとに実施する。

c．電子レベルの点検調整においては，円形水準器及び視準線の点検調整並びにコンペンセータの点検を行う。

d．点検調整は，観測着手前と観測期間中おおむね10日ごとに実施する。

e．正標高補正計算を行ううため，気圧を測定する。

1．a，b
2．a，e
3．b，c
4．c，d
5．d，e

■■■　解　説　■■■

　本問は，水準測量を実施するときの留意すべき事項に関する問題である。

a．間違い。三脚の沈下による誤差を軽減するためには，地盤の堅固な場所に備え付け直し，三脚を十分踏み込み整置する。または，三脚用の杭を打ちその上に据えつける。

b．正しい。標尺補正のための温度測定は，作業規程の準則第64条2項4号に「観測の開始時，終了時及び固定点到着時ごとに，気温を測定する。」と規定されている。

c．正しい。第63条2項2号に，「自動レベル，電子レベルは，円形水準器及び視準線の点検調整並びにコンペンセータの点検を行うものとする。」と規定されている。

d．正しい。第63条2項柱書に，「点検調整は，観測着手前に次の項目について行い，水準測量作業用電卓又は観測手簿に記録する。ただし，1級水準測量及び2級水準測量では，観測期間中おおむね10日ごとに行うものとする。」と規定されている。

e．間違い。正標高補正計算（楕円補正）は，実測の計算を行う（第67条～69条）。

　したがって，間違っているものは**a，e**であり，その組合せは**肢2**である。

正解 ▶ 2

1. 観測作業の留意点

No. 92　　次の文は，水準測量を実施するときに留意すべき事項について述べたものである。明らかに間違っているものはどれか。次の中から選べ。

1. レベル及び標尺は，作業期間中においても適宜，点検及び調整を行う。
2. 標尺は2本1組とし，往路及び復路の出発点で立てる標尺を同じにする。
3. 往復観測を行う水準測量において，水準点間の測点数が多い場合は，適宜，固定点を設け，往路及び復路の観測に共通して使用する。
4. 自動レベル及び電子レベルについては，円形水準器及び視準線の点検調整のほかに，コンペンセータの点検を行う。
5. 三脚の2脚を進行方向に平行に設置し，そのうちの特定の1本を常に同一の標尺に向けて整置する。

■■■ **解　説** ■■■■■■

本問は，水準測量を実施するときの留意すべき事項に関する問題である。

1. **正しい。** 点検調整は，観測着手前に作業規程の準則第63条2項1号から3号までに規定する項目について行い，水準測量作業用電卓又は観測手簿に記録する。ただし，1級水準測量又は2級水準測量では，観測期間中おおむね10日ごとに行う（作業規程の準則第63条2項）。
2. **間違い。** 標尺は2本1組とし，往路の出発点にⅠ号標尺を立てた場合は到着点にもⅠ号標尺が立つようにする。これは，標尺の零目盛誤差を消去するためである。復路の観測では，2本の標尺の尺定数を平均して標尺補正を行うため，標尺のⅠ号とⅡ号を交換して，到着点にはⅡ号標尺を立てて出発する。すなわち，往路と復路の観測においては，標尺のⅠ号とⅡ号を交換する必要がある（第64条2項3号）。
3. **正しい。** 往復観測を行う水準測量において，水準点間の観測点数が多い場合は，適宜固定点を設け，往路及び復路の観測に共通して使用する（第64条2項6号）。
4. **正しい。** 第63条2項2号に，「自動レベル，電子レベルは，円形水準器及び視準線の点検調整並びにコンペンセータの点検を行うものとする。」と規定されている。
5. **正しい。** 観測は，レベルの整置点数を偶数点とし，各整置点において，レベルの望遠鏡と三脚の向きを特定の標尺に対向させて整置し観測する（作業規程の準則解説と運用）。これによって，鉛直軸誤差（鉛直軸の傾きによって生じる誤差）を小さくすることができる。

したがって，**肢2**が間違っている。

正解 ▶ 2

1. 観測作業の留意点

No. 93　次の文は，公共測量における水準測量について述べたものである。明らかに間違っているものはどれか。次の中から選べ。

1. 手簿に誤った読定値を記載したので，訂正せずに再観測を行った。
2. 観測に際しては，レベルに直射日光が当たらないようにする。
3. 標尺は，2本1組とし，往観測の出発点に立てた標尺は，復観測の出発点には立てない。
4. 路線に見通しのきかない曲がり角があったため，両方の標尺が見える曲がり角にレベルを設置して観測した。
5. やむを得ず1日の観測が固定点で終わる場合，観測の再開時に固定点の異常の有無を点検できるようにする。

■■■ 解　説 ■■■

本問は，水準測量における観測の留意すべき事項に関する問題である。

1. **正しい。** 手簿に記入した読定値は，訂正してはならない。誤記・誤読等が判明したときは，再度その観測点すべての観測をやり直す。訂正したい観測値は不採用とする。また，手書き手簿の場合は次段に記載し，誤った観測データは斜線を引く。これは，観測作業に作為があってはならず，作業の信頼性を高めるためである（作業規程の準則解説と運用）。

2. **正しい。** レベルに直接日光が当たると，レベル内の大気の温度分布の変化により視準線に屈折が生じ，気泡管の気泡が膨張し観測誤差を生じる。そのため，レベルには直接日光が当たらないようにして観測する（作業規程の準則解説と運用）。

3. **正しい。** 標尺は2本1組とし，往路の出発点にⅠ号標尺を立てた場合は到着点にもⅠ号標尺が立つようにする。これは，標尺の零目盛誤差を消去するためである。復路の観測では，2本の標尺の尺定数を平均して標尺補正を行うため，標尺のⅠ号とⅡ号を交換して，到着点にはⅡ号標尺を立てて出発する。すなわち，往路と復路の観測においては，標尺のⅠ号とⅡ号を交換する必要がある（作業規程の準則第64条2項3号）。なお，測点数は偶数とする。

4. **間違い。** レベルの視準線誤差，球差の影響を消去するに，レベルの前視の標尺と後視の標尺の距離は等しくする。また，レベルはできる限り両標尺を結ぶ直線上に設置する（第64条2項5号）。したがって，路線に見通しのきかない曲がり角があっても，両方の標尺が見える曲がり角にレベルを設置しての観測はすべきでない。

5. **正しい。** 1日の観測は，水準点で終わることを原則とするが，やむを得ず固定点で終わる場合は，観測の再開時に固定点の異常の有無を点検できるような方法で行う（作業規程の準則第64条2項8号）。

したがって，**肢4**が間違っている。

正解 ▶ 4

第4章

水準測量

1. 観測作業の留意点

No. 94 　次の文は，公共測量における水準測量を実施するときに遵守すべき事項について述べたものである。明らかに間違っているものはどれか。次の中から選べ。

1．1日の観測は，水準点で終わることを原則とする。なお，やむを得ず固定点で終わる場合は，観測の再開時に固定点の異常の有無を点検できるような方法で行うものとする。

2．1級水準測量では，観測は1視準1読定とし，後視→前視→前視→後視の順に標尺を読定する。

3．1級水準測量及び2級水準測量の再測は，同方向の観測値を採用しないものとする。

4．往復観測を行う水準測量において，水準点間の測点数が多い場合は，適宜，固定点を設け，往路及び復路の観測に共通して使用する。

5．2級水準測量では，1級標尺又は2級標尺を使用する。

■■■ 解 説 ■■■■■■■■■■

本問は，水準測量を実施するときの留意すべき事項に関する問題である。

1．正しい。 1日の観測は，水準点で終わることを原則とするが，やむを得ず固定点で終わる場合は，観測の再開時に固定点の異常の有無を点検できるような方法で行う（作業規程の準則第64条2項8号）。

2．正しい。 1級水準測量では，観測は1視準1読定とし，標尺の読定方法は，気泡管レベル及び自動レベルでは，後視小目盛，前視小目盛，前視大目盛，後視大目盛の順，電子レベルでは，後視，前視，前視，後視の順を標準とする，と規定されている（第64条2項1号ロ）。

3．正しい。 1級及び2級水準測量の再測は，高精度が要求される。そのため系統的誤差を避けるため，往観測又は復観測の同方向だけの観測値を採用してはいけない（第65条2号）。

4．正しい。 往復観測を行う水準測量において，水準点間の観測点数が多い場合は，適宜固定点を設け，往路及び復路の観測に共通して使用する（第64条2項6号）。

5．間違い。 2級水準測量では，1級標尺を使用しなければならない（第62条1項）。

したがって，**肢5**が間違っている。

正解 ▶ 5

1. 観測作業の留意点

No. 95　公共測量において3級水準測量を実施していたとき，レベルで視準距離を確認したところ，前視標尺までは70 m，後視標尺までは72 mであった。観測者が取るべき処置を次の中から選べ。

1．前視標尺をレベルから2 m遠ざけて整置させる。
2．レベルを後視方向に1 m移動し整置させる。
3．レベルを後視方向に2 m移動し整置させ，前視標尺をレベルの方向に3 m近づけ整置させる。
4．レベルを後視方向に3 m移動し整置させ，前視標尺をレベルの方向に4 m近づけ整置させる。
5．そのまま観測する。

■ 解　説

　本問は，レベルを整置する場合における適切な処置に関する問題である。
　観測の実施にあたり，視準距離は等しく，かつレベルはできる限り両標尺を結ぶ直線上に設置する（作業規程の準則第64条2項5号），と規定されている。

1．適切ではない。 本肢におけるレベルの視準距離は，前視標尺までは72 m，後視標尺までは72 mである。公共測量における3級水準測量の視準距離は，最大70 mを標準とする，と定められている（第64条2項1号イ）。本肢は，適切な処置がなされていない。

2．適切ではない。 レベルを後視方向に1 m移動しても，前視標尺及び後視標尺までの視準距離は71 mであり，ともに最大視準距離を上回っている。

3．適切ではない。 本肢の整置では，前視標尺までの視準距離は69 m，後視標尺までは70 mである。観測の実施にあたっては，視準距離を等しくすべきである。

4．適切である。 本肢の整置では，前視標尺及び後視標尺の視準距離とも69 mである。したがって，双方とも最大視準距離の範囲内であり，視準距離も等しい。

5．適切ではない。 本肢の整置では，前視標尺の視準距離が70m，後視標尺までの視準距離は72 mである。後視標尺の視準距離が最大視準距離を上回っている。

　したがって，**肢4**が最も適切な処置である。

正解 ▶ 4

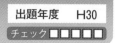
1. 観測作業の留意点

重要度 Ⓐ

No. 96　次の文は，水準測量を実施するときに留意すべき事項について述べたものである。明らかに間違っているものはどれか。次の中から選べ。

1．レベル及び標尺は，作業期間中においても点検調整を行う。
2．標尺は2本1組とし，往路及び復路の出発点で立てる標尺を同じにする。
3．レベルの望遠鏡と三脚の向きを常に特定の標尺に対向させて整置し，観測する。
4．視準距離は等しく，レベルはできる限り両標尺を結ぶ直線上に設置する。
5．水準点間のレベルの設置回数（測点数）は，偶数回にする。

■ **解　説** ■

　本問は，水準測量を実施するときに留意すべき事項に関する問題である。

1．**正しい。** 点検調整は，観測着手前に作業規程の準則第63条2項1号から3号までに規程する項目について行い，水準測量作業用電卓又は観測手簿に記録する。ただし，1級水準測量及び2級水準測量では，観測期間中おおむね10日ごとに行う（作業規程の準則第63条2項）。

2．**間違い。** 標尺は2本1組とし，往路の出発点にⅠ号標尺を立てた場合は到着点にもⅠ号標尺が立つようにする。これは，標尺の零目盛誤差を消去するためである。復路の観測では，2本の標尺の尺定数を平均して標尺補正を行うため，標尺のⅠ号とⅡ号を交換して，到着点にはⅡ号標尺を立てて出発する。すなわち，往路と復路の観測においては，標尺のⅠ号とⅡ号を交換する必要がある（第64条2項3号）。

3．**正しい。** 観測は，レベルの整置点数を偶数点とし，各整置点において，レベルの望遠鏡と三脚の向きを特定の標尺に対向させて整置し，観測する（第64条，作業規程の準則解説と運用）。これによって，鉛直軸誤差（鉛直軸の傾きによって生じる誤差）を小さくすることができる。

4．**正しい。** レベルの視準線誤差，球差の影響を消去するために，レベルの前視の標尺と後視の標尺の距離は等しくする。また，レベルはできる限り両標尺を結ぶ直線上に設置する（第64条2項5号）。

5．**正しい。** 水準点間のレベルの設置回数は，標尺の零目盛誤差を消去するために偶数回とする（第64条2項3号）。

　したがって，**肢2**が間違っている。

正解 ▶ 2

1. 観測作業の留意点

No. 97　次の文は，公共測量における水準測量を実施するときの留意すべき事項について述べたものである。明らかに間違っているものはどれか。次の中から選べ。

1．レベルの局所的な膨張で生じる誤差を小さくするために，日傘を使用して，レベルに直射日光を当てないようにする。

2．1日の観測は，水準点で終わることを原則とする。やむを得ず固定点で終わる場合は，次の日の観測で固定点の異常の有無が点検できるような方法で観測を行う。

3．新設点の観測は，永久標識の設置後直ちに行う。

4．標尺は，2本1組とし，往観測の出発点に立てる標尺と，復観測の出発点に立てる標尺を交換する。

5．手簿に記入した読定値及び水準測量作業用電卓に入力した観測データは，訂正してはならない。

第4章

水準測量

　本問は，水準測量を実施するときの留意すべき事項に関する問題である。

1．**正しい**。レベルに直射日光が当たると，レベル内の大気の温度分布の変化により視準線に屈折が生じ，気泡管の気泡が膨張し観測誤差を生じる。そのため，レベルには直射日光が当たらないようにして観測する（作業規程の準則解説と運用第 64 条）。

2．**正しい**。1 日の観測は，水準点で終わることを原則とするが，やむを得ず固定点で終わる場合は，次の日の観測で固定点の異常の有無が点検できるような方法により観測を行う（解説と運用第 64 条）。

3．**間違い**。新設点の観測は，永久標識の設置後 24 時間以上経過してから行うものとされている（作業規程の準則第 64 条 4 項）。これは，新設点の観測は，埋設した標識が安定した状態になってから行う必要があるが，コンクリート等により永久標識を埋設するため，少なくとも 24 時間以上の経過を必要とするためである。

4．**正しい**。標尺は 2 本 1 組とし，往路の出発点に I 号標尺を立てた場合は到着点にも I 号標尺が立つようにする。これは，標尺の零目盛誤差を消去するためである。復路の観測では，2 本の標尺の尺定数を平均して標尺補正を行うため，標尺の I 号と II 号を交換して，到着点には II 号標尺を立てて出発する。すなわち，往路と復路の観測においては，標尺の I 号と II 号を交換する必要がある（第 64 条 2 項 3 号）。なお，測点数は偶数とする。

5．**正しい**。手簿に記入した読定値及び水準測量作業用電卓に記入した観測データは，訂正してはならない。誤記・誤読等が判明したときは，再度その観測点すべての観測をやり直す。訂正したい観測値は不採用とする。また，手書き手簿の場合は次段に記載し，誤った観測データは斜線を引く。観測作業に作為があってはならず，作業の信頼性を高めるためである（作業規程の準則解説と運用）。

　したがって，**肢 3** が間違っている。

重要度 B

1. 観測作業の留意点

No. 98　次のa～eの文は，公共測量における水準測量について述べたものである。明らかに間違っているものは幾つあるか。次の中から選べ。

a．標尺の最下部付近の視準を避けて観測すると，大気による屈折誤差を小さくできる。

b．1級水準測量及び2級水準測量における視準線誤差の点検調整は，観測期間中概ね10日ごとに行う。

c．自動レベル及び電子レベルについては，円形水準器及び視準線の点検調整のほかに，コンペンセータの点検を行う。

d．標尺は，2本1組とし，往観測の出発点に立てる標尺と，復観測の出発点に立てる標尺は同じものにする。

e．標尺付属の円形水準器は，標尺を鉛直に立てたときに，円形気泡が中心に来るように調整を行う。

1．0（間違っているものは1つもない。）

2．1つ

3．2つ

4．3つ

5．4つ

本問は，水準測量を実施するときの留意点に関する問題である。

a．正しい。 地表付近の大気は地熱により温められるため，空気の密度の違いにより屈折誤差が生じる。したがって，標尺の最下部付近の視準を避けて観測すると，大気による屈折誤差を小さくできる。作業規程の準則第 64 条 2 項 7 号にも，「1 級水準測量においては，標尺の下方 20cm 以下を読定しないものとする。」と規定されている。

b．正しい。 第 63 条 2 項柱書に，「点検調整は，観測着手前に次の項目について行い，水準測量作業用電卓又は観測手簿に記録する。ただし，1 級水準測量及び 2 級水準測量では，観測期間中おおむね 10 日ごと行うものとする。」と規定されている。

c．正しい。 第 63 条 2 項 2 号に，自動レベル，電子レベルを用いる場合は，円形水準器及び視準線の点検調整並びにコンペンセータの点検を観測着手前に行う旨が規定されている。

d．間違い。 標尺は 2 本 1 組とし，往路の出発点に I 号標尺を立てた場合は到着点にも I 号標尺が立つようにする。これは，標尺の零目盛誤差を消去するためである。復路の観測では，2 本の標尺の尺定数を平均して標尺補正を行うため，標尺の I 号と II 号を交換して，到着点には II 号標尺を立てて出発する。すなわち，往路と復路の観測においては，標尺の I 号と II 号を交換する必要がある（第 64 条 2 項 3 号）。

e．正しい。 標尺に付属する円形水準器を使用する場合は，標尺を鉛直に立てた状態で気泡が中心となるように調整する（作業規程の準則解説と運用）。

したがって，明らかに間違っているものは，d の 1 つなので，**肢 2** が正解となる。

正解 ▶ 2

2．水準測量の誤差と消去法

重要度 Ⓐ

出題年度　R05

チェック ■■■■■

No. 99　図は，水準測量における観測の状況を示したものである。標尺の長さは 3m であり，図のように標尺がレベル側に傾いた状態で測定した結果，読定値が 1.500m であった。標尺の上端が鉛直に立てた場合と比較してレベル側に水平方向で 0.210m ずれていたとすると，標尺の傾きによる誤差は幾らか。最も近いものを次の中から選べ。

なお，関数の値が必要な場合は，巻末の関数表を使用すること。

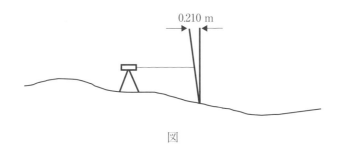

図

1．　4mm
2．10mm
3．14mm
4．20mm
5．24mm

■■■　解　説　■■■

本問は，水準測量における標尺の傾きによる誤差を求める問題である。

図において，三平方の定理から x m を求め，相似三角形から比例で y m を計算し，既知数 1.5m との差を求める。

① 図1において， x m を三平方の定理から算出する。

第4章

水準測量

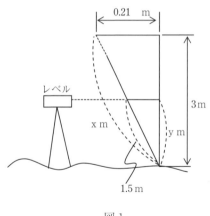

図1

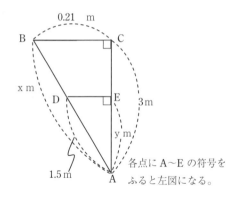

各点に A～E の符号を
ふると左図になる。

図2

（ただし，x：標尺が斜めに傾いた長さ
　　　　　y：標尺を鉛直に立てた場合の読定値）

$$x^2 = 0.21^2 + 3^2$$
$$x = \sqrt{(0.21)^2 + 3^2} = \sqrt{9.0441} \fallingdotseq 3.007\text{m}$$

② 図2より，△ABC と△ADE は相似三角形であるから，比例式にて既知数をもとに y m を求める。

$$3\text{m} : 3.007\text{m} = y\ \text{m} : 1.5\text{m}$$
$$3.007 \times y = 1.5 \times 3$$
$$y = 4.5 / 3.007$$
$$\fallingdotseq 1.496\text{m}$$

③ 測定値 1.5m と y m = 1.496m の差を求める。
　　誤差　1.5m − 1.496m = 0.004m
　　　　　　　　　　　　 = **4mm**

したがって，**肢1** が最も近い。

正解 ▶ 1

2．水準測量の誤差と消去法

No. 100　　次の文は，水準測量の誤差について述べたものである。[　ア　]～
[　エ　]に入る語句又は数値の組合せとして最も適当なものはどれか。次の中から
選べ。

a．視準線誤差は，レベルと前視標尺，後視標尺の視準距離を[　ア　]することで
消去できる。

b．レベルの[　イ　]の傾きによる誤差は，三脚の特定の2脚を進行方向に平行に
設置し，そのうちの1本を常に同一標尺の方向に向けて設置することで軽減できる。

c．標尺の零点誤差は，測点数を[　ウ　]とすることで消去できる。

d．公共測量における1級水準測量では，標尺の下方[　エ　]cm以下を読定しな
いものとする。

	ア	イ	ウ	エ
1.	等しく	鉛直軸	偶数回	20
2.	短く	水平軸	奇数回	20
3.	等しく	水平軸	偶数回	10
4.	短く	鉛直軸	奇数回	10
5.	等しく	鉛直軸	奇数回	10

第4章

水準測量

■■■ 解　説 ■■■

本問は，水準測量の誤差に関する問題である。

a．視準線誤差は，レベルと前視標尺，後視標尺の視準距離を[**ア．等しく**]するこ
とで消去できる（作業規程の準則第64条2項5号）。

b．レベルの[**イ．鉛直軸**]の傾きによる誤差は，三脚の特定の2脚を進行方向に平
行に設置し，そのうち1本を常に同一標尺の方向に向けて設置することで軽減でき
る（第64条，解説と運用）。

c．標尺の零点誤差は，測点数を[**ウ．偶数回**]とすることで消去できる（第64条，
解説と運用）。

d．公共測量における1級水準測量では，標尺の下方[**エ．20**]cm以下を読定し
ないものとする（第64条2項7号）。

したがって，**肢1**の組合せが最も適当である。

正解 ▶ 1

2．水準測量の誤差と消去法

No. 101　次のa〜eの文は，水準測量の誤差について述べたものである。
　ア　〜　オ　に入る語句の組合せとして最も適当なものはどれか。次の中から選べ。

a．標尺を2本1組とし，測点数を偶数とすることで，標尺の　ア　を軽減することができる。

b．レベルと標尺の間隔が等距離となるように整置して観測することで，　イ　を軽減することができる。

c．　ウ　は，地球表面が湾曲しているために生じる誤差である。

d．光の屈折による誤差を小さくするには，レベルと標尺の距離を　エ　して観測する。

e．公共測量におけるレベルによる水準測量において，往復観測値の較差の許容範囲は，観測距離の　オ　に比例する。

	ア	イ	ウ	エ	オ
1．	零点誤差	視準線誤差	球差	長く	二乗
2．	目盛誤差	視準線誤差	気差	短く	平方根
3．	零点誤差	鉛直軸誤差	球差	長く	二乗
4．	零点誤差	視準線誤差	球差	短く	平方根
5．	目盛誤差	鉛直軸誤差	気差	長く	二乗

■　解　説　■

本問は，水準測量の誤差に関する問題である。

a．標尺を2本1組とし，測定数を偶数とすることで，標尺の**ア．零点誤差**を軽減することができる。

b．レベルと標尺の間隔が等距離となるように整置して観測することで，**イ．視準線誤差**を軽減することができる。

c．**ウ．球差**は，地球表面が湾曲しているために生じる誤差である。

d．光の屈折による誤差を小さくするためには，レベルと標尺の距離を**エ．短く**して観測する。

e．公共測量におけるレベルによる水準測量において，往復観測値の較差の許容範囲は，観測距離の**オ．平方根**に比例する。

したがって，**肢4**の組合せが最も適当である。

正解▶4

2．水準測量の誤差と消去法

No. 102　次のa～dの文は，水準測量における誤差への対策について述べたものである。　ア　～　エ　に入る語句の組合せとして最も適当なものはどれか。次の中から選べ。

a.　ア　を小さくするには，レベルと三脚の特定の2脚を進行方向に平行に整置し，そのうちの1本を常に同一の標尺に向けて観測する。また，レベルの整準は，望遠鏡を特定の標尺に向けて行う。

b. 大気の屈折による誤差を小さくするには，視準距離を可能な限り　イ　する方が良い。

c. 標尺の　ウ　は，観測点数を偶数にすることで小さくすることができる。

d. 標尺台の沈下による誤差を小さくするには，後視・前視・　エ　の順序で観測する。

	ア	イ	ウ	エ
1.	視準線誤差	長く	目盛誤差	前視・後視
2.	視準線誤差	短く	目盛誤差	後視・前視
3.	鉛直軸誤差	短く	零点誤差	後視・前視
4.	鉛直軸誤差	長く	目盛誤差	後視・前視
5.	鉛直軸誤差	短く	零点誤差	前視・後視

■■■ 解説 ■■■

本問は，水準測量における誤差への対策に関する問題である。

a. **ア．鉛直軸誤差**を小さくするには，レベルと三脚の特定の2脚を進行方向に平行に整置し，そのうちの1本を常に同一の標尺に向けて観測する。また，レベルの整準は，望遠鏡を特定の標尺に向けて行う（作業規程の準則解説と運用）。

b. 大気の屈折による誤差を小さくするには，視準距離を可能な限り**イ．短く**する方が良い（作業規程の準則解説と運用）。

c. 標尺の**ウ．零点誤差**は，観測点数を偶数にすることで小さくすることができる（作業規程の準則第64条2項3号参照）。

d. 標尺台の沈下による誤差を小さくするには，後視・前視・**エ．前視・後視**の順序で観測する（作業規程の準則解説と運用）。

したがって，**肢5**の組合せが最も適切である。

正解 ▶5

2. 水準測量の誤差と消去法

No. 103　　次のa〜eの文は，水準測量における誤差について述べたものである。明らかに間違っているものだけの組合せはどれか。次の中から選べ。

a．レベルと標尺の間隔が等距離となるように整置して観測することで，視準線誤差を消去できる。

b．標尺を2本1組とし，測点数を偶数にすることで，標尺の零点誤差を消去できる。

c．傾斜地において，標尺の最下部付近の視準を避けて観測すると，大気による屈折誤差を小さくできる。

d．レベルと標尺との距離を短くし，レベルと標尺の間隔が等距離となるように整置して観測することで，両差を小さくできる。

e．レベルの望遠鏡を常に特定の標尺に対向させてレベルを整置し観測することで，鉛直軸誤差を小さくできる。

1．a，e
2．bのみ
3．c，d
4．eのみ
5．間違っているものはない

■■■　解　説　■■■

本問は，水準測量における誤差に関する問題である。

a．**正しい。** レベルと標尺の間隔が等距離となるように整置して観測することで，視準線誤差を消去することができる（作業規程の準則解説と運用）。

b．**正しい。** 標尺の零点誤差は，標尺を2本1組とし，レベルの測点数（すえつけ回数）を偶数にすることで消去することができる（作業規程の準則第64条2項3号）。

c．**正しい。** 傾斜地において，標尺の最下部付近の視準を避けて観測すると，大気による屈折誤差を小さくできる（解説と運用）。

d．**正しい。** 両差は，レベルと標尺を等距離に整置して観測することで小さくできる（解説と運用）。

e．**正しい。** 鉛直軸誤差（鉛直軸の傾きによって生じる誤差）を小さくするには，レベルの整置点数を偶数点とし，各整置地点において，レベルの望遠鏡を常に特定の標尺に対向させてレベルを整置し観測する。併せて，三脚の向きも特定の標尺に対向させて整置し観測する（解説と運用）。

したがって，間違っているものはないので，**肢5**が正解となる。

正解▶5

2．水準測量の誤差と消去法

No. 104　次のa～eの文は，水準測量における誤差について述べたものである。
　ア　～　オ　に入る語句の組合せとして最も適当なものはどれか。次の中から選べ。

a．レベルと標尺の間隔が等距離となるように整置して観測することで，　ア　を消去することができる。

b．零点誤差は，標尺を2本1組とし，レベルのすえつけ回数を　イ　にすることで消去することができる。

c．地表面付近の視準を避けることにより，　ウ　は小さくできる。

d．観測によって得られた比高に含まれる誤差は，観測距離の平方根に　エ　する。

e．球差による誤差は，　オ　に整置して観測することで消去することができる。

	ア	イ	ウ	エ	オ
1.	鉛直軸誤差	奇数回	地球表面の湾曲による誤差	反比例	レベルを前後の標尺を結ぶ直線上
2.	視準線誤差	偶数回	大気中の屈折による誤差	比例	レベルと標尺を等距離
3.	視準線誤差	奇数回	大気中の屈折による誤差	比例	レベルと標尺を等距離
4.	鉛直軸誤差	偶数回	地球表面の湾曲による誤差	反比例	レベルを前後の標尺を結ぶ直線上
5.	鉛直軸誤差	偶数回	大気中の屈折による誤差	比例	レベルと標尺を等距離

■ **解　説** ■

本問は，水準測量における誤差に関する問題である。

a．レベルと標尺の間隔が等距離となるように整置して観測することで，　ア．視準線誤差　を消去することができる（作業規程の準則解説と運用）。

b．零点誤差は，標尺を2本1組とし，レベルのすえつけ回数を　イ．偶数回　にすることで消去することができる（作業規程の準則第64条2項3号）。

c．地表面付近の視準を避けることにより，　ウ．大気中の屈折による誤差　は小さくできる（第64条2項7号参照）。

d．観測によって得られた比高に含まれる誤差は，観測距離の平方根に　エ．比例　する（第66条）。

e．球差による誤差は，　オ．レベルと標尺を等距離　に整置して観測することで消去することができる（解説と運用）。

したがって，**肢2**の組合せが最も適当である。

正解 ▶ 2

第4章

水準測量

２．水準測量の誤差と消去法

No. 105　次のa～eの文は，水準測量における誤差について述べたものである。　ア　～　オ　に入る語句の組合せとして最も適当なものはどれか。次の中から選べ。

a.　　ア　　を消去するには，レベルと標尺の間隔が等距離となるように整置して観測する。

b.　標尺を２本１組とし，測点数を偶数にすることで，標尺の　　イ　　を消去することができる。

c.　　ウ　　は，地球表面が湾曲しているために生じる誤差である。

d.　光の屈折による誤差を小さくするには，レベルと標尺との距離を　　エ　　して観測する。

e.　観測によって得られた高低差に含まれる観測の精度（標準偏差）は，路線長の　　オ　　に比例する。

	ア	イ	ウ	エ	オ
1.	鉛直軸誤差	零点誤差	球差	長く	二乗
2.	視準線誤差	目盛誤差	気差	短く	平方根
3.	視準線誤差	零点誤差	球差	短く	平方根
4.	鉛直軸誤差	目盛誤差	球差	長く	二乗
5.	視準線誤差	目盛誤差	気差	長く	平方根

■　解　説　■

本問は，水準測量における誤差に関する問題である。

a.　ア. 視準線誤差　を消去するには，レベルと標尺の間隔が等距離となるよう整置して観測する（作業規程の準則解説と運用）。

b.　標尺を２本１組とし，測点数を偶数にすることで，標尺の　イ. 零点誤差　を消去することができる（解説と運用）。

c.　ウ. 球差　は，地球表面が湾曲しているために生じる誤差である。

d.　光の屈折による誤差を小さくするには，レベルと標尺との距離を　エ. 短く　して観測する（解説と運用）。

e.　観測によって得られた高低差に含まれる観測の精度（標準偏差）は，路線長の　オ. 平方根　に比例する（作業規程の準則第66条）。

したがって，**肢3**の組合せが最も適当である。

正解 ▶ 3

2. 水準測量の誤差と消去法

チェック ■■■■■

No. 106　　次のa～dの文は，水準測量について述べたものである。　ア　～
　エ　に入る語句の組合せとして最も適当なものはどれか。次の中から選べ。

a．接眼レンズで十字線が明瞭に見えるように調節し，目標物への焦点を合わせることで，　ア　による誤差を小さくできる。

b．標尺の最下部付近の視準を避けて観測すると，　イ　を小さくできる。

c．　ウ　誤差を消去するには，レベルと標尺の間隔が等距離となるように整置し，観測する。

d．　エ　誤差を小さくするには，三脚の特定の1本を常に同一の標尺に向けて整置し，観測する。

	ア	イ	ウ	エ
1．	視準線	地球表面の湾曲による誤差	鉛直軸	視準線
2．	視差	大気による屈折誤差	鉛直軸	視準線
3．	視準線	大気による屈折誤差	視準線	鉛直軸
4．	視差	地球表面の湾曲による誤差	鉛直軸	視準線
5．	視差	大気による屈折誤差	視準線	鉛直軸

▰▰ **解　説** ▰▰

　本問は，水準測量の留意点における誤差と消去法に関する問題である。

a．接眼レンズで十字線が明瞭に見えるように調節し，目標物への焦点を合わせることで，　**ア．視差**　による誤差を小さくできる。

b．標尺の最下部付近の視準を避けて観測すると，　**イ．大気による屈折誤差**　を小さくできる（作業規程の準則解説と運用）。

c．　**ウ．視準線**　誤差を消去するには，レベルと標尺の間隔が等距離となるように整置し，観測する（解説と運用）。

d．　**エ．鉛直軸**　誤差を小さくするには，三脚の特定の1本を常に同一の標尺に向けて整置し，観測する（解説と運用）。

　したがって，**肢5**の組合せが最も適当である。

正解 ▶ 5

ヒント

　水準測量の観測中に生じる誤差とその消去法は，次のとおりである。

(1)　レベルなどの機器に関する誤差

誤　　差	原　　因	消　去　法
視準（線）軸誤差	望遠鏡の視準軸と気泡管軸が平行でないために生じる誤差	レベルと前視・後視標尺との距離が等しくなるようにする。
鉛直軸誤差	レベルの鉛直軸が傾いているために生じる誤差	レベルの望遠鏡と三脚の向きを，特定の標尺に対向させるように据え付けると，影響を減らすことができる。
三脚の沈下による誤差	軟弱な地盤に三脚を設置した場合，三脚の沈下により生じる誤差	脚杭を設けたり，地盤が堅固な場所に据え付け直す。

(2)　標尺に関する誤差

誤　　差	原　　因	消　去　法
標尺の零点誤差（零目盛誤差）	標尺の底面と零目盛の位置（0の位置）が正しくないために生じる誤差	出発点に立てた標尺を終点に立てるようにする（すなわち，レベルの整置回数を偶数回にする）。
標尺の目盛誤差	標尺の目盛が正しくないために生じる誤差	尺定数を決定して，観測比高に補正をする。正しい精度のものを使用する。
標尺の傾きによる誤差	標尺が傾いていた（鉛直に立っていない）ために生じる誤差	標尺の気泡管などを利用する。標尺を前後にゆっくり揺らし，最小の値を読み取る。
標尺の沈下・移動による誤差	観測中，標尺が沈下したり，移動することによって生じる誤差	標尺台を用いる。地盤の堅固な場所に据える。

(3)　自然現象が起因となる誤差

誤　　差	原　　因	消　去　法
球差・気差による誤差（両差）	球差：地球が湾曲（楕円体）しているために生じる誤差 気差：空気中を通る光が屈折することにより生じる誤差	レベルと前視・後視標尺との距離が等しくなるようにする(視準距離を等しくする)。
かげろう（陽炎）による誤差	地面から水蒸気があがり，ゆらいで見えることにより生じる誤差	視準距離を縮めて観測するか，発生しない時間帯に観測する。
日照，風，湿度，温度などの変化による誤差	一日の気象変化によって生じる誤差	日照については，日傘を用いて機器を覆う。往と復の観測を午前・午後に分けて行い平均を取る。

2．水準測量の誤差と消去法

No. 107　次のa〜dの文は，水準測量における誤差について述べたものである。
ア 〜 エ に入る語句の組合せとして最も適当なものはどれか。次の中から選べ。

a．レベルと標尺の間隔が等距離となるように整置して観測することで，ア を消去することができる。

b．イ は，地球表面が湾曲しているために生じる誤差である。

c．標尺を2本1組とし，測点数を偶数にすることで，標尺のウ を消去することができる。

d．観測によって得られた高低差に含まれる誤差は，観測距離の平方根にエ する。

	ア	イ	ウ	エ
1．	視準線誤差	球差	零点誤差	比例
2．	視準線誤差	気差	目盛誤差	反比例
3．	視準線誤差	球差	目盛誤差	比例
4．	三脚の沈下による誤差	球差	零点誤差	反比例
5．	三脚の沈下による誤差	気差	目盛誤差	比例

■■■ 解　説 ■■■

本問は，水準測量における誤差と消去法に関する問題である。

a．レベルと標尺の間隔が等距離となるように整置して観測することで，**ア．視準線誤差** を消去することができる（作業規程の準則解説と運用第64条）。

b．**イ．球差** は，地球表面が湾曲しているために生じる誤差である。

c．標尺を2本1組とし，測点数を偶数にすることで，標尺の **ウ．零点誤差** を消去することができる（解説と運用第64条）。

d．観測によって得られた高低差に含まれる誤差は，観測距離の平方根に **エ．比例** する（作業規程の準則第66条）。

したがって，**肢1** の組合せが最も適当である。

正解 ▶ 1

3．レベルの点検と調整

No. 108　レベルの視準線を点検するために，図のように A 及び B の位置で観測を行い，表に示す結果を得た。この結果からレベルの視準線を調整するとき，B の位置において標尺Ⅱの読定値を幾らに調整すればよいか。最も近いものを次の中から選べ。

なお，関数の値が必要な場合は，巻末の関数表を使用すること。

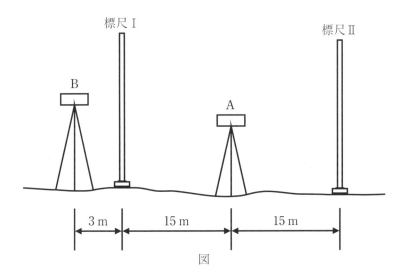

図

表

レベルの位置	読定値	
	標尺Ⅰ	標尺Ⅱ
A	1.4785m	1.5558m
B	1.6231m	1.7023m

1．1.5579m
2．1.6250m
3．1.7002m
4．1.7021m
5．1.7044m

本問は，レベルの視準線を調整する問題である。

① 標尺Ⅱの調整量Xは，次式により求めることができる。

$$X = \frac{(\ell + \ell')}{\ell} \times \{(b_2 - a_2) - (b_1 - a_1)\}$$

ただし，a_1, b_1 はレベル位置Aでの読定値，a_2, b_2 はレベル位置Bでの読定値，また，a_1, a_2 はレベルが標尺の後方位置Bにある場合にBに近い方の標尺の読定値，b_1, b_2 は遠い方の標尺の読定値である。

$$X = \frac{(30m + 3m)}{30m} \times \{(1.7023m - 1.6231m) - (1.5558m - 1.4785m)\}$$

$$= \frac{33m}{30m} \times \{(0.0792m) - (0.0773m)\}$$

$$= 1.1m \times 0.0019m$$

$$= 0.00209m$$

② 調整後の標尺の読定値（b_0）は，$b_0 = b_2 - (\pm X)$ で求められる。

$b_0 = b_2 - X$

$\quad = 1.7023m - 0.00209m$

$\quad = 1.70021m$

$\quad ≒ \mathbf{1.7002m}$

したがって，**肢3**が最も近い。

正解 ▶ 3

 ヒント

レベルBが，図のように両標尺の左側に位置する場合の a_1, a_2, b_1, b_2 は，問題文の表では以下のようになる。

図のようにレベルBが両標尺の左側に位置するときは，標尺Ⅰの読定値は a_1, a_2, 標尺Ⅱの読定値は b_1, b_2, となる。

レベルの位置	読定値	
	標尺Ⅰ	標尺Ⅱ
A	a_1　1.4785 m	b_1　1.5558 m
B	a_2　1.6231 m	b_2　1.7023 m

第4章 水準測量

3．レベルの点検と調整

No. 109　レベルの視準線を点検するために，図に示すレベルの位置 A 及び B にて観測を行い，表の結果を得た。この結果からレベルの視準線を調整するとき，レベルの位置 B において標尺 II の読定値を幾らに調整すればよいか。最も近いものを次の中から選べ。

　ただし，読定誤差は考えないものとする。

　なお，関数の値が必要な場合は，巻末の関数表を使用すること。

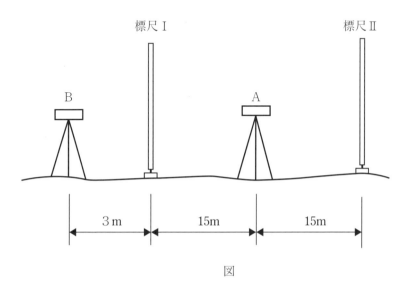

図

表

レベルの位置	標尺 I の読定値（m）	標尺 II の読定値（m）
A	1.5906	1.5543
B	1.4079	1.3616

1．1.3626 m

2．1.3716 m

3．1.3726 m

4．1.3979 m

5．1.4079 m

本問は，レベルの視準線を調整する問題である。

① 標尺Ⅱの調整量 X は，次式により求めることができる（作業規程の準則解説と運用第 63 条）。

$$X = \frac{(l + l')}{l} \times \{(b_2 - a_2) - (b_1 - a_1)\}$$

　　ただし，a_1，b_1 はレベル位置 A での読定値，a_2，b_2 はレベル位置 B での読定値，また，a_1，a_2 はレベルが標尺の後方位置 B にある場合に B に近い方の標尺の読定値，b_1，b_2 は遠い方の標尺の読定値である。

$$X = \frac{30\,\text{m} + 3\,\text{m}}{30\,\text{m}} \times \{(1.3616\,\text{m} - 1.4079\,\text{m}) - (1.5543\,\text{m} - 1.5906\,\text{m})\}$$

$$\fallingdotseq \frac{33\,\text{m}}{30\,\text{m}} \times \{(-0.0463\,\text{m}) - (-0.0363\,\text{m})\}$$

$$= 1.1 \times (-0.01\,\text{m}) = -0.011\,\text{m}$$

② 調整後の標尺の読定値（b_0）は，$b_0 = b_2 - (\pm X)$ で求められる。

　　$b_0 = b_2 - X = 1.3616\,\text{m} - (-0.011\,\text{m})$

　　　　$= \mathbf{1.3726\,m}$

したがって，**肢3**が最も近い。

正解 ▶ 3

 ヒント

　レベルBが，図のように両標尺の左側に位置する場合の a_1，a_2，b_1，b_2 は，問題文の表では以下のようになる。

　図のようにレベルBが両標尺の左側に位置するときは，標尺Ⅰの読定値は a_1，a_2，標尺Ⅱの読定値は b_1，b_2 となる。

レベルの位置	読定値	
	標尺Ⅰ	標尺Ⅱ
A	a_1　1.5906 m	b_1　1.5543 m
B	a_2　1.4079 m	b_2　1.3616 m

3. レベルの点検と調整

No. 110　次のa～dの文は，水準測量で使用するレベルについて述べたものである。　ア　～　エ　に入る語句の組合せとして最も適当なものはどれか。次の中から選べ。

a．電子レベルは，標尺のバーコード目盛を読み取り，標尺の読定値と　ア　を自動的に測定することができる。

b．くい打ち法（不等距離法）により，自動レベルの　イ　を行うことができる。

c．望遠鏡の　ウ　を調整し，十字線が明瞭に見えるようにしてから，目標物への焦点を合わせることで，視差による誤差を小さくできる。

d．電子レベル及び自動レベルの点検調整では，チルチングレベルと同様に　エ　を調整する必要がある。

	ア	イ	ウ	エ
1.	距離	鉛直軸の調整	対物レンズ	円形気泡管
2.	標高	視準線の調整	対物レンズ	棒状気泡管
3.	比高	鉛直軸の調整	接眼レンズ	棒状気泡管
4.	比高	鉛直軸の調整	対物レンズ	円形気泡管
5.	距離	視準線の調整	接眼レンズ	円形気泡管

■　解　説　■

本問は，水準測量で使用するレベルに関する問題である。

a．電子レベルは，標尺のバーコード目盛を読み取り，標尺の読定値と　ア．距離　を自動的に測定することができる（作業規程の準則解説と運用）。

b．くい打ち法（不等距離法）により，自動レベルの　イ．視準線の調整　を行うことができる（解説と運用第63条）。

c．望遠鏡の　ウ．接眼レンズ　を調整し，十字線が明瞭に見えるようにしてから，目標物への焦点を合わせることで，視差による誤差を小さくできる。

d．電子レベル及び自動レベルの点検調整では，チルチングレベルと同様に　エ．円形気泡管　を調整する必要がある（作業規程の準則第63条2項2号）。

したがって，**肢5**の組合せが最も適当である。

正解 ▶ 5

3. レベルの点検と調整

No. 111　次の文は，水準測量で使用するレベルと標尺について述べたものである。明らかに間違っているものはどれか。次の中から選べ。

1. 自動レベルは，目盛を読み取る十字線が正しい位置にないことがあるので，視準線の点検調整を行う必要がある。
2. 自動レベルや電子レベルは，円形水準器の点検調整を行う必要がある。
3. 電子レベルは，標尺の傾きをバーコードから読み取り補正することができる。
4. 電子レベルとバーコード標尺は，セットで使用する。
5. 標尺付属の円形水準器は，鉛直に立てたときに，円形気泡が中心に来るように点検調整を行う必要がある。

■■■ 解　説 ■■■

本問は，水準測量で使用するレベルと標尺に関する問題である。
1. **正しい。**作業規程の準則第63条2項2号に，自動レベル，電子レベルを用いる場合は，円形水準器及び視準線の点検調整並びにコンペンセータの点検を観測着手前に行う，と規定されている。
2. **正しい。**自動レベルや電子レベルは，円形気泡管によって器械をほぼ水平に据え付ければ，内蔵しているコンペンセータにより視準線が水平になる。そのためにも，点検調整では，円形気泡が中心に来るように点検調整する必要がある（第63条2項2号）。
3. **間違い。**電子レベルはバーコードの標尺の目盛を自動的に読み取ることはできるが，標尺の傾きを読み取り補正することはできない。
4. **正しい。**電子レベルはコンペンセータ（自動補正装置）を内蔵したオートレベルにバーコードリーダー機能を付加したもので，専用のバーコード標尺を自動的に読み取り，画像処理を行うことによって，標尺の読定値と距離を自動的に測定することができるものである。したがって，電子レベルとバーコード標尺はセットで使用する（作業規程の準則解説と運用）。
5. **正しい。**標尺付属の円形水準器の円形気泡は，円形水準器の中心に来るように点検調整することにより，標尺を鉛直に立てることができる（作業規程の準則第63条2項3号，解説と運用）。

したがって，**肢3**が間違っている。

正解 ▶ 3

3．レベルの点検と調整

No.　112　　レベルの視準線を点検するために，図のようにA及びBの位置で観測を行い，表に示す結果を得た。この結果からレベルの視準線を調整するとき，Bの位置において標尺Ⅱの読定値を幾らに調整すればよいか。最も近いものを次の中から選べ。

なお，関数の値が必要な場合は，巻末の関数表を使用すること。

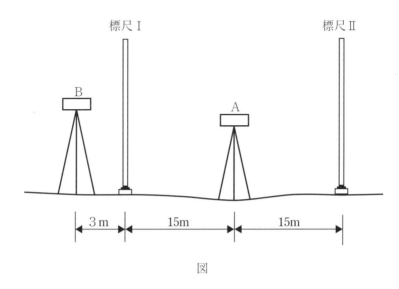

図

表

レベルの位置	読定値	
	標尺Ⅰ	標尺Ⅱ
A	1.2081 m	1.1201 m
B	1.2859 m	1.2201 m

1．1.0957 m

2．1.1321 m

3．1.1957 m

4．1.2179 m

5．1.2445 m

本問は，レベルの視準線を調整する問題である。

① 標尺Ⅱの調整量Xは，次式により求めることができる（作業規程の準則解説と運用第63条）。

$$X = \frac{(l+l')}{l} \times \{(b_2 - a_2) - (b_1 - a_1)\}$$

ただし，a_1，b_1はレベル位置Aでの読定値，a_2，b_2はレベル位置Bでの読定値，また，a_1，a_2はレベルが標尺の後方位置Bにある場合にBに近い方の標尺の読定値，b_1，b_2は遠い方の標尺の読定値である。

$$X = \frac{30\,\text{m} + 3\,\text{m}}{30\,\text{m}} \times \{(1.2201\text{m} - 1.2859\text{m}) - (1.1201\text{m} - 1.2081\text{m})\}$$

$$= \frac{33\,\text{m}}{30\,\text{m}} \times \{(-0.0658\text{m}) - (-0.0880\text{m})\}$$

$$= 1.1 \times 0.0222\,\text{m} = 0.02442\,\text{m}$$

② 調整後の標尺の読定値（b_0）は，$b_0 = b_2 - (\pm X)$ で求められる。

$$b_0 = b_2 - X = 1.2201\,\text{m} - 0.02442\,\text{m}$$

$$= 1.19568\,\text{m} \fallingdotseq \mathbf{1.1957\,m}$$

したがって，**肢3**が最も近い。

正解 ▶ 3

 ヒント

レベルBが，図のように両標尺の左側に位置する場合のa_1，a_2，b_1，b_2は，問題文の表では以下のようになる。

図のようにレベルBが両標尺の左側に位置するときは，標尺Ⅰの読定値はa_1，a_2，標尺Ⅱの読定値はb_1，b_2となる。

レベルの位置	読定値	
	標尺Ⅰ	標尺Ⅱ
A	a_1　1.2081 m	b_1　1.1201 m
B	a_2　1.2859 m	b_2　1.2201 m

第4章

水準測量

3．レベルの点検と調整

No. 113　次の文は，水準測量で使用するレベルについて述べたものである。明らかに間違っているものはどれか。次の中から選べ。

1．電子レベルは，標尺のバーコード目盛を読み取り，標尺の読定値と距離を自動的に測定することができる。

2．自動レベルのコンペンセータは，視準線の傾きを自動的に補正するものである。

3．くい打ち法（不等距離法）により，自動レベルの視準線の調整を行うことができる。

4．自動レベルの点検調整では，円形気泡管を調整する必要がある。

5．自動レベルは，コンペンセータが地盤などの振動を吸収するので，十字線に対して像は静止して見える。

■■■　解　説　■■■

本問は，水準測量で使用するレベルに関する問題である。

1．**正しい。** 電子レベルは，電子レベル専用標尺に刻まれたバーコード目盛を検出器により認識して，標尺の読定値と距離を自動的に測定することができる（作業規程の準則解説と運用）。

2．**正しい。** 自動レベルは，内蔵するコンペンセータ（自動補正装置）により，視準線の傾きを自動的に補正し水平にすることができる（解説と運用第62条）。

3．**正しい。** 自動レベルは，くい打ち法により視準線の調整を行うことができる。自動レベルでは，視準線を光学的に調整値に相当する目盛を読定する方法により行う（解説と運用）。

4．**正しい。** 円形気泡管の調整は，鉛直軸を鉛直の状態に保つために必要である。コンペンセータ機能を有する自動レベルでは，鉛直軸が鉛直の状態になっていなければ，誤差を生じる要因となる（解説と運用）。

5．**間違い。** 自動レベルに内蔵されているコンペンセータは，視準線の傾きを補正するものであり，コンペンセータによって視準する像は静止してみえるわけではない。

したがって，**肢5** が間違っている。

正解 ▶ 5

4. 標尺の補正

No. 114　公共測量により水準点 A，B 間で 1 級水準測量を実施し，表に示す結果を得た。温度変化による標尺の伸縮の影響を考慮し，使用する標尺に対応する標尺補正計算を行った後の水準点 A，B 間の観測高低差は幾らか。最も近いものを次の 1～5 の中から選べ。

ただし，観測に使用した標尺の標尺改正数は，20℃において＋10μm/m，膨張係数は＋1.5×10^{-6}/℃とする。

なお，関数の値が必要な場合は，巻末の関数表を使用すること。

表

路線方向	観測距離	観測高低差	気温
A→B	2.0km	－50.0000m	28℃

1．－50.0046m
2．－50.0011m
3．－50.0005m
4．－49.9999m
5．－49.9989m

本問は，標尺補正後の観測高低差を求める問題である。

① 標尺補正計算は，次式により求める（作業規程の準則解説と運用）。

$$\Delta C = \{Co + (T - To) \cdot a\} \cdot \Delta H$$

（ただし，ΔC：標尺補正量（m単位）

　　　　Co：基準温度における標尺改正数

　　　　　　　（単位長さあたりの補正量）（m単位）

　　　　T：観測時の測定温度（℃単位）

　　　　To：基準温度（℃単位）

　　　　a：膨張係数

　　　　ΔH：観測高低差（m単位））

なお，$1\,\mu m$（マイクロメートル）は，$1\,mm$（ミリメートル）の$1/1{,}000$であり，$1/1{,}000{,}000\,m = 10^{-6}\,m$である。すなわち，$1\,\mu m = 0.000001\,m$である。

② 観測時の測定温度$T = 28℃$は基準温度$To = 20℃$より高いので，標尺が伸びているため，短く読まれているので，標尺補正量を加える必要がある。

$$\Delta C = \{+10 \times + 10^{-6}(28-20) \times 1.5 \times 10^{-6}\} \times (-50.0000)\ m$$
$$= \{+10 \times 10^{-6} + 12 \times 10^{-6}\} \times (-50.0000)\ m$$
$$= +22 \times 10^{-6} \times (-50.0000)\ m$$
$$= -1{,}100 \times 10^{-6}\,m$$
$$= -0.0011\,m$$

なお，観測高低差の＋－の符号は区間の高低差を表すので，補正は観測高低差の絶対値について行う。

観測高低差は，$-50.0000\,m + (-0.0011\,m) = \mathbf{-50.0011\,m}$となる。

したがって，**肢2**が最も近い。

正解 ▶ 2

| 出題年度 | R03 |

チェック ☐☐☐☐☐

4. 標尺の補正

No. 115　公共測量により，水準点 A，B の間で 1 級水準測量を実施し，表に示す結果を得た。温度変化による標尺の伸縮の影響を考慮し，使用する標尺に対して標尺補正を行った後の，水準点 A，B 間の観測高低差は幾らか。最も近いものを次の中から選べ。

ただし，観測に使用した標尺の標尺改正数は，20℃において 1m 当たり − 8.0 × 10^{-6}m，膨張係数は＋ 1.0 × 10^{-6}/℃とする。

なお，関数の値が必要な場合は，巻末の関数表を使用すること。

表

観測路線	観測距離	観測高低差	気温の平均値
A → B	1.8km	＋ 40.0000m	23℃

1．＋ 39.9991m
2．＋ 39.9996m
3．＋ 39.9998m
4．＋ 40.0000m
5．＋ 40.0004m

本問は，標尺補正後の観測高低差を求める問題である。

① 標尺補正計算は，次式により求める（作業規程の準則解説と運用）。

$$\Delta C = \{Co + (T - To) \cdot a\} \cdot \Delta H$$

（ただし， ΔC：標尺補正量（m 単位）

Co：基準温度における標尺改正数

（単位長さあたりの補正量）（m 単位）

T：観測時の測定温度（℃単位）

To：基準温度（℃単位）

a：膨張係数

ΔH：観測高低差（m 単位））

なお， $1\,\mu m$（マイクロメートル）は， $1\,mm$（ミリメートル）の $1/1,000$ であり， $1/1,000,000m = 10^{-6}m$ である。すなわち， $1\,\mu m = 0.000001m$ である。

② 観測時の測定温度 $T = 23℃$ は基準温度 $To = 20℃$ より高いので，標尺が伸びているため，短く読まれているので，標尺補正量を加える必要がある。

$$\Delta C = \{-8 \times 10^{-6} + (23 - 20) \times 1.0 \times 10^{-6}\} \times 40.0000m$$

$$= (-0.000008 + 0.000003) \times 40.0000m$$

$$= -0.0002m$$

なお，観測高低差の＋－の符号は区間の高低差を表すので，補正は観測高低差の絶対値について行う。

観測高低差は，$40.0000m + (-0.0002m) = \textbf{39.9998m}$ となる。

したがって，**肢3**が最も近い。

正解 ▶ 3

4．標尺の補正

No. 116　公共測量における1級水準測量では，使用する標尺に対して温度の影響を考慮した標尺補正を行う必要がある。公共測量により，水準点 A，B の間で1級水準測量を実施し，表に示す結果を得た。標尺補正を行った後の水準点 A，B 間の観測高低差は幾らか。最も近いものを次の中から選べ。

ただし，観測に使用した標尺の標尺改正数は 20℃において $+6.0 \times 10^{-6}$ m/m，膨張係数は $+1.5 \times 10^{-6}$/℃とする。

なお，関数の値が必要な場合は，巻末の関数表を使用すること。

表

観測路線	観測距離	観測高低差	気温
A → B	2.1km	+ 32.2200m	28℃

1．＋ 32.2185m
2．＋ 32.2194m
3．＋ 32.2198m
4．＋ 32.2206m
5．＋ 32.2215m

本問は，標尺補正後の観測高低差を求める問題である。

① 標尺補正計算は，次式により求める（作業規程の準則解説と運用，作業規程の
　準則付録6　計算式集　水準測量 1.1）。

$$\Delta C = \{Co + (T - To) \cdot \alpha\} \cdot \Delta H$$

（ただし，ΔC：標尺補正量（m単位）

Co：基準温度における標尺改正数

（単位長さあたりの補正量）（m単位）

T：観測時の測定温度（℃単位）

To：基準温度（℃単位）

α：膨張係数

ΔH：観測高低差（m単位））

なお，10^{-6}m ＝ 1 / 1,000,000 m ＝ 0.000001m である。

② 観測時の測定温度 T ＝ 28℃は基準温度 To ＝ 20℃ より高いので，標尺が伸び
　ているため，短く読まれているので，標尺補正量を加える必要がある。

$$\Delta C = \{+6 \times 10^{-6} + (28 - 20) \times 1.5 \times 10^{-6}\} \times 32.2200 \text{ m}$$

$$= (0.000006 + 0.000012) \times 32.2200 \text{ m}$$

$$= 0.00057996 \text{ m}$$

　なお，観測高低差の＋－の符号は区間の高低差を表すので，補正は観測高低差
の絶対値について行う。

　観測高低差は，

32.2200 m ＋ 0.00057996 m ＝ 32.22057996 m ≒ **32.2206m**

　となる。

したがって，**肢4**が最も近い。

4．標尺の補正

No. 117　1級水準測量及び2級水準測量では，温度の影響を考慮し使用する標尺に対して標尺補正を行う必要がある。公共測量により，水準点A，Bの間で1級水準測量を実施し，表に示す結果を得た。標尺補正を行った後の水準点A，B間の観測高低差は幾らか。最も近いものを次の中から選べ。

ただし，観測に使用した標尺の標尺改正数は20℃において＋12μm/m，膨張係数は＋1.2×10^{-6}/℃とする。

なお，関数の値が必要な場合は，巻末の関数表を使用すること。

表

観測路線	観測距離	観測高低差	気温
A→B	2.0km	＋55.5000m	25℃

1．＋55.4980m
2．＋55.4990m
3．＋55.5003m
4．＋55.5010m
5．＋55.5037m

本問は，標尺補正後の観測高低差を求める問題である。

① 標尺補正計算は，次式により求める（作業規程の準則解説と運用，作業規程の準則付録6 計算式集 水準測量 1.1）。

$$\Delta C = \{Co + (T - To) \cdot \alpha\} \cdot \Delta H$$

ただし，ΔC：標尺補正量（m 単位）

Co ：基準温度における標尺改正数

（単位長さあたりの補正量）（m 単位）

T ：観測時の測定温度（℃ 単位）

To ：基準温度（℃ 単位）

α ：膨張係数

ΔH：観測高低差（m 単位）

なお，$1\mu m$（マイクロメートル）は，1mm（ミリメートル）の 1/1,000 であり，$1/1,000,000m = 10^{-6}m$ である。すなわち，$1\mu m = 0.000001m$ である。

② 観測時の測定温度 $T = 25$℃ は基準温度 $To = 20$℃ より高いので，標尺が伸びているため，短く読まれているので，標尺補正量を加える必要がある。

$$\Delta C = \{+12 \times 10^{-6} + (25 - 20) \times 1.2 \times 10^{-6}\} \times 55.5000m$$

$$= (0.000012 + 0.000006) \times 55.5000m$$

$$= 0.000999m$$

なお，観測高低差の＋－の符号は区間の高低差を表すので，補正は観測高低差の絶対値について行う。

観測高低差は，

$$55.5000m + 0.000999m = 55.500999m \fallingdotseq \mathbf{55.5010m} \text{ となる。}$$

したがって，**肢4** が最も近い。

正解 ▶ 4

4．標尺の補正

No. 118　公共測量により，水準点Aから新点Bまでの間で1級水準測量を実施し，表の結果を得た。標尺補正を行った後の水準点A，新点B間の観測高低差は幾らか。最も近いものを次の中から選べ。

　ただし，観測に使用した標尺の標尺改正数は20℃において＋4 μm/m，膨張係数は＋1.2×10^{-6}/℃とする。

表

区間	距離	観測高低差	温度
A→B	2.0 km	−70.3253 m	25℃

1．−70.3264 m
2．−70.3260 m
3．−70.3257 m
4．−70.3252 m
5．−70.3246 m

第4章

水準測量

本問は，標尺補正後の観測高低差を求める問題である。

標尺補正計算は，次式により求める（作業規程の準則解説と運用，作業規程の準則
付録6　計算式集　水準測量 1.1）。

$$\Delta C = \{Co + (T - To) \cdot \alpha\} \cdot \Delta H$$

　　　　ただし，ΔC：標尺補正量（m 単位）

　　　　　　　　Co：基準温度における標尺改正数

　　　　　　　　　　（単位長さあたりの補正量）（m 単位）

　　　　　　　　T：観測時の測定温度（℃単位）

　　　　　　　　To：基準温度（℃単位）

　　　　　　　　α：膨張係数

　　　　　　　　ΔH：観測高低差（m 単位）

なお，$1\mu m$（マイクロメートル）は，1 mm（ミリメートル）の $1/1,000$ であり，
$1/1,000,000$ m $= 10^{-6}$ m である。すなわち，$1\mu m = 0.000001$m である。

観測時の測定温度 $T = 25$℃は基準温度 $To = 20$℃より高いので，標尺が伸びている
ため短く読まれているので，標尺補正量を加える必要がある。

$$\Delta C = \{+4 \times 10^{-6} + (25 - 20) \times 1.2 \times 10^{-6}\} \times 70.3253 \text{ m}$$

$$= (0.000004 + 0.000006) \times 70.3253 \text{ m}$$

$$= 0.000703253 \text{ m}$$

なお，-70.3253 m の符号は区間の高低差を表すので，補正は観測高低差の絶対値
について行う（負の符号は考えない）。

観測高低差は，

70.3253 m $+ 0.0007$ m $\fallingdotseq$ **70.3260m** となる。

したがって，**肢2** が最も近い。

正解 ▶ 2

5．往復観測の較差

重要度 **A**

出題年度　**R05**

チェック ■■■■■

No. 119　公共測量における１級水準測量を図に示す区間で行ったところ，表の観測結果を得た。この観測結果を受けて取るべき対応はどれか。最も適切なものを次の中から選べ。

　ただし，往復観測値の較差の許容範囲は，観測距離 S を km 単位として $2.5\text{mm}\sqrt{S}$ で与えられる。

　なお，関数の値が必要な場合は，巻末の関数表を使用すること。

観測区間　　①　　　　　　　②　　　　　　　③　　　　　　　④

水準点 A ──── 固定点 1 ──── 固定点 2 ──── 固定点 3 ──── 水準点 B

図

表

観測区間	往路の観測高低差	復路の観測高低差	観測距離
①	+5.3281m	−5.3285m	250m
②	+5.9640m	−5.9645m	250m
③	+5.7383m	−5.7389m	250m
④	+5.0257m	−5.0269m	250m

1．はじめに②を再測する。
2．はじめに③を再測する。
3．はじめに④を再測する。
4．順序は関係なく①～④の全てを再測する。
5．再測は必要ない。

■■■ 解　説 ■■■

　本問は，往復観測を行った水準測量の結果から，再測の区間を決定する問題である。
①　往復観測値の較差の計算
　　各観測値の高低差である観測値の符号は，各区間におけるほかの点との相対比較の結果にすぎないので，較差（高低差）は絶対値により計算する。

<次の②の許容範囲より>

観測区間①　5.3285m － 5.3281m ＝ 0.0004m ＝ 0.4mm‥‥‥‥○
観測区間②　5.9645m － 5.9640m ＝ 0.0005m ＝ 0.5mm‥‥‥‥○
観測区間③　5.7389m － 5.7383m ＝ 0.0006m ＝ 0.6mm‥‥‥‥○
観測区間④　5.0269m － 5.0257m ＝ 0.0012m ＝ 1.2mm‥‥‥‥○

第4章

水準測量

② 往復観測値の較差の制限

往復観測値の較差の許容範囲は，$2.5\text{mm}\sqrt{S}$ であり，各観測区間の観測距離は 250 mであるから（問題文にある通りだが、観測距離 S の単位が km であることに注意)，

①，②，③，④区間
$$2.5\text{mm}\sqrt{0.25} = 2.5\text{mm}\sqrt{25 \times 1/100} = 2.5\text{mm} \times \sqrt{25} \times 1/10 = 1.25\text{mm}$$
（$\sqrt{25}$ については関数表を使用，$\sqrt{25} = 5.0000$）

①における各観測区間の較差と，②における各区間の較差の制限の結果から，各区間ともに制限以内である。

③ 水準点 AB 間の往復観測値の較差
・往路方向の観測結果
$$+5.3281\text{m} + 5.9640\text{m} + 5.7383\text{m} + 5.0257\text{m} = +22.0561\text{m}$$
・復路方向の観測結果
$$-5.3285\text{m} - 5.9645\text{m} - 5.7389\text{m} - 5.0269\text{m} = -22.0588\text{m}$$
・往復間の較差は，　　　　　　　　　　　　　　＜次の④の許容範囲より＞
$$22.0588\text{m} - 22.0561\text{m} = 0.0027\text{m} = 2.7\text{mm} \cdots\cdots\cdots \times$$
である。

④ 水準点 AB 間の往復観測値の較差の制限
AB 間の距離は1000m であり，格差の許容範囲は，$2.5\text{mm}\sqrt{S}$ であることから，
$$2.5\text{mm}\sqrt{1} = 2.5\text{mm}$$

上記より③の往復観測値の較差 2.7mm は，較差制限 2.5mm を超えている。
各区間ごとの往復観測値の較差は制限内であるが，全体では制限を越えているので，較差の大きい観測区間④を再測すればよいと考えられる（作業規程の準則第 65 条，解説と運用)。

したがって，**肢3** が正解である。

正解 ▶ 3

5．往復観測の較差

No. 120　図は，水準点 A から固定点(1)，(2)及び(3)を経由する水準点 B までの路線を示したものである。この路線で 1 級水準測量を行い，表に示す観測結果を得た。再測すべき観測区間はどれか。次の中から選べ。

ただし，往復観測値の較差の許容範囲は，S を観測距離（片道，km 単位）としたとき，2.5mm $\sqrt{S}$ とする。

なお，関数の値が必要な場合は，巻末の関数表を使用すること。

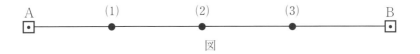

図

表

観測区間	観測距離	往路の観測高低差	復路の観測高低差
A ～(1)	380m	＋0.1908m	－0.1901m
(1)～(2)	320m	－3.2506m	＋3.2512m
(2)～(3)	350m	＋1.2268m	－1.2254m
(3)～ B	400m	＋2.3174m	－2.3169m

1．A ～(1)
2．(1)～(2)
3．(2)～(3)
4．(3)～ B
5．再測の必要はない

本問は，往復観測を行った水準測量の結果から，再測の区間を決定する問題である。
① 往復観測値の較差の計算

　各観測値の高低差である観測値の符号は，各区間におけるほかの地点との相対比較の結果にすぎないので，較差（高低差）は絶対値により計算する。

〈次の②の許容範囲より〉

観測区間 A ～(1)　　　　0.1908m － 0.1901m ＝ 0.0007m ＝ 0.7mm ･･････････○
観測区間(1)～(2)　　　3.2512m － 3.2506m ＝ 0.0006m ＝ 0.6mm ･･････････○
観測区間(2)～(3)　　　1.2268m － 1.2254m ＝ 0.0014m ＝ 1.4mm ･･････････○
観測区間(3)～ B　　　2.3174m － 2.3169m ＝ 0.0005m ＝ 0.5mm ･･････････○

② 往復観測値の較差の制限

　往復観測値の較差の許容範囲は，$2.5\text{mm}\sqrt{S}$ であり，各観測区間の距離はA ～(1)区間は 380 m，(1)～(2)区間は 320 m，(2)～(3)区間は 350 m，(3)～ B区間は 400 mであるから，

　・A ～(1)区間
　　　$2.5\text{mm}\sqrt{0.38} = 2.5\text{mm}\sqrt{38 \times 1/100} = 2.5\text{mm} \times \sqrt{38} \times 1/10 \fallingdotseq 1.54\text{mm}$
　・(1)～(2)区間
　　　$2.5\text{mm}\sqrt{0.32} = 2.5\text{mm}\sqrt{32 \times 1/100} = 2.5\text{mm} \times \sqrt{32} \times 1/10 \fallingdotseq 1.41\text{mm}$
　・(2)～(3)区間
　　　$2.5\text{mm}\sqrt{0.35} = 2.5\text{mm}\sqrt{35 \times 1/100} = 2.5\text{mm} \times \sqrt{35} \times 1/10 \fallingdotseq 1.47\text{mm}$
　・(3)～ B区間
　　　$2.5\text{mm}\sqrt{0.4} = 2.5\text{mm}\sqrt{40 \times 1/100} = 2.5\text{mm} \times \sqrt{40} \times 1/10 \fallingdotseq 1.58\text{mm}$

（$\sqrt{38}$，$\sqrt{32}$，$\sqrt{35}$，$\sqrt{40}$ については関数表を使用）

　①における各観測区間の較差と，②における各区間の較差の制限の結果から，各区間ともに制限以内である。

③ 水準点ＡＢ間の往復観測値の較差
　・往路方向の観測結果
　　　＋0.1908m － 3.2506m ＋ 1.2268m ＋ 2.3174m ＝ ＋0.4844m
　・復路方向の観測結果
　　　－0.1901m ＋ 3.2512m － 1.2254m － 2.3169m ＝ －0.4812m
　・往復間の較差は，　　　　　　　　　　　　　　　　〈次の④の許容範囲より〉
　　　0.4844m － 0.4812m ＝ 0.0032m ＝ 3.2mm ･･･････××
　である。

④　水準点ＡＢ間の往復観測値の較差の制限

ＡＢ間の距離は 1450m であり，格差の許容範囲は，2.5mm $\sqrt{S}$ であることから，

$$2.5\text{mm} \sqrt{1.45} \fallingdotseq 2.5\text{mm}\sqrt{1.5}$$
$$= 2.5\text{mm} \times \sqrt{15} \times 1/\sqrt{10}$$
$$\fallingdotseq 3.06\text{mm} \qquad (\sqrt{10} \text{ および} \sqrt{15} \text{ については関数表を使用})$$

上記より③の往復観測値の較差 3.2mm は，較差制限 3.06mm を超えている。

各区間ごとの往復観測値の較差は制限内であるが，全体では制限を越えているので，較差の大きい観測区間(2)～(3)を再測すればよいと考えられる（作業規程の準則第 65 条，解説と運用）。

したがって，**肢3** が正解である。

正解 ▶ 3

5．往復観測の較差

重要度 **A**

No. 121 　図は，水準点Ａから固定点(1)，(2)及び(3)を経由する水準点Ｂまでの路線を示したものである。この路線で水準測量を行い，表に示す観測結果を得た。再測が必要な観測区間はどれか。次の中から選べ。

　ただし，往復観測値の較差の許容範囲は，S を観測距離（片道，㎞ 単位）としたとき，$2.5\text{mm}\sqrt{S}$ とする。

　なお，関数の値が必要な場合は，巻末の関数表を使用すること。

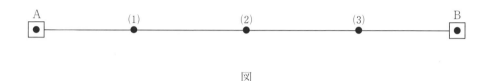

図

表

観測区間	観測距離	往路の観測高低差	復路の観測高低差
Ａ → (1)	500m	＋ 3.2249m	− 3.2239m
(1)→(2)	360m	＋ 0.5851m	− 0.5834m
(2)→(3)	360m	− 2.6764m	＋ 2.6758m
(3)→ Ｂ	640m	＋ 2.5432m	− 2.5446m

1．Ａ 〜(1)
2．(1)〜(2)
3．(2)〜(3)
4．(3)〜 Ｂ
5．再測の必要はない

本問は，往復観測を行った水準測量の結果から，再測の区間を決定する問題である。

① 往復観測値の較差の計算

各観測値の高低差である観測値の符号は，各区間におけるほかの地点との相対比較の結果にすぎないので，較差（高低差）は絶対値により計算する。

〈次の②の許容範囲より〉

観測区間 A →⑴	3.2249m － 3.2239m ＝ 0.0010m ＝ 1.0㎜ …………	○
観測区間⑴→⑵	0.5851m － 0.5834m ＝ 0.0017m ＝ 1.7㎜ …………	×
観測区間⑵→⑶	2.6764m － 2.6758m ＝ 0.0006m ＝ 0.6㎜ …………	○
観測区間⑶→ B	2.5446m － 2.5432m ＝ 0.0014m ＝ 1.4㎜ …………	○

② 往復観測値の較差の制限

往復観測値の較差の許容範囲は，$2.5㎜\sqrt{S}$ であり，各観測区間の距離は A →⑴の区間は500m，⑴→⑵及び⑵→⑶の区間は360m，⑶→ B の区間は640 mであるから，各区間の誤差の許容範囲は以下のとおりである。

・A →⑴の区間

$$2.5㎜\sqrt{0.5} = 2.5㎜ \times \sqrt{50 \times 1/100}$$
$$= 2.5㎜ \times \sqrt{50} \times 1/10 ≒ 1.7㎜$$
（$\sqrt{50}$ については関数表を使用，許容範囲は切捨てで計算）

・⑴→⑵及び⑵→⑶の区間

$$2.5㎜\sqrt{0.36} = 2.5㎜ \times \sqrt{36 \times 1/100}$$
$$= 2.5㎜ \times \sqrt{36} \times 1/10$$
$$= 2.5㎜ \times 6 \times 0.1 = 1.5㎜$$

・⑶→ B の区間

$$2.5㎜\sqrt{0.64} = 2.5㎜ \times \sqrt{64 \times 1/100}$$
$$= 2.5㎜ \times \sqrt{64} \times 1/10$$
$$= 2.5㎜ \times 8 \times 0.1 = 2㎜$$

①における各観測区間の較差と，②における各区間の較差の制限の結果から，許容範囲を超えているのは観測区間⑴→⑵であるから，観測区間⑴→⑵を再測する（作業規程の準則第65条，解説と運用）。

したがって，**肢2** が正解である。

正解 ▶ 2

5．往復観測の較差

No.　122　図は，水準点 A から固定点(1)，(2)及び(3)を経由する水準点 B までの路線を示したものである。この路線で公共測量における水準測量を行い，表に示す観測結果を得た。最も再測が必要な観測区間はどれか。次の中から選べ。

ただし，往復観測値の較差の許容範囲は，S を観測距離（片道，km単位）としたとき，$2.5\,mm\sqrt{S}$ とする。

なお，関数の値が必要な場合は，巻末の関数表を使用すること。

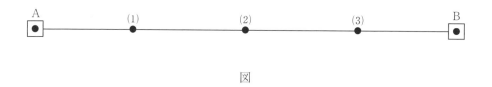

図

表

観測区間	観測距離	往路の観測高低差	復路の観測高低差
A ～(1)	360 m	＋3.1289 m	－3.1286 m
(1)～(2)	440 m	＋1.5970 m	－1.5954 m
(2)～(3)	440 m	＋0.1833 m	－0.1829 m
(3)～ B	360 m	－2.8317 m	＋2.8327 m

1．A ～(1)
2．(1)～(2)
3．(2)～(3)
4．(3)～ B
5．再測の必要はない

■■■　**解　説**　■■■

本問は，往復観測を行った水準測量の結果から，再測の区間を決定する問題である。
① 往復観測値の較差の計算

各観測値の高低差である観測値の符号は，各区間におけるほかの地点との相対比較の結果にすぎないので，較差（高低差）は絶対値により計算する。

〈次の②の許容範囲より〉

観測区間 A ～(1)	3.1289 m－3.1286 m＝0.0003 m＝0.3 mm・・・・・・・・○
観測区間(1)～(2)	1.5970 m－1.5954 m＝0.0016 m＝1.6 mm・・・・・・・・○
観測区間(2)～(3)	0.1833 m－0.1829 m＝0.0004 m＝0.4 mm・・・・・・・・○
観測区間(3)～ B	2.8327 m－2.8317 m＝0.0010 m＝1.0 mm・・・・・・・・○

② 往復観測値の較差の制限

往復観測値の較差の許容範囲は，$2.5 \text{ mm}\sqrt{S}$ であり，各観測区間の距離は，A ～(1)
及び(3)～ B の区間は 360 m，(1)～(2)及び(2)～(3)の区間は 440 m であるから，

・A ～(1)及び(3)～ B の区間

$$2.5 \text{ mm}\sqrt{0.36} = 2.5 \text{ mm} \times \sqrt{36 \times 1/100}$$
$$= 2.5 \text{ mm} \times \sqrt{36} \times 1/10 = 2.5 \text{ mm} \times 6 \times 0.1 = 1.5 \text{ mm}$$

・(1)～(2)及び(2)～(3)の区間

$$2.5 \text{ mm}\sqrt{0.44} = 2.5 \text{ mm} \times \sqrt{44 \times 1/100}$$
$$= 2.5 \text{ mm} \times \sqrt{44} \times 1/10 \fallingdotseq 1.65 \text{ mm}$$

（$\sqrt{44}$ については関数表を使用）

①における各観測区間の較差と，②における各区間の較差の制限の結果から，各区
間ともに制限以内である。

③ 水準点 AB 間の往復観測値の較差
・往路方向の観測結果
　$+3.1289 \text{ m} + 1.5970 \text{ m} + 0.1833 \text{ m} - 2.8317 \text{ m} = +2.0775 \text{ m}$
・復路方向の観測結果
　$-3.1286 \text{ m} - 1.5954 \text{ m} - 0.1829 \text{ m} + 2.8327 \text{ m} = -2.0742 \text{ m}$
・往復間の較差は，　　　　　　　　　　　　　　　　〈次の④の許容範囲より〉
　$2.0775 \text{ m} - 2.0742 \text{ m} = 0.0033 \text{ m} = 3.3 \text{ mm}$ ・・・・・・・・・・・・・・・・・・・・・・・・・・・・・・×
　である。

④ 水準点 AB 間の往復観測値の較差の制限
　AB 間の距離は 1600 m であり，較差の許容範囲は，$2.5 \text{ mm}\sqrt{S}$ であることから，
　$2.5 \text{ mm}\sqrt{1.6} = 2.5 \text{ mm} \times \sqrt{16 \times 1/10}$
　　　　　　　　$= 2.5 \text{ mm} \times \sqrt{16} \times 1/\sqrt{10} = 2.5 \text{ mm} \times 4 \times 1/\sqrt{10}$
　　　　　　　　$\fallingdotseq 3.16 \text{ mm}$　　　　（$\sqrt{10}$ については関数表を使用）

上記より③の往復観測値の較差 3.3 mmは，較差制限 3.16 mm を超えている。

各区間ごとの往復観測値の較差は制限内であるが，全体では制限を超えているので，
較差の大きい観測区間(1)～(2)を再測すればよいと考えられる（作業規程の準則第 65
条，解説と運用）。

したがって，**肢２**が正解である。

正解 ▶ 2

No. 123　　図に示すように，既知点 A，B 及び C から新点 P の標高を求めるために公共測量における 2 級水準測量を実施し，表－1 の結果を得た。新点 P の標高の最確値は幾らか。最も近いものを次の中から選べ。

　ただし，既知点の標高は表－2 のとおりとする。

　なお，関数の値が必要な場合は，巻末の関数表を使用すること。

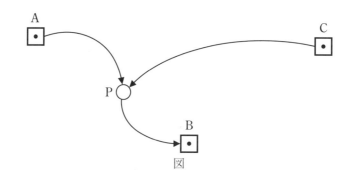

図

表－1

観測結果		
観測方向	観測距離	観測高低差
A→P	3 km	+1.534m
P→B	2 km	+0.621m
C→P	6 km	+2.434m

表－2

既知点	標高
A	29.234m
B	31.395m
C	28.334m

1．30.769m

2．30.770m

3．30.771m

4．30.772m

5．31.392m

本問は，水準測量の観測結果から標高の最確値を求める問題である。

既知点A～Cから，それぞれ新点の標高を求める。

設問の観測高低差は観測の方向（表－1の観測方向の矢印）への比高を表すので，矢印の方向と観測高低差の符号に注意して計算する。

① 本問は水準路線長が異なるため，観測の重さを考慮して最確値を求める必要がある。

② 観測の重さは，距離に反比例するので，

$$A : B : C = \frac{1}{3} : \frac{1}{2} : \frac{1}{6} = \frac{2}{6} : \frac{3}{6} : \frac{1}{6}$$

$$= 2 : 3 : 1 \text{となる。}$$

③ 一方，観測高低差から各観測方向からの新点Pの標高を求めると次のようになる。

観測方向	標高の計算	重さ
A→P	29.234m + 1.534m = 30.768m	2
P→B	B→P：31.395m － 0.621m = 30.774m	3
C→P	28.334m + 2.434 m = 30.768m	1

④ 重さを考慮した平均（最確値）は，少数点第1位まで同じなので次式により，

$$30.7\text{m} + \frac{0.068\text{m}\times2 + 0.074\text{m}\times3 + 0.068\text{m}\times1}{2 + 3 + 1}$$

$$= 30.7\text{m} + \frac{0.426}{6}\text{m} = 30.7\text{m} + 0.071\text{m}$$

$$= 30.771 \text{mとなる。}$$

したがって，**肢3**が最も近い。

正解▶3

6．標高の最確値

No. 124　　図に示すように，既知点 A，B 及び C から新点 P の標高を求めるために公共測量における 2 級水準測量を実施し，表－1 の結果を得た。新点 P の標高の最確値は幾らか。最も近いものを次の中から選べ。

ただし，既知点の標高は表－2 のとおりとする。

なお，関数の値が必要な場合は，巻末の関数表を使用すること。

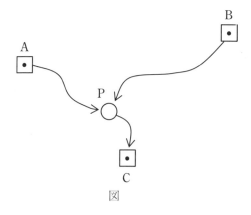

図

表－1

観測結果		
観測路線	観測距離	観測高低差
A → P	2.0km	－ 8.123m
B → P	4.0km	＋ 0.254m
P → C	1.0km	＋ 11.994m

表－2

既知点	標高
A	13.339m
B	4.974m
C	17.213m

1．5.217m
2．5.219m
3．5.221m
4．5.223m
5．5.225m

本問は，水準測量の観測結果から標高の最確値を求める問題である。

既知点 A ～ C から，それぞれ新点の標高を求める。

設問の観測高低差は観測の方向（表－1の路線の矢印）への比高を表すので，矢印の方向と観測高低差の符号に注意して計算する。

① 本問は水準路線長が異なるため，観測の重さを考慮して最確値を求める必要がある。

② 観測の重さは，距離に反比例するので，

$$A : B : C \ = \frac{1}{2} : \frac{1}{4} : \frac{1}{1} = \frac{2}{4} : \frac{1}{4} : \frac{4}{4} = \ 2 : 1 : 4 \ \ となる。$$

③ 一方，観測高低差から各路線からの新点 P の標高を求めると次のようになる。

路線	標高の計算	重さ
A → P	13.339m － 8.123m ＝ 5.216m	2
B → P	4.974m ＋ 0.254m ＝ 5.228m	1
P → C	C → P：17.213m － 11.994m ＝ 5.219m	4

④ 重さを考慮した平均（最確値）は，少数点第1位まで同じなので次式により，

$$5.2\,\mathrm{m} + \frac{0.016\mathrm{m} \times 2 + 0.028\mathrm{m} \times 1 + 0.019\mathrm{m} \times 4}{2 + 1 + 4}$$

$$= 5.2\,\mathrm{m} + \frac{0.136}{7}\,\mathrm{m} \ ≒ \ 5.2\,\mathrm{m} + 0.019\,\mathrm{m} \ = \ \mathbf{5.219\,m}$$

したがって，**肢2**が最も近い。

正解 ▶ 2

6. 標高の最確値

No. 125　　図に示すように，既知点 A，B 及び C から新点 P の標高を求めるために水準測量を実施し，表-1 の観測結果を得た。新点 P の標高の最確値は幾らか。最も近いものを次の中から選べ。

ただし，既知点の標高は表-2 のとおりとする。

なお，関数の値が必要な場合は，巻末の関数表を使用すること。

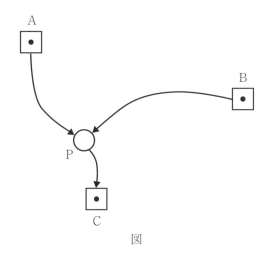

図

表-1

観測結果		
観測方向	観測距離 (km)	観測高低差 (m)
A→P	4	＋1.092
B→P	6	＋1.782
P→C	2	＋1.681

表-2

既知点	標高 (m)
A	31.432
B	30.739
C	34.214

1．32.523 m

2．32.524 m

3．32.526 m

4．32.528 m

5．32.530 m

本問は，水準測量の観測結果から標高の最確値を求める問題である。

既知点 A ～ C から，それぞれ新点の標高を求める。

設問の観測高低差は観測の方向（表－1の観測方向の矢印）への比高を表すので，矢印の方向と観測高低差の符号に注意して計算する。

① 本問は水準路線長が異なるため，観測の重さを考慮して最確値を求める必要がある。

② 観測の重さは，距離に反比例するので，

$$A : B : C = \frac{1}{4} : \frac{1}{6} : \frac{1}{2} = \frac{3}{12} : \frac{2}{12} : \frac{6}{12}$$

$$= 3 : 2 : 6 \text{ となる。}$$

③ 一方，観測高低差から各観測方向からの新点Pの標高を求めると次のようになる。

観測方向	標高の計算	重さ
A → P	31.432 m + 1.092 m = 32.524 m	3
B → P	30.739 m + 1.782 m = 32.521 m	2
P → C	C → P : 34.214 m － 1.681 m = 32.533 m	6

④ 重さを考慮した平均（最確値）は，少数点第1位まで同じなので次式により，

$$32.5 \text{ m} + \frac{0.024 \text{ m} \times 3 + 0.021 \text{ m} \times 2 + 0.033 \text{ m} \times 6}{3 + 2 + 6}$$

$$= 32.5 \text{ m} + \frac{0.312}{11} \fallingdotseq 32.5 \text{ m} + 0.0283 \text{ m}$$

$$\fallingdotseq 32.5283 \text{ m} \fallingdotseq \mathbf{32.528 \text{ m}} \text{ となる。}$$

したがって，**肢4**が最も近い。

正解 ▶ 4

第4章

水準測量

No. 126　図に示すように，既知点A，B及びCから新点Pの標高を求めるために水準測量を実施し，表-1の結果を得た。新点Pの標高の最確値は幾らか。最も近いものを次の中から選べ。

ただし，既知点の標高は表-2のとおりとする。

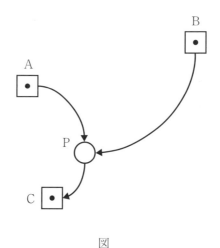

図

表－1

観測結果		
路線	観測距離	観測高低差
A → P	3 km	+ 2.676 m
B → P	6 km	+ 0.965 m
P → C	2 km	+ 0.987 m

表　2

既知点	標高
A	18.062 m
B	19.767 m
C	21.711 m

1．20.729 m

2．20.730 m

3．20.731 m

4．20.732 m

5．21.717 m

本問は，水準測量の観測結果から標高の最確値を求める問題である。

既知点 A 〜 C から，それぞれ新点の標高を求める。

設問の観測高低差は観測の方向（表−1の路線の矢印）への比高を表すので，矢印の方向と観測高低差の符号に注意して計算する。

① 本問は水準路線長が異なるため，観測の重さを考慮して最確値を求める必要がある。

② 観測の重さは，距離に反比例するので，

$$A : B : C = \frac{1}{3} : \frac{1}{6} : \frac{1}{2} = \frac{2}{6} : \frac{1}{6} : \frac{3}{6}$$

$$= 2 : 1 : 3 \quad となる。$$

③ 一方，観測高低差から各路線からの新点 P の標高を求めると次のようになる。

路線	標高の計算	重さ
A → P	18.062 m ＋ 2.676 m ＝ 20.738 m	2
B → P	19.767 m ＋ 0.965 m ＝ 20.732 m	1
P → C	C → P：21.711 m − 0.987 m ＝ 20.724 m	3

④ 重さを考慮した平均（最確値）は，少数点第1位まで同じなので次式により，

$$20.7 \text{ m} + \frac{0.038 \text{ m} \times 2 + 0.032 \text{ m} \times 1 + 0.024 \text{ m} \times 3}{2 + 1 + 3}$$

$$= 20.7 \text{ m} + \frac{0.18}{6} \text{ m} = 20.7 \text{ m} + 0.030 \text{ m}$$

$$= \textbf{20.730m} \quad となる。$$

したがって，**肢2**が最も近い。

正解 ▶ 2

6．標高の最確値

No. 127　図に示すように，既知点A，B，Cから新点Qの標高を求めるために水準測量を実施し，表-1の結果を得た。新点Qの標高の最確値は幾らか。最も近いものを次の中から選べ。

ただし，既知点の標高は表-2のとおりとする。

表－1

路線	距離	観測高低差
A → Q	6 km	− 7.198 m
B → Q	3 km	+ 10.246 m
C → Q	2 km	+ 4.043 m

表－2

既知点	標高
A	42.731 m
B	25.290 m
C	31.506 m

1．35.537 m
2．35.539 m
3．35.540 m
4．35.542 m
5．35.545 m

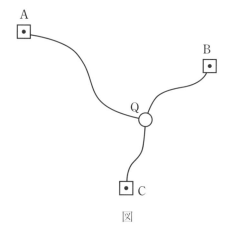

図

本問は，水準測量の観測結果から標高の最確値を求める問題である。

既知点 A～C から，それぞれ新点の標高を求める。

設問の観測高低差は観測の方向（表－1の路線の矢印）への比高を表すので，矢印の方向と観測高低差の符号に注意して計算する。なお，本問では，すべて既知点から新点への観測の方向への比高となっている。

① 本問は水準路線長が異なるため，観測の重さを考慮して最確値を求める必要がある。

② 観測の重さは，距離に反比例するので，

$$A : B : C = \frac{1}{6} : \frac{1}{3} : \frac{1}{2} = \frac{1}{6} : \frac{2}{6} : \frac{3}{6}$$
$$= 1 : 2 : 3 \text{ となる。}$$

③ 一方，観測高低差から各路線からの新点 Q の標高を求めると次のようになる。

路線	標高の計算	重さ
A → Q	42.731 m − 7.198 m = 35.533 m	1
B → Q	25.290 m + 10.246 m = 35.536 m	2
C → Q	31.506 m + 4.043 m = 35.549 m	3

④ 重さを考慮した平均（最確値）は，少数点第1位まで同じなので次式により，

$$35.5 \text{ m} + \frac{0.033\text{m} \times 1 + 0.036\text{m} \times 2 + 0.049\text{m} \times 3}{1 + 2 + 3} = 35.5 \text{ m} + \frac{0.252}{6} \text{ m}$$

$$= 35.5 \text{ m} + 0.042 \text{ m} = \textbf{35.542m} \text{ となる。}$$

したがって，**肢4** が最も近い。

第5章 写真測量

1. UAV写真測量（UAV写真点群測量）

No. 128　次の1〜5の文は，公共測量における無人航空機（以下「UAV」という。）を用いた測量について述べたものである。明らかに間違っているものはどれか。次の1〜5の中から選べ。

1．UAVの使用に当たっては，UAVの運航に関わる法律，条例，規制などを遵守し，UAVを安全に運航することが求められる。

2．UAVにより撮影された空中写真を用いて三次元点群データを作成することができる。

3．UAV写真測量において，数値写真上で周辺地物との色調差が明瞭な構造物が測定できる場合は，その構造物を標定点及び対空標識として使うことができる。

4．UAV写真測量に用いるカメラは，性能等が当該測量に適用する作業規程に規定されている条件を満たしていれば，市販されているデジタルカメラでもよい。

5．UAVレーザ測量では，対地高度以外の計測諸元が同じ場合，対地高度が高くなると，計測点間隔は小さくなる。

■■■　解　説　■■■

本問は，公共測量における無人航空機（UAV = Unmanned Aerial Vehicle）を用いた測量に関する問題である。

1．正しい。 UAVは無人の航空機であり，有人の航空機に衝突するおそれや，落下した場合に地上の人などに危害を及ぼすおそれがあるため，安全に飛行させるには，使用にあたりUAVの運航に関わる法律（例．航空法），条例，規制などを遵守する必要がある

2．正しい。「「UAV写真点群測量」とは，UAVにより地形，地物等を撮影し，その数値写真を用いてオリジナルデータ等の三次元点群データを作成する作業をいう」（作業規程の準則409条1項）。

「「三次元点群データ」とは，地形，地物等を表す三次元座標を持つ多数の点データおよびその内容を表す属性データを，計算処理が可能な形態で表現したものをいう」（作業規程の準則 362 条 3 項）。

3．正しい。「数値写真上で周辺地物との色調差が明瞭な構造物が測定できる場合は，その構造物を標定点及び対空標識に代えることができる」（作業規定の準則第 138 条 2 項 4 号）。

4．正しい。 作業規定の準則第 144 条 1 項本文に，「撮影に使用するデジタルカメラの本体は，次の各号の性能及び機能を有することを標準とする。」と規定されている。したがって，UAV 写真測量に用いるデジタルカメラは，性能等が当該測量に適用する作業規定の準則第 144 条 1 項 1 号から 5 号までの性能及び機能を有すれば，一般的に市販されているデジタルカメラを使用してもよい。

5．間違い。 レーザ光は放射状に照射されるため，対地高度以外の計測諸元が同じ場合，対地高度が高くなると，計測点間隔は大きくなる（下図参照。$H_1 < H_2 \Rightarrow L_1 < L_2$ は明らかである）。

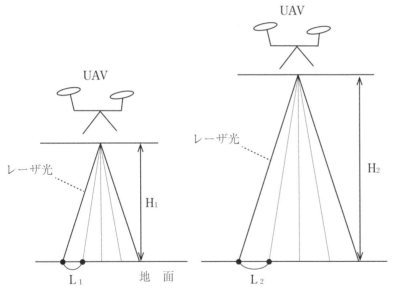

（H_1，H_2：対地高度　L_1，L_2：計測点間隔）

※なお，対地高度とは，地面から撮影地点までの高さのことである。これに対して海面からの高さを撮影（飛行）高度又は海抜撮影高度（絶対撮影高度）という。

したがって，明らかに間違っているものは**肢 5** である。

正解 ▶ 5

1. UAV 写真測量（UAV 写真点群測量）

No. 129 　次の文は，公共測量において無人航空機（以下「UAV」という。）により撮影した数値写真を用いて三次元点群データを作成する作業（以下「UAV 写真点群測量」という。）について述べたものである。明らかに間違っているものはどれか。次の中から選べ。

1．UAV を飛行させるに当たっては，機器の点検を実施し，撮影飛行中に機体に異常が見られた場合，直ちに撮影飛行を中止する。
2．三次元形状復元計算とは，撮影した数値写真及び標定点を用いて，地形，地物などの三次元形状を復元し，反射強度画像を作成する作業をいう。
3．検証点は，標定点からできるだけ離れた場所に，作業地域内に均等に配置する。
4．UAV 写真点群測量は，裸地などの対象物の認識が可能な区域に適用することが標準である。
5．カメラのキャリブレーションについては，三次元形状復元計算において，セルフキャリブレーションを行うことが標準である。

　本問は，公共測量において無人航空機（ＵＡＶ）により撮影した数値写真を用いて
データを作成する作業（ＵＡＶ写真点群測量）に関する問題である。

1. 正しい。 作業規程の準則第 421 条及び第 455 条 2 項が準用する第 147 条に，「Ｕ
　ＡＶを飛行させるに当たっては，撮影計画の実際への適合性を確認する飛行を行い，
　機器の点検と撮影計画の確認を行うものとする。」及び「撮影飛行は，次の各号に
　より行うものとする。（3 号）機体に異常が見られた場合は，ただちに撮影飛行を
　中止する。」と規定されている（148 条 3 号）。

2. 間違い。 第 426 条 1 項に，「三次元形状復元計算とは，撮影した数値写真及び標
　定点を用いて，数値写真の外部標定要素及び数値写真に撮像された地点（特徴点）
　の位置座標を求め，地形，地物等の三次元形状を復元し，オリジナルデータを作成
　する作業をいう。」と規定されている。

3. 正しい。 第 414 条 2 項に，
　「（1 号）検証点は，標定点からできるだけ離れた場所に，作業地域内に均等に配
　　置することを標準とする。
　（2 号）設置する検証点の数は，設置する標定点の総数の半数以上（1 未満の端
　　数があるときは，端数は切り上げる。）を標準とする。
　（3 号）検証点は，平坦な場所又は傾斜が一様な場所に配置することを標準とす
　　る。」
　と規定されている。

4. 正しい。 第 409 条 2 項に，「ＵＡＶ写真点群測量は，裸地等の対象物の認識が可
　能な区域に適用することを標準とする。」と規定されている。

5. 正しい。 第 426 条 5 項に，「カメラのキャリブレーションについては，三次元形
　状復元計算において，セルフキャリブレーションを行うことを標準とする。」と規
　定されている。

　したがって，**肢 2** が間違っている。

正解 ▶ 2

1. UAV 写真測量

No. 130　次の文は，公共測量における UAV（無人航空機）写真測量について述べたものである。明らかに間違っているものはどれか。次の中から選べ。

1．UAV 写真測量により作成する数値地形図データの地図情報レベルは，250 及び 500 を標準とする。
2．UAV 写真測量に用いるデジタルカメラは，性能等が当該測量に適用する作業規程に規定されている条件を満たしていれば，一般的に市販されているデジタルカメラを使用してもよい。
3．UAV 写真測量において，数値写真上で周辺地物との色調差が明瞭な構造物が測定できる場合は，その構造物を標定点及び対空標識に代えることができる。
4．計画対地高度に対する実際の飛行の対地高度のずれは，30％以内とする。
5．撮影飛行中に他の UAV 等の接近が確認された場合には，直ちに撮影飛行を中止する。

■■ **解　説** ■■

本問は，公共測量における UAV（無人航空機）写真測量に関する問題である。
1. **正しい。** 作業規程の準則第 133 条 1 項に，「UAV 写真測量により作成する数値地形図データの地図情報レベルは，250 及び 500 を標準とする。」と規定されている。
2. **正しい。** 第 144 条 1 項に，「撮影に使用するデジタルカメラの本体は，次の各号（1 号から 5 号まで）の性能及び機能を有することを標準とする。」と規定されている。したがって，UAV 写真測量に用いるデジタルカメラは，性能等が当該測量に適用する第 144 条 1 項 1 号から 5 号までの性能及び機能を有すれば，一般的に市販されているデジタルカメラを使用してもよい。
3. **正しい。** 第 138 条 2 項 4 号に，「数値写真上で周辺地物との色調差が明瞭な構造物が測定できる場合は，その構造物を標定点及び対空標識に代えることができる。」と規定されている。
4. **間違い。** 第 148 条 1 号に，撮影飛行は，「計画対地高度及び計画撮影コースを保持するものとする。計画対地高度に対する実際の飛行の対地高度のずれは，10 パーセント以内とする。」と規定されている。30 パーセント以内ではない。
5. **正しい。** 第 148 条 4 号に，撮影飛行は，「他の UAV 等の接近が確認された場合には，直ちに撮影飛行を中止する。」と規定されている。

したがって，**肢 4** が間違っている。

正解 ▶ 4

1. UAV 写真測量

No. 131　　次の文は，無人航空機（以下「UAV」という。）を用いた測量について述べたものである。明らかに間違っているものはどれか。次の中から選べ。

1. UAV の使用にあたっては，UAV の運航に関わる法律，条例，規制などを遵守し，UAV を安全に運航することが求められる。
2. UAV による撮影は事前に計画をたて，現場での状況に応じて見直しが生じることを考慮しておく。
3. 空港周辺以外であれば，自由に UAV を用いた測量を行うことができる。
4. 成果品の種類や，その必要精度などに応じて，適切に作業を実施することが求められる。
5. 一般に，UAV は有人航空機と比べ低空で飛行ができることから，局所の詳細なデータ取得に適している。

■ 解　説 ■

　本問は，無人航空機（UAV）を用いた測量に関する問題である。
1．正しい。 UAV は無人の航空機であり，有人の航空機に衝突するおそれや，落下した場合に地上の人などに危害を及ぼすおそれがあるため，安全に飛行させるには，使用にあたり UAV の運航に関わる法律（例．航空法），条例，規制などを遵守する必要がある。
2．正しい。 UAV による撮影は，撮影場所の状況に応じた事前の計画が必要である。飛行させる現場の状況（安全に飛行できる気象状態か否か，機体に損傷や故障はないか，飛行させる場所に多数の人が集まらないか等）に応じて見直しが生じることを考慮しておく必要がある。
3．間違い。 ①人口集中地区，②空港周辺，及び③高度 150m 以上の空域で UAV を飛行させる場合には，国土交通大臣による許可が必要である。空港周辺以外の空域でも禁止されている空域がある。
4．正しい。 UAV を用いた測量には，①作業地域の面積が非常に狭いこと，② UAV 写真の解像度が非常に高いことの特徴がある。そのため，成果品の種類やその必要精度などに応じて作業計画を立て，適切に作業を実施する必要がある。
5．正しい。 UAV による写真測量は，UAV が低空で飛行できるから，立入りが困難な場所でも撮影が可能であるため，局所の詳細なデータ取得に適している。

したがって，**肢3**が間違っている。

正解 ▶ 3

1. UAV 写真測量

No. 132　次の文は，無人航空機（以下「UAV」という。）で撮影した空中写真を用いた公共測量について述べたものである。明らかに間違っているものはどれか。次の中から選べ。

1. 使用する UAV は，安全確保の観点から，飛行前後における適切な整備や点検を行うとともに，必要な部品の交換などの整備を行う。

2. 航空法（昭和 27 年法律第 231 号）では，人口集中地区や空港周辺，高度 150m 以上の空域で UAV を飛行させる場合には，国土交通大臣による許可が必要となる。

3. UAV による公共測量は，地表が完全に植生に覆われ，地面が写真に全く写らないような地区で実施することは適切でない。

4. UAV により撮影された空中写真を用いて作成する三次元点群データの位置精度を評価するため，標定点のほかに検証点を設置する。

5. UAV により撮影された空中写真を用いてオリジナルデータを作成する場合は，デジタルステレオ図化機を使用しないので，隣接空中写真との重複は無くてもよい。

■■■　**解　説**　■■■

本問は，無人航空機（UAV）で撮影した空中写真を用いた公共測量に関する問題である。

1. **正しい。** UAV を飛行させるに当たっては，使用する UAV の飛行前後に適切な整備，点検や必要な部品の交換などの整備を行うことが必要である（作業規程の準則第 147 条）。

2. **正しい。** ①人口集中地区，②空港周辺，及び③高度 150m 以上の空域で UAV を飛行させる場合には，国土交通大臣による許可が必要である（航空法第 132 条の 85）。

3. **正しい。** UAV による公共測量は，上空より地表を撮影して行うものである。そのため，地表が完全に植生に覆われ，地面が写真に全く写らないような地区で実施することは適切でない。

4. **正しい。** UAV により撮影された空中写真を用いて作成する三次元点群データの形状復元計算には，水平位置，及び標高の基準となる点である標定点及び検証点が必要であるから設置しておく。これにより，三次元点群データの位置精度を評価する（作業規程の準則第 412 条）。

5. **間違い。** UAV により撮影された空中写真を用いてオリジナルデータを作成する場合に，撮影した数値写真を用いて数値地形図データを作成するために，隣接空中写真間の重複は必要である（第 420 条，第 423 条）。

　したがって，**肢5** が間違っている。

正解 ▶ 5

2. 空中写真測量の作業工程

No. 133 　図は，公共測量における空中写真測量の標準的な作業工程を示したものである。 ア ～ エ に入る語句の組合せとして最も適当なものはどれか。次の中から選べ。

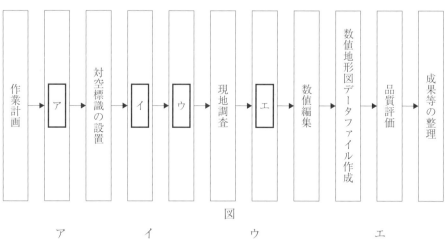

図

	ア	イ	ウ	エ
1.	撮影	バンドル調整	調整用基準点の設置	数値図化
2.	撮影	バンドル調整	同時調整	数値地形モデルの作成
3.	撮影	バンドル調整	調整用基準点の設置	数値地形モデルの作成
4.	標定点の設置	撮影	調整用基準点の設置	数値図化
5.	標定点の設置	撮影	同時調整	数値図化

■ 解 説 ■

　本問は，公共測量における空中写真測量の標準的な作業工程に関する問題である。

　空中写真測量による数値地形図データ作成の標準的作業工程は，次のとおりである（作業規程の準則第170条）。

(1) 作業計画　　　　　　　　(7) **数値図化(エ)**
(2) **標定点の設置(ア)**　　　(8) 数値編集
(3) 対空標識の設置　　　　　(9) 補測編集
(4) **撮影(イ)**　　　　　　　(10) 数値地形図データファイルの作成
(5) **同時調整(ウ)**　　　　　(11) 品質評価
(6) 現地調査　　　　　　　　(12) 成果等の整理

　したがって，**肢5**の語句の組合せが最も適当である。

正解 ▶ 5

第5章

写真測量

2．空中写真測量の作業工程

No. 134　図は，公共測量における空中写真測量の標準的な作業工程を示したものである。 ア ～ エ に入る語句の組合せとして最も適当なものはどれか。次の中から選べ。

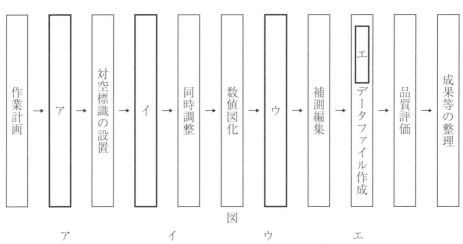

図

	ア	イ	ウ	エ
1．	標定点の設置	撮影	数値編集	数値地形図
2．	撮影	標定点の設置	数値編集	数値写真
3．	標定点の設置	撮影	正射変換	数値写真
4．	撮影	標定点の設置	正射変換	数値地形図
5．	標定点の設置	撮影	正射変換	数値地形図

解　説

　本問は，公共測量における空中写真測量の作業工程に関する問題である。

　空中写真測量による数値地形図データ作成の標準的作業工程は，次のとおりである（作業規程の準則第 170 条）。

(1)　作業計画	(7)　数値図化
(2)　**標定点の設置(ア)**	(8)　**数値編集(ウ)**
(3)　対空標識の設置	(9)　補測編集
(4)　**撮影(イ)**	(10)　**数値地形図(エ)データファイルの作成**
(5)　同時調整	(11)　品質評価
(6)　現地調査	(12)　成果等の整理

　したがって，**肢 1** の語句の組合せが最も適当である。

正解 ▶ 1

3．撮影高度と縮尺

No. 135　画面距離 7cm，画面の大きさ 17,000 画素 × 11,000 画素，撮像面での素子寸法 5μm のデジタル航空カメラを用いて鉛直下に向けた空中写真撮影を計画した。撮影基準面での地上画素寸法を 20cm とした場合，標高 0m からの撮影高度は幾らか。最も近いものを次の中から選べ。

ただし，撮影基準面の標高は 300m とする。

なお，関数の値が必要な場合は，巻末の関数表を使用すること。

1．1,900m
2．2,200m
3．2,500m
4．2,800m
5．3,100m

■ **解　説** ■

　本問は，空中写真の撮影基準面での地上画素寸法をもとに撮影高度を求める問題である。

①　地上画素寸法は，撮像面の素子寸法が縮尺に応じて対応する地上での長さである。すなわち，撮像面の素子寸法を縮尺倍したものが地上画素寸法になるから，本問の空中写真の縮尺は，

$$5\mu m \times M = 20cm$$

$$M = \frac{20cm}{5\mu m}$$

$$= \frac{20cm}{5 \times 100cm \times 10^{-6}} = \frac{20cm}{5 \times 100cm \times 0.000001} = \frac{20cm}{0.0005cm}$$

（※単位を cm に揃えるため × 100cm とする。）

$$= 40,000$$

∴ M = 40,000（ただし，M：縮尺の分母数）

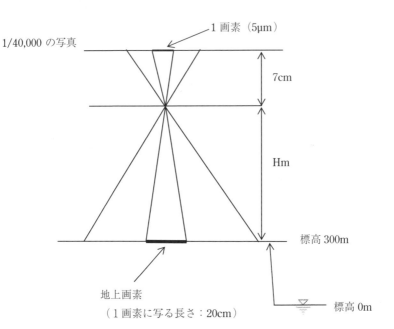

1/40,000 の写真

1 画素（5μm）

7cm

Hm

標高 300m

地上画素
（1画素に写る長さ：20cm）

標高 0m

② また，$\dfrac{1}{M} = \dfrac{f}{H}$ から，H＝M×f＝40,000×0.07m＝2,800m となる。

（ただし，H：対地撮影高度，f：画面距離）

本問は，撮影基準面の標高が300mであるから，海抜撮影高度は，
2,800m ＋ 300m ＝ **3,100m**　となる。

したがって，**肢5**が最も近い。

正解 ▶ 5

📖 **参考・別解** ━━━━━━━━━━━━━━━━━━━━━━━

図より相似の関係が成立するから，次式が成り立つ。
5μm：0.07m＝0.2m：H
H×5μm＝0.2m×0.07m　　　∴ H＝2,800m（対地撮影高度）
海抜撮影高度は，2,800m＋300m＝3,100m となる。

3. 撮影高度と縮尺

No. 136　画面距離 9cm，画面の大きさ 16,000 画素 × 14,000 画素，撮像面での素子寸法 5 μm のデジタル航空カメラを鉛直下に向けて空中写真を撮影した。

　海面からの撮影高度を 3,100m とした場合，撮影基準面での地上画素寸法は幾らか。最も近いものを次の中から選べ。ただし，撮影基準面の標高は 400m とする。

　なお，関数の値が必要な場合は，巻末の関数表を使用すること。

1．10cm
2．12cm
3．15cm
4．17cm
5．20cm

■ **解　説** ■

本問は，空中写真の撮影基準面での地上画素寸法を求める計算問題である。

① 撮像面での素子寸法は，5μm（5m × 10^{-6}）である。

② また，本問の空中写真の縮尺は，$\dfrac{1}{M} = \dfrac{f}{H}$ より，$\dfrac{1}{M} = \dfrac{0.09\text{m}}{2,700\text{m}} = \dfrac{1}{30,000}$

$$\dfrac{1}{M} = \dfrac{1}{30,000} \qquad \therefore M = 30,000$$

（ただし，M：縮尺の分母数，H：撮影高度，f：焦点距離）

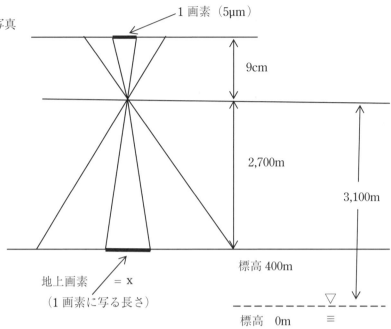

1/30,000 写真

1 画素（5μm）

9cm

2,700m

3,100m

標高 400m

地上画素 / = x

（1 画素に写る長さ）

標高 0m

③ 地上画素寸法は，撮像面の素子寸法が，縮尺に応じて対応する地上での長さであるから，

$5\mu m × 30,000 = 5m × 10^{-6} × 30,000$
$= 5 × 100cm × 10^{-6} × 30,000$
$= \mathbf{15cm}$ となる。

したがって，**肢3**が地上画素寸法となる。

正解 ▶ 3

📖 **参考・別解**

図より相似の関係が成立するから，次の式が成り立つ。

$5\mu m : 0.09\,m = x : 2,700\,m$（x は地上画素寸法）

$x × 0.09\,m = 5\mu m × 2,700\,m$

$∴ \quad x = 15\,cm$

3．撮影高度と縮尺

No. 137　画面距離 10cm，画面の大きさ 26,000 画素 × 17,000 画素，撮像面での素子寸法 4μm のデジタル航空カメラを用いて鉛直空中写真を撮影した。撮影基準面での地上画素寸法を 15cm とした場合，標高 0m からの撮影高度は幾らか。最も近いものを次の中から選べ。

ただし，撮影基準面の標高は 500m とする。

なお，関数の値が必要な場合は，巻末の関数表を使用すること。

1．3,250m
2．3,750m
3．4,250m
4．4,750m
5．5,250m

■■■ 解　説 ■■■

本問は，空中写真の撮影基準面での地上画素寸法をもとに撮影高度を求める問題である。

① 地上画素寸法は，撮像面の素子寸法が縮尺に応じて対応する地上での長さである。すなわち，撮像面の素子寸法を縮尺倍したものが地上画素寸法になるから，本問の空中写真の縮尺は，

$4\mu m \times M = 15cm$

$$M = \frac{15cm}{4\mu m}$$

$$= \frac{15cm}{4 \times 100cm \times 10^{-6}} = \frac{15cm}{4 \times 100cm \times 0.000001} = \frac{15cm}{0.0004cm}$$

（※単位を cm に揃えるため × 100cm とする。）

$= 37,500$

∴ M = 37,500（ただし，M：縮尺の分母数）

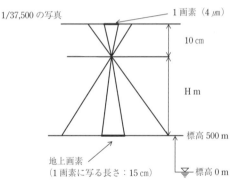

1/37,500 の写真　　1 画素（4 μm）

10 cm

H m

標高 500 m

標高 0 m

地上画素
（1 画素に写る長さ：15 cm）

② また，$\dfrac{1}{M} = \dfrac{f}{H}$ から，$H = M \times f = 37{,}500 \times 0.1\text{m} = 3{,}750\text{m}$ となる。

（ただし，H：対地撮影高度，f：画面距離）

本問は，撮影基準面の標高が 500m であるから，海抜撮影高度は，

3,750m＋500m＝**4,250m**　となる。

したがって，**肢3**が最も近い。

正解 ▶ 3

📖 **参考・別解** ━━━━━━━━━━━━━━━━━━━━━━━━━

図より相似の関係が成立するから，次式が成り立つ。

4μm：0.1m＝0.15m：H

H×4μm＝0.15m × 0.1m　　∴ H ＝ 3,750m（対地撮影高度）

※ 1μm＝10^{-6}m＝0.000001m

海抜撮影高度は，3,750m ＋ 500m ＝ 4,250m となる。

No. 138 画面距離 10 ㎝，画面の大きさ 26,000 画素×15,000 画素，撮像面での素子寸法 4 μm のデジタル航空カメラを用いて鉛直空中写真を撮影した。撮影基準面での地上画素寸法を 12 ㎝ とした場合，海面からの撮影高度は幾らか。最も近いものを次の中から選べ。

ただし，撮影基準面の標高は 300m とする。

なお，関数の値が必要な場合は，巻末の関数表を使用すること。

1. 2,400m
2. 2,700m
3. 3,000m
4. 3,300m
5. 3,600m

■ 解　説 ■

　本問は，空中写真の撮影基準面での地上画素寸法をもとに撮影高度を求める問題である。

① 地上画素寸法は，撮像面の素子寸法が縮尺に応じて対応する地上での長さである。すなわち，撮像面の素子寸法を縮尺倍したものが地上画素寸法になるから，本問の空中写真の縮尺は，

$$4 \mu m \times M = 12 \text{ cm}$$

$$M = \frac{12 \text{ cm}}{4 \mu m}$$

$$= \frac{12 \text{ cm}}{4 \times 100 \text{ cm} \times 10^{-6}} = \frac{12 \text{ cm}}{4 \times 100 \text{ cm} \times 0.000001} = \frac{12 \text{ cm}}{0.0004 \text{ cm}}$$

（※単位を㎝に揃えるため× 100 ㎝とする）

$$= 30,000$$

∴ M = 30,000（ただし，M：縮尺の分母数）

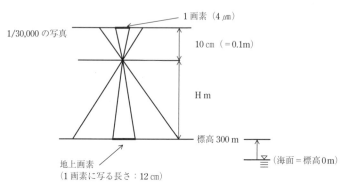

1画素（4μm）

1/30,000 の写真

10 cm（＝0.1m）

H m

標高 300 m

地上画素
（1画素に写る長さ：12 cm）

(海面＝標高0m)

② また，$\dfrac{1}{M}=\dfrac{f}{H}$ から，

　　H＝M×f＝30,000×0.1m＝3,000m となる。

（ただし，H：対地撮影高度，f：画面距離）

　本問は，撮影基準面の標高が300mであるから，海抜撮影高度は，

　　3,000m＋300m＝**3,300m** となる。

したがって，**肢4**が最も近い。

正解 ▶ 4

📖 **参考・別解**

図より相似の関係が成立するから，次式が成り立つ。

　4μm：0.1m＝0.12m：H

　　H×4μm＝H×4×0.000001＝0.12m×0.1m　　∴ H＝3,000m（対地撮影高度）

海抜撮影高度は，3,000m＋300m＝3,300m　となる。

3. 撮影高度と縮尺

No. 139　　画面距離 10 ㎝，画面の大きさ 20,000 画素×13,000 画素，撮像面での素子寸法 5 μmのデジタル航空カメラを用いて鉛直空中写真を撮影した。撮影基準面での地上画素寸法を 20 ㎝とした場合，撮影高度は幾らか。最も近いものを次の中から選べ。

　　ただし，撮影基準面の標高は 0 mとする。

　　なお，関数の値が必要な場合は，巻末の関数表を使用すること。

1．3,200 m
2．3,600 m
3．4,000 m
4．4,400 m
5．4,800 m

　本問は，空中写真の撮影基準面での地上画素寸法をもとに撮影高度を求める問題である。

① 　地上画素寸法は，撮像面の素子寸法が縮尺に応じて対応する地上での長さであるから，本問の空中写真の縮尺は，

　　　$5\,\mu m \times M = 20\,cm$

$$M = \frac{20\,cm}{5\,\mu m} = \frac{20\,cm}{5 \times 100\,cm \times 10^{-6}} = \frac{20\,cm}{5 \times 100\,cm \times 0.000001} = \frac{20\,cm}{0.0005\,cm}$$

　　　　　　　　　　　　（※単位をcmに揃えるため×100cmとする）

　　　　　$= 40,000$

　　∴ $M = 40,000$ （ただし，M：縮尺の分母数）

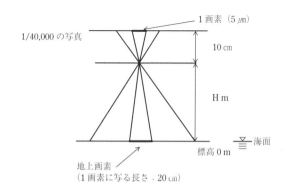

1画素（5μm）

1/40,000の写真

10 cm

H m

海面

標高 0 m

地上画素
（1画素に写る長さ．20cm）

② 　また，$\dfrac{1}{M} = \dfrac{f}{H}$ から，

　　$H = M \times f = 40,000 \times 0.1\,m$

　　　$= $ **4,000m** となる。（ただし，H：撮影高度，f：画面距離）

　したがって，**肢3** が最も近い。

正解 ▶ 3

📖 **参考・別解** ━━━━━━━━━━━━━━━━━━━━━━━

　図より相似の関係が成立するから，次式が成り立つ。

　　　$5\mu m : 0.1\,m = 0.2\,m : H$

　　　　$H \times 5\mu m = 0.2\,m \times 0.1\,m$

　　　　　∴ $H = 4,000\,m$

重要度 Ⓐ

3．撮影高度と縮尺

出題年度　H28

チェック ☐☐☐☐☐

No. 140　　画面距離 9 cm，撮像面での素子寸法 6 μm のデジタル航空カメラを用いた数値写真の撮影計画を作成した。撮影基準面での地上画素寸法を 15 cm とした場合，撮影高度は幾らか。最も近いものを次の中から選べ。

　ただし，撮影基準面の標高は 0 m とする。

1．1,750 m
2．1,900 m
3．2,100 m
4．2,250 m
5．2,350 m

第5章

写真測量

本問は，空中写真の撮影基準面での地上画素寸法をもとに撮影高度を求める問題である。

① 地上画素寸法は，撮像面の素子寸法が縮尺に応じて対応する地上での長さであるから，すなわち，撮像面の素子寸法を縮尺倍したものが地上画素寸法になるから，本問の空中写真の縮尺は，

$6\,\mu m \times M = 15\,cm$

$M = 15\,cm / 6\,\mu m = 15\,cm / (6\,m \times 10^{-6})$

$= 15\,cm / (6 \times 100\,cm \times 10^{-6})$（※単位を cm に揃えるため $\times 100\,cm$ とする）

$= 15\,cm / (6 \times 100\,cm \times 0.000001)$

$= 25,000$

$\therefore M = 25,000$ （ただし，M：縮尺の分母数）

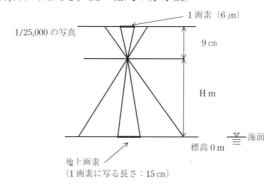

1画素（6 μm）

1/25,000 の写真

9 cm

H m

海面

標高 0 m

地上画素
（1画素に写る長さ：15 cm）

② また，$\dfrac{1}{M} = \dfrac{f}{H}$ から，

$H = M \times f = 25,000 \times 9\,cm = 25,000 \times 0.09\,m$

$= \mathbf{2,250m}$ となる。（ただし，H：撮影高度，f：画面距離）

したがって，**肢 4** が最も近い。

正解 ▶ 4

📖 参考・別解

図より相似の関係が成立するから，次式が成り立つ。

$6\,\mu m : 0.09\,m = 0.15\,m : H$

$H \times 6\,\mu m = 0.15\,m \times 0.09\,m$

$\therefore H = 2,250\,m$

3．撮影高度と縮尺

重要度 Ⓐ

No. 141　　画面距離 12 cm，画面の大きさ 14,000 画素× 7,500 画素，撮像面での素子寸法 10 μm のデジタル航空カメラを用いて，数値空中写真の撮影計画を作成した。撮影基準面での地上画素寸法を 20 cm とした場合，撮影高度は幾らか。最も近いものを次の中から選べ。

ただし，撮影基準面の標高は 0 m とする。

1．　600 m
2．1,600 m
3．2,000 m
4．2,400 m
5．2,800 m

■ **解　説** ■

本問は，空中写真の撮影基準面での地上画素寸法をもとに撮影高度を求める問題である。

① 地上画素寸法は，撮像面の素子寸法が縮尺に応じて対応する地上での長さであるから，すなわち，撮像面の素子寸法を縮尺倍したものが地上画素寸法になるから，本問の空中写真の縮尺は，

$$10 \, \mu m \times M = 20 \, cm$$

$$M = 20 \, cm / 10 \, \mu m = 20 \, cm / (10 \, m \times 10^{-6})$$

$$= 20 \, cm / (10 \times 100 \, cm \times 10^{-6}) \, （※単位を cm に揃えるため× 100 cm とする）$$

$$= 20 \, cm / (10 \times 100 \, cm \times 0.000001)$$

$$= 20,000$$

∴ $M = 20,000$（ただし，M：縮尺の分母数）

（※ 1 μm（1 マイクロメートル）$= 10^{-6} \, m = 0.000001 \, m = 0.0001 \, cm = 0.001 \, mm$）

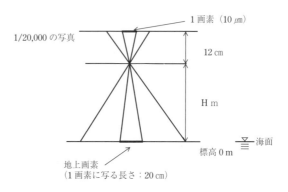

1画素（10μm）

1/20,000 の写真

12 cm

H m

標高 0 m

海面

地上画素
（1画素に写る長さ：20 cm）

② また，$\dfrac{1}{M} = \dfrac{f}{H}$ から，

H ＝ M×f＝20,000×12 cm＝20,000×0.12 m
　 ＝ **2,400m** となる。（ただし，H：撮影高度，f：画面距離）

したがって，**肢4** が最も近い。

正解 ▶ 4

参考・別解

図より相似の関係が成立するから，次式が成り立つ。

10μm：0.12 m＝0.2 m：H
　　　H×10μm＝0.2 m×0.12 m
　　　　∴ H＝2,400 m

3．撮影高度と縮尺

No. 142　画面距離 10 ㎝，撮像面での素子寸法 12 μmのデジタル航空カメラを用いて，海面からの撮影高度 2,500 m で，標高 500 m 程度の高原の鉛直空中写真の撮影を行った。この写真に写っている橋の長さを数値空中写真上で計測すると 1,000 画素であった。

この橋の実長は幾らか。最も近いものを次の中から選べ。

ただし，この橋は標高 500 m の地点に水平に架けられており，写真の短辺に平行に写っているものとする。

1．180 m
2．240 m
3．300 m
4．360 m
5．420 m

■■■■ **解　説** ■■■■

本問は，空中写真の撮影基準面での地上画素寸法より建造物の実長を求める問題である。

① 海面からの撮影高度 2,500 m で撮影しているから，標高 500m の地点の橋の撮影高度は，

2,500m － 500 m＝2,000 m である。

② つぎに，本問の空中写真の縮尺は，

$$\frac{1}{M} = \frac{f}{H} \text{ から，} \frac{1}{M} = \frac{10 \text{ cm}}{2,000 \text{ m}} = \frac{0.10 \text{ m}}{2,000 \text{ m}} = \frac{1}{20,000}$$

∴ M＝20,000

（ただし，M：縮尺の分母数，H：撮影高度，f：画面距離）

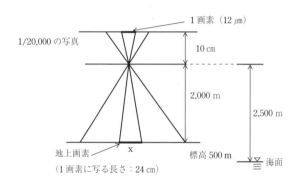

1 画素（12 μm）

1/20,000 の写真

10 cm

2,000 m

2,500 m

地上画素
（1画素に写る長さ：24 cm）

x

標高 500 m

海面

③ 地上画素寸法は，撮像面の素子寸法が縮尺に応じて対応する地上での長さであるから，すなわち，撮像面の素子寸法を縮尺倍したものが地上画素寸法になるから，地上における画素寸法（x）は，

12μm×20,000 （※1μm＝10^{-6} m＝0.000001 m＝0.0001 cm）

＝12 m×10^{-6}×20,000

＝12×100 cm×10^{-6}×20,000

＝12×100 cm×0.000001×20,000

＝24cmとなる。

④ 橋の画面上での長さは，1,000 画素であるから，

24cm× 1,000 ＝ 24,000cm＝ **240m**

したがって，**肢 2** が最も近い。

正解 ▶ 2

📖 **参考・別解**

① 図より相似の関係が成立するから，一画素に写る地上画素寸法を x とすると，次式が成立する。

12μm：0.1 m＝x m：2,000 m　　　　　（x：地上画素寸法）

0.1x m＝2,000 m×12μm

x＝24cm

② 橋の画面上での長さは 1,000 画素であるから，

24cm×1,000＝24,000cm＝240m

4．オーバーラップとサイドラップ

No.　143　　空中写真測量において，同一コース内での隣接写真との重複度（オーバーラップ）を80％として平たんな土地を撮影したとき，一枚おき（例えばコースの2枚目と4枚目）の写真の重複度は何％となるか。最も近いものを次の中から選べ。

なお，関数の値が必要な場合は，巻末の関数表を使用すること。

1．36％

2．40％

3．50％

4．60％

5．64％

　本問は，空中写真測量において，同一コース内での1枚おきの写真の隣接写真との重複度を求める問題である。

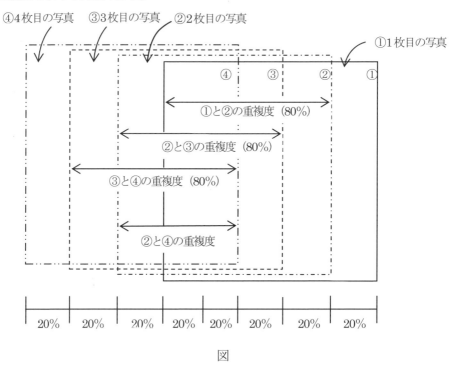

図

① 同一コース内での隣接写真との重複度（オーバーラップ）を80％とすると，図のように，20％ずつずれて撮影されることになる。

② 1枚おき（例えばコースの2枚目と4枚目）の写真の重複度は，①のように重複度が20％ずつずれて重複するから，20％×2＝40％ずれて重複する。そのため，図より2枚目と4枚目の写真の重複度は，**60%**となる。

　したがって，**肢4**が最も近い。

正解 ▶ 4

4．オーバーラップとサイドラップ（撮影基線長）

No. 144　　画面距離 12cm，画面の大きさ 17,000 画素 × 10,000 画素，撮像面での素子寸法 5 μm のデジタル航空カメラを用いて鉛直下に向けた空中写真撮影を計画した。

撮影高度を標高 3,000m，撮影基準面における同一撮影コース内の隣接する空中写真との重複度を 60% とするとき，撮影基線長は幾らか。最も近いものを次の 1 ～ 5 の中から選べ。

ただし，撮影基準面の標高は 600m とし，画面の短辺が撮影基線と平行であるとする。

なお，関数の値が必要な場合は，巻末の関数表を使用すること。

1．400m
2．500m
3．600m
4．680m
5．750m

解　説

本問は，空中写真の撮影基線長を求める問題である。

① デジタル航空カメラは，撮影コース数を少なくするため，画面短辺が航空機の進行方向に平行となるように設置されているので，撮影基線長方向の画面サイズは，

5 μm × 10,000

= 5 × 100 cm × 10^{-6} × 10,000

= 5 cm　となる。

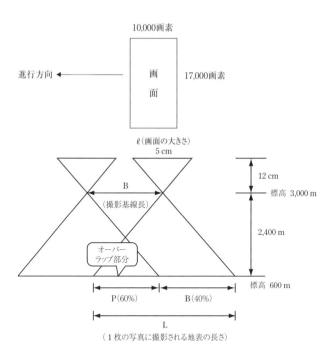

10,000画素

進行方向 ←

画面

17,000画素

ℓ（画面の大きさ）
5 cm

B

（撮影基線長）

12 cm

標高 3,000 m

2,400 m

オーバー
ラップ部分

標高 600 m

P（60%）　　　B（40%）

L

（1枚の写真に撮影される地表の長さ）

② 撮影高度 3,000m，撮影基準面の標高 600m より，対地撮影高度は 3,000 - 600 = 2,400m である。

よって，本問の空中写真の縮尺は，$\dfrac{1}{M} = \dfrac{f}{H}$ から，

$$M = \dfrac{M}{f}$$

$$= \dfrac{2400}{12 \text{ cm}}$$

$$= \dfrac{2400 \times 100 \text{ cm}}{12 \text{ cm}}$$

$$= 20,000$$

（ただし，M：縮尺の分母数　H：対地撮影高度，f：画面距離）

③ ここで，撮影基線長は，B = M × ℓ（1 - P/100）により求めることができるから

（ただし，B：撮影基線長の実長，M：縮尺の分母数，ℓ：画面の大きさ，P：オーバーラップ），

B = M × 5 cm × 0.4　（※1 - P /100 から 1 - 60/100 = 40/100 = 0.4）

= 20,000 × 0.05m × 0.4

= **400m** となる。

したがって，**肢1**が最も近い。

正解 ▶ 1

参考・別解

図より相似の関係が成立するから，次式が成り立つ。
（L：1枚の写真に投影される地表の長さ）

$$0.05\ \text{m} : 0.12\ \text{m} = \text{L} : 2{,}400\ \text{m}$$
$$\therefore \text{L} = 1{,}000\ \text{m}$$
$$1{,}000 \times 0.4 = 400\ \text{m}$$

No. 145　　画面距離 10cm，画面の大きさ 26,000 画素×15,000 画素，撮像面での素子寸法 4 μm のデジタル航空カメラを用いて，海面からの撮影高度 3,000m で標高 0 m の平たんな地域の鉛直空中写真を撮影した。撮影基準面の標高を 0 m，撮影基線方向の隣接空中写真間の重複度を 60% とするとき，撮影基線長は幾らか。最も近いものを次の中から選べ。

　　ただし，画面短辺が撮影基線と平行とする。

　　なお，関数の値が必要な場合は，巻末の関数表を使用すること。

1．　720m
2．1,080m
3．1,250m
4．1,800m
5．1,870m

■■■ **解　説** ■■■

　本問は，空中写真の撮影基線長を求める問題である。

① デジタル航空カメラは，撮影コース数を少なくするため，画面短辺が航空機の進行方向に平行となるように設置されているので，撮影基線長方向の画面サイズは，

$$4_{μm} \times 15,000 = 4 \times 100 \text{ cm} \times 10^{-6} \times 15,000 = 4 \times 100\text{cm} \times 0.000001 \times 15,000$$
$$= 6 \text{ cm}　となる。$$

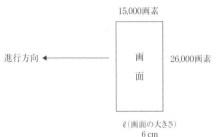

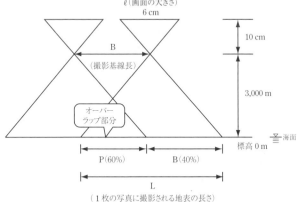

（1枚の写真に撮影される地表の長さ）

② 本問の空中写真の縮尺は，

$$\frac{1}{M} = \frac{f}{H} から，\quad \frac{1}{M} = \frac{10\ cm}{3,000\ m} = \frac{0.1\ m}{3,000\ m} = \frac{1}{30,000}$$

∴ M = 30,000（ただし，M：縮尺の分母数）

③ ここで，撮影基線長は，B = M × ℓ（1 − P/100）により求めることができるから（ただし，B：撮影基線長の実長，M：縮尺の分母数，ℓ：画面の大きさ，P：オーバーラップ），

B = M × 6 cm × 0.4（※ 1 − P/100 から 1 − 60/100 = 40/100 = 0.4）

= 30,000 × 0.06 m × 0.4 = **720 m** となる。

したがって，**肢1**が最も近い。

正解 ▶ 1

📖 参考・別解 ━━━━━━━━━━━━━━━━━━━━━━

図より相似の関係が成立するから，次式が成り立つ。

（L：1枚の写真に投影される地表の長さ）

0.06 m：0.1 m = L：3,000 m

∴ L = 1,800 m

1,800 × 0.4 = 720 m

5．比高による写真像のずれ

No. 146　　画面距離 10cm，撮像面での素子寸法 10 μm のデジタル航空カメラを用いて，対地高度 2,000m から平たんな土地について，鉛直下に向けて空中写真を撮影した。空中写真には，東西方向に並んだ同じ高さの二つの高塔 A，B が写っている。地理院地図上で計測した高塔 A，B 間の距離が 800m，空中写真上で高塔 A，B の先端どうしの間にある画素数を 4,200 画素とすると，この高塔の高さは幾らか。最も近いものを次の中から選べ。

　　ただし，撮影コースは南北方向とする。

　　また，高塔 A，B は鉛直方向にまっすぐに立ち，それらの先端の太さは考慮に入れないものとする。

　　なお，関数の値が必要な場合は，巻末の関数表を使用すること。

1．40m
2．53m
3．64m
4．84m
5．95m

■■■ 解　説 ■■■

　本問は，空中写真の撮影基準面での地上画素寸法より，高塔の高さを求める問題である。

　① 地上画素寸法は，撮像面の素子寸法が縮尺に応じて対応する地上での長さである。

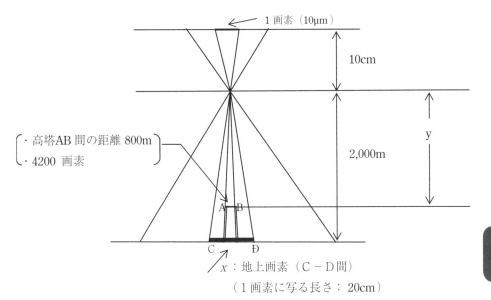

1 画素（10μm）

10cm

y

2,000m

・高塔AB 間の距離 800m
・4200 画素

A B

C D

x：地上画素（C − D 間）

（1画素に写る長さ： 20cm）

画面距離 10cm，1 画素 10μm のデジタル航空カメラで対地高度 2,000m で撮影した場合の地上画素寸法を求めると，相似の関係より次式が成立する。

10μm：0.1m ＝ x：2,000m　（x は地上画素寸法）

0.1m × x ＝ 2,000m × 10 × 10⁻⁶ m

∴　x ＝ 0.2m

② 高塔間の距離は 800m，画素数は 4200 画素であるから，高塔間の地上画素寸法は，800m ÷ 4200 画素 ≒ 0.1905m である。

高塔までの撮影高度を y m とすると，相似の関係より次式が成立する。

2000m：0.2 m ＝ y：0.1905m

∴　　y ＝ 1,905m

高塔の高さは，2000m − 1,905m ＝ **95m** となる。

したがって，**肢5** が最も近い。

正解 ▶ 5

5．比高による写真像のずれ

No. 147　航空カメラを用いて，海面からの撮影高度 1,900 m で標高 100 m の平たんな土地を撮影した鉛直空中写真に，鉛直に立っている直線状の高塔が写っていた。図のように，この高塔の先端は主点Ｐから 70.0 mm 離れた位置に写っており，高塔の像の長さは 2.8 mm であった。

　この高塔の高さは幾らか。最も近いものを次の中から選べ。

　なお，関数の値が必要な場合は，巻末の関数表を使用すること。

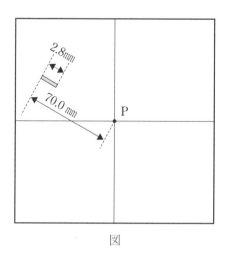

図

1．68 m
2．72 m
3．76 m
4．80 m
5．84 m

■ 解　説 ■

　本問は，比高による写真像のずれから高塔の高さを計算する問題である。

① 高塔の高さは，次式により求められる。

$$h = \frac{dr}{r}H$$ で与えられる。

　　　　　　（ただし，h：高塔の高さ，

　　　　　　　　　　dr：高塔の写真上の長さ，

　　　　　　　　　　　r：写真の鉛直点（鉛直写真では主点）から塔の

　　　　　　　　　　　　先端までの写真上の長さ，

　　　　　　　　　　　H：撮影高度）

② 航空カメラを用いて撮影した空中写真は，海面からの撮影高度 1,900 m で，標高
100 m の平たんな土地を撮影しているから，土地の撮影高度は，

　　　　H = 1,900 m − 100 m = 1,800 m である。

③ r = 70.0 mm，dr = 2.8 mm，H = 1,800 m を①の式に代入すると，

$$h = \frac{2.8\,\text{mm}}{70.0\,\text{mm}} \times 1,800\,\text{m}$$

$$= 0.04 \times 1,800\,\text{m}$$

$$= \mathbf{72\,m}$$

したがって，**肢 2** が最も近い。

第 5 章

写真測量

正解 ▶ 2

5. 比高による写真像のずれ　269

5．比高による写真像のずれ

No. 148　図のように，航空カメラを用いて，1,800 m の高度から撮影した鉛直空中写真に，鉛直に立っている直線状の高塔が長さ 9.5 mm で写っていた。この高塔の先端は，主点 P から 7.6 cm 離れた位置に写っていた。この高塔の立っている地表面の標高を 0 m とした場合，高塔の高さは幾らか。最も近いものを次の中から選べ。

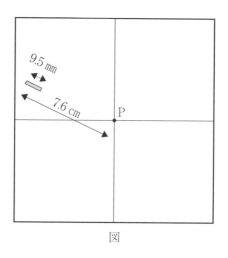

図

1．　53 m
2．136 m
3．178 m
4．225 m
5．271 m

本問は，比高による写真像のずれから高塔の高さを計算する問題である。
高塔の高さは，次式により求められる。

$$h = \frac{dr}{r}H \quad \text{で与えられる。}$$

（ただし，h：高塔の高さ，
dr：高塔の写真上の長さ，
r：写真の鉛直点（鉛直写真では主点）から塔の
　　先端までの写真上の長さ，
H：撮影高度）

r = 7.6 cm，dr = 9.5 mm，H = 1,800 m のとき，

$$h = \frac{9.5 \text{ mm}}{7.6 \text{ cm}} \times 1,800 \text{ m}$$

$$= \frac{9.5 \text{ mm} \times 1,800 \text{ m}}{7.6 \text{ cm}} \quad (\text{※単位を cm に揃える})$$

$$= \frac{0.95 \times 180,000}{7.6} \text{ cm} = \frac{95 \times 1,800}{7.6} \text{ cm}$$

$$= 22,500 \text{ cm} = \textbf{225m}$$

したがって，**肢 4** が最も近い。

正解 ▶ 4

6. 空中写真の特性

No. 149　次の文は，数値空中写真を正射変換し位置情報を付与した正射投影画像データ（以下「オルソ画像という。）の特徴について述べたものである。正しいものはどれか。次の中から選べ。

1．オルソ画像は，正射投影されているため実体視に用いることができない。
2．オルソ画像は，画像上で距離を計測することができない。
3．フィルム航空カメラで撮影された写真からは，オルソ画像を作成することができない。
4．オルソ画像は，画像上で土地の傾斜を計測することができる。
5．オルソ画像は，起伏が大きい場所より平坦な場所の方が地形の影響によるひずみが生じやすい。

■ 解 説 ■

　本問は，正射投影画像データ（オルソ画像）の特徴に関する問題である。
1．**正しい。** オルソ画像は，対象物の位置関係を正確に平面上に正射投影（正射変換）したものである。そのため，オーバーラップしていても実体視することはできない。
2．**間違い。** オルソ画像は，正射投影されたものであるから，地形図と同様に図上で距離を計測することができる（作業規程の準則解説と運用）。
3．**間違い。** オルソ画像は，空中写真の土地の起伏によるずれや，撮影した時のカメラの傾きなどを修正して正射変換したものである。フィルム航空カメラで撮影された画像も，スキャナで光学的に読みとりデジタル化することにより，オルソ画像を作成することができる（作業規程の準則第310条）。
4．**間違い。** オルソ画像は，空中写真の土地の起伏によるずれや，撮影した時のカメラの傾きなどを修正して正射変換したものである（第322条）から，地形図のように等高線の表示はない。したがって，画像上で土地の傾斜の計測はできない。
5．**間違い。** オルソ画像は，空中写真の土地の起伏によるずれやひずみ等を修正したのもである。したがって，平たんな場所より起伏の激しい場所のほうが，地形の影響によるひずみが生じやすい。

　したがって，**肢1**が正解となる。

正解▶ 1

6. 空中写真の特性

No. 150　次の文は，公共測量における空中写真測量で用いる GNSS/IMU 装置について述べたものである。　ア 〜 エ に入る語句の組合せとして最も適当なものはどれか。次の中から選べ。

　空中写真測量とは，空中写真を用いて数値地形図データを作成する作業のことをいう。空中写真の撮影に際しては，GNSS/IMU 装置を用いることができる。GNSS は，人工衛星を使用して　ア　を計測するシステムのうち，　イ　を対象とすることができるシステムであり，IMU は，慣性計測装置である。空中写真測量においてGNSS/IMU 装置を用いた場合，GNSS 測量機と IMU でカメラの　ウ　を，IMUでカメラの　エ　を同時に観測することができる。これにより，空中写真の外部標定要素を得ることができ，後続作業の時間短縮や効率化につながる。

	ア	イ	ウ	エ
1.	現在位置	全地球	位置	傾き
2.	衛星位置	全地球	傾き	位置
3.	現在位置	日本	傾き	傾き
4.	現在位置	全地球	傾き	位置
5.	衛星位置	日本	位置	傾き

■■■ **解　説** ■■■

　本問は，空中写真測量で用いる GNSS/IMU 装置に関する問題である。

　空中写真測量とは，数値写真を用いて数値地形図データを作成する作業のことをいう。数値写真の撮影に際しては，GNSS/IMU 装置を用いることができる。GNSS は，人工衛星を使用して **ア．現在位置** を計測するシステムのうち，**イ．全地球** を対象とすることができるシステムであり，IMU は，慣性計測装置である。空中写真測量において GNSS/IMU 装置を用いた場合，GNSS 測量機と IMU でカメラの **ウ．位置** を，IMU でカメラの **エ．傾き** を同時に観測することができる。これにより，空中写真の外部標定要素を得ることができ，後続作業の時間短縮や効率化につながる（作業規程の準則第 183 条 1 項 3 号，解説と運用）。

　したがって，**肢 1** の組合せが最も適当である。

正解 ▶ 1

7．空中写真測量

No. 151　　次のa～eの文は，空中写真測量の特徴について述べたものである。明らかに間違っているものだけの組合せはどれか。次の 1 ～ 5 の中から選べ。

a．起伏のある土地を撮影した空中写真は，同じ大きさの地物でも標高の違いにより空中写真に写る大きさが異なる。

b．撮影高度以外の撮影条件が一定ならば，撮影高度が高いほど，地上画素寸法は小さくなる。

c．画面距離以外の撮影条件が一定ならば，画面距離が短いほど，1枚の空中写真に写る地上の範囲は大きくなる。

d．空中写真はレンズの中心を投影中心とする中心投影像であり，鉛直点から離れるほど，高塔や高層建物などの高いものが鉛直点を中心として内側に倒れ込んだように写る。

e．平たん地を撮影する場合，撮影高度，画面距離及び撮像面での素子寸法が一定ならば，カメラの画面の大きさが異なっていても，地上画素寸法は変わらない。

1．a，c
2．a，d
3．b，d
4．b，e
5．c，e

■■■ 解 説 ■■■

本問は，空中写真測量の特徴に関する問題である。

a．**正しい。**飛行機から一定の高度で撮影すれば，高低差がある土地の撮影は，その起伏により撮影高度が異なる。地上画素寸法は，撮影面の素子寸法を縮尺倍したものであるから，撮影高度が異なれば地上画素寸法は異なる。そのため，同じ大きさの地物でも空中写真の写る大きさに違いが生じる。

b．**間違い。**撮影高度以外の撮影条件が一定である場合に，撮影高度が高ければ，写真に写る地上の範囲もそれだけ大きくなる（L2＞L1）（図1）。地上画素寸法は，撮影面の素子寸法を縮尺倍したものであるから，対地高度が上がれば大きくなる。

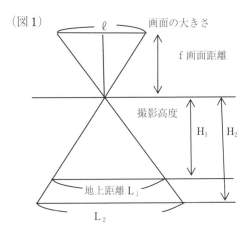

（図1）

ℓ ── 画面の大きさ

f 画面距離

撮影高度

H_1　H_2

地上距離 L_1

L_2

ｃ．正しい。 撮影条件が同一で，画面距離のみが異なるカメラを比較した場合（図1），$H_1 = H_2 = H$ であるから，$m_1 = \dfrac{H}{f_1}$，$m_2 \dfrac{H}{f_2} =$ より，$m_1 > m_2$

∴　$L_1 > L_2$ となる。

　したがって，空中写真の縮尺倍したものが，一枚の空中写真に写る地上の範囲となるので，縮尺が大きい画面距離の短いカメラを使用した方が長いカメラを使用した場合に比べて一枚の空中写真に写る地上の範囲は広くなる。

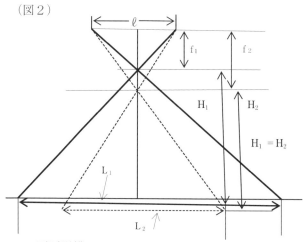

（図2）

ℓ

f_1　f_2

H_1　H_2

$H_1 = H_2$

L_1

L_2

f_1, f_2：画面距離
$H_1 = H_2$：撮影高度
L_1, L_2：地上距離

d. 間違い。高塔や高層建物などのような比高（高低差）のある物体の写真像は，鉛直点（写真の中心）を中心にして放射状に写る（図3）（作業規程の準則解説と運用）。

鉛直点

（図3）

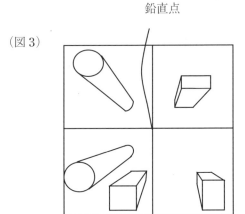

e. 正しい。カメラの画面の大きさと撮像面での素子寸法とは直接の関係はない。したがって，地上画素寸法は，撮影面の素子寸法を縮尺倍したものであるから，撮影高度，画面距離及び撮像面での素子寸法が一定ならば，平たん地を撮影する場合，地上画素寸法は変わらない。

※なお，「平たん地を撮影する場合」という断りがあるのは，肢aとも関連するが，平たん地以外は撮影高度が一定でないため地上画素寸法がそれに応じて変わってしまうからである。

したがって，明らかに間違っているものは**b，d**であり，その組合せは**肢3**である。

正解 ▶ 3

7. 空中写真測量

No. 152　　次のa～eの文は，空中写真測量の特徴について述べたものである。明らかに間違っているものだけの組合せはどれか。次の中から選べ。

a．現地測量に比べて，広域な範囲の測量に適している。

b．高塔や高層建物は，空中写真の中心に向かって倒れこむように写る。

c．同一撮影条件において，画面距離のみが異なるカメラを比較した場合，画面距離の短いカメラを使用した方が一枚の空中写真に写る地上の範囲は広くなる。

d．デジタル航空カメラで撮影した場合，対地高度が下がるほど，地上画素寸法は大きくなる。

e．空中写真に写る地物の形状，大きさ，色調，模様などから，土地利用の状況を知ることができる。

1．a，c

2．a，e

3．b，d

4．b，e

5．c，d

第5章

写真測量

■■■ 解 説 ■■■

　本問は，空中写真測量の特徴に関する問題である。

a．正しい。 空中写真測量は，飛行機から短時間に広い範囲を一定の精度により測量できる。現地測量に比べて，広域な範囲の測量が可能であり，地形の変化や交通渋滞に左右されないという長所がある（作業規程の準則解説と運用）。

b．間違い。 高塔や高層建物などのような比高（高低差）のある物体の写真像は，鉛直点（写真の中心）を中心にして放射状に写る（解説と運用）。

c．正しい。 ①航空機より撮影された鉛直空中写真は，カメラの撮影面を空中写真の縮尺倍したものが，撮影基準面に写る範囲（一枚の空中写真に写る地上の範囲）となる。

　　②　写真縮尺 1/m は，比例の関係より次式が成り立つ。

$$\frac{1}{m} = \frac{f}{H} = \frac{\ell}{L}$$

　　　但し，$\frac{1}{m}$：写真縮尺　　f：カメラの画面距離　　H：撮影高度

　　　　　ℓ：写真上の距離　　L：地上距離

$$\frac{1}{m} = \frac{f}{H}$$ より，$m = \frac{H}{f}$ となる。

③　撮影条件が同一で，画面距離のみが異なるカメラを比較した場合（図1），

$H_1 = H_2 = H$ であるから，$m_1 = \dfrac{H}{f_1}$，$m_2 = \dfrac{H}{f_2}$ より，

$m_1 > m_2$，∴　$L_1 > L_2$ となる。

したがって，空中写真の縮尺倍したものが，一枚の空中写真に写る地上の範囲となるので，縮尺が大きい画面距離の短いカメラを使用した方が長いカメラを使用した場合に比べて一枚の空中写真に写る地上の範囲は広くなる。

d．間違い。 撮影高度以外の撮影条件が一定である場合に，（撮影高度）が低ければ，写真に写る地上の範囲もそれだけ小さくなる（$L_2 > L_1$）。（図2）地上画素寸法は，撮影面の素子寸法を縮尺倍したものであるから，対地高度が下がれば小さくなる。

e．正しい。 空中写真に写っている地形の形状，色調，階調，大きさ，模様などから，それが何かを判定することができ，当該土地の利用状況を知ることができる（写真判読）。

（図1）　　　　　　　　　　　　　　　　　　　　（図2）

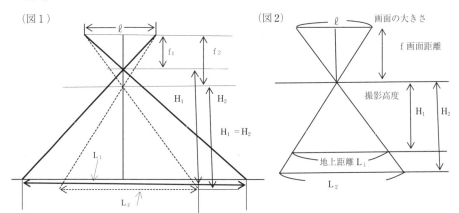

f_1，f_2，：画面距離
$H_1 = H_2$：撮影高度
L_1，L_2：地上距離

したがって，明らかに間違っているものは**b**，**d**であり，その組合せは**肢3**である。

7. 空中写真測量

No. 153　次の文は，空中写真測量の特徴について述べたものである。明らかに間違っているものはどれか。次の中から選べ。

1. 撮影高度及び画面距離が一定ならば，航空カメラの撮像面での素子寸法が大きいほど，撮影する空中写真の地上画素寸法は小さくなる。
2. 高塔や高層建物は，空中写真の鉛直点を中心として外側へ倒れこむように写る。
3. 他の撮影条件が一定ならば，山頂部における地上画素寸法は，その山の山麓部におけるそれより小さくなる。
4. 空中写真に写る地物の形状，大きさ，色調，模様などから，土地利用の状況を知ることができる。
5. 自然災害時に空中写真を撮影することで，迅速に広範囲の被災状況を把握することができる。

解　説

　本問は，空中写真測量の特徴に関する問題である。
1. **間違い**。地上画素寸法は，撮像面の素子寸法が縮尺に応じて対応する地上での長さである。すなわち，撮像面の素子寸法を縮尺倍したものが地上画素寸法になる。したがって，航空カメラの撮像面での素子寸法が大きいほど，撮影する空中写真の地上画素寸法は大きくなる。
2. **正しい**。高塔や高層建物などのような比高（高低差）のある物体の写真像は，鉛直点（写真の中心）を中心にして放射状に写る（図1）（作業規程の準則解説と運用）。

鉛直点

（図1）

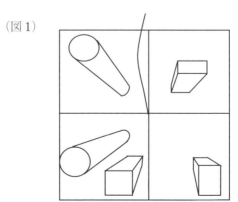

3．正しい。 撮影高度以外の撮影条件が一定である場合に，撮影高度が高ければ，写真に写る地上の範囲もそれだけ広く写る（L2 ＞ L1）。（図 2）したがって，山頂部は山麓部より撮影高度が低いので，写真に写る地上の範囲もそれだけ狭く写る。そのため，山頂部における地上画素寸法は，山麓部における地上画素寸法より小さくなる。

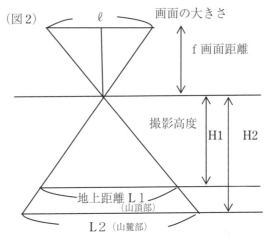

4．正しい。 空中写真に写っている地形の形状，色調，階調，大きさ，模様などから，それが何かを判定することができ，当該土地の利用状況を知ることができる（写真判読）。

5．正しい。 空中写真測量は，飛行機から短時間に広い範囲を一定の精度により測量できる。現地測量に比べて，地形の変化や交通渋滞に左右されないという長所がある（作業規程の準則解説と運用）。そのため，自然災害時において迅速に広範囲の被災状況を把握することができる。

したがって，**肢 1** が間違っている。

出題年度　R01

7. 空中写真測量

No. 154　次のa～eの文は，空中写真測量の特徴について述べたものである。明らかに間違っているものだけの組合せはどれか。次の中から選べ。

a．現地測量に比べて，広域な範囲の測量に適している。

b．空中写真に写る地物の形状，大きさ，色調，模様などから，土地利用の状況を知ることができる。

c．他の撮影条件が同一ならば，撮影高度が高いほど，一枚の空中写真に写る地上の範囲は狭くなる。

d．高塔や高層建物は，空中写真の鉛直点を中心として放射状に倒れこむように写る。

e．起伏のある土地を撮影した場合でも，一枚の空中写真の中では地上画素寸法は一定である。

1．a，c
2．a，d
3．b，d
4．b，e
5．c，e

本問は，空中写真測量の特徴に関する問題である。

a．正しい。空中写真測量は，飛行機から短時間に広い範囲を一定の精度により測量できる。現地測量に比べて，地形の変化や交通渋滞に左右されないという長所がある（作業規程の準則解説と運用）。

b．正しい。空中写真に写っている地形の形状，色調，階調，大きさ，模様などから，それが何かを判定することができ，当該土地の利用状況を知ることができる（写真判読）。

c．間違い。撮影高度以外の撮影条件が一定である場合に，撮影高度が高ければ，写真に写る地上の範囲もそれだけ広く写る（L2＞L1）。（図1）

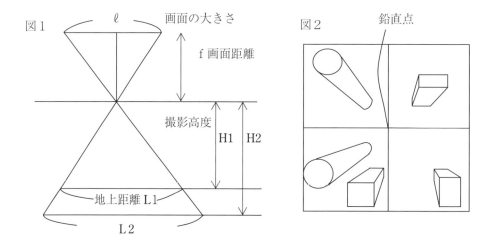

d．正しい。高塔や高層建物などのような比高（高低差）のある物体の写真像は，鉛直点（写真の中心）を中心にして放射状に写る（解説と運用）。（図2）

e．間違い。飛行機から一定の高度で撮影すれば，高低差がある土地の撮影は，その起伏により撮影高度が異なる。地上画素寸法は，撮影面の素子寸法を縮尺倍したものであるから，撮影高度が異なれば地上画素寸法は異なる。

したがって，間違っているものは**c，e**であり，その組合せは**肢5**である。

正解▶5

7．空中写真測量

No. 155　次の文は，空中写真測量の特徴について述べたものである。明らかに間違っているものはどれか。次の中から選べ。

1．現地測量に比べて，広い範囲を一定の精度で測量することができる。

2．起伏のある土地を撮影した場合でも，同一写真の中ではどこでも地上画素寸法が同じになる。

3．他の撮影条件が一定ならば，撮影高度が高いほど，一枚の写真に写る地上の範囲は広くなる。

4．高塔や高層建物は，写真の鉛直点を中心として放射状に広がるように写る。

5．空中写真に写る地物の形状，大きさ，色調，模様などから，土地利用の状況を知ることができる。

　本問は，空中写真測量の特徴に関する問題である。

1．正しい。 空中写真測量は，飛行機から短時間に広い範囲を一定の精度により測量できる。現地測量に比べて，地形の変化や交通渋滞に左右されないという長所がある（作業規程の準則解説と運用）。

2．間違い。 飛行機から一定の高度で撮影すれば，高低差がある土地の撮影は，その起伏により撮影高度が異なる。地上画素寸法は，撮影面の素子寸法を縮尺倍したものであるから，撮影高度が異なれば地上画素寸法は異なる。

3．正しい。 撮影高度以外の撮影条件が一定である場合に，撮影高度が高ければ，写真に写る地上の範囲もそれだけ広くなる（L2＞L1）。（図1）

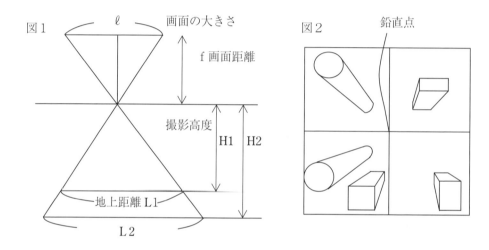

4．正しい。 高塔や高層建物などのような比高（高低差）のある物体の写真像は，鉛直点（写真の中心）を中心にして放射状に写る（解説と運用）。（図2）

5．正しい。 空中写真に写っている地形の形状，色調，階調，大きさ，模様などから，それが何かを判定することができ，当該土地の利用状況を知ることができる（写真判読）。

　したがって，**肢2**が間違っている。

正解 ▶ 2

No. 156　　次の文は，夏季に航空カメラで撮影した空中写真の判読結果について述べたものである。明らかに間違っているものはどれか。次の中から選べ。

1. 道路に比べて直線又は緩やかなカーブを描いており，淡い褐色を示していたので，鉄道と判読した。
2. 山間の植生で，比較的明るい緑色で，樹冠が丸く，それぞれの樹木の輪郭が不明瞭だったので，針葉樹と判読した。
3. 水田地帯に，適度の間隔をおいて高い塔が直線状に並んでおり，塔の間をつなぐ線が見られたので，送電線と判読した。
4. 丘陵地で，林に囲まれた長細い形状の緑地がいくつも隣接して並んでいたので，ゴルフ場と判読した。
5. 耕地の中に，緑色の細長い筋状に並んでいる列が何本もみられたので，茶畑と判読した。

第5章

写真測量

■■■ **解　説** ■■■

　本問は，航空カメラで撮影した空中写真の判読に関する問題である。

　写真判読とは，目標物を地形図に記号化し表示するため，空中写真に写っている形状，色調，階調などから，それが何かを判定する作業をいう。

1. **正しい**。道路に比べて直線又は緩やかなカーブを描いており，淡い褐色を示していれば，鉄道と判読する。
2. **間違い**。山間の植生で，比較的明るい緑色で，樹冠（木の形状）が丸く，それぞれの樹木の輪郭が不明瞭であれば，広葉樹と判読する。針葉樹は，全体的に黒い色調で，とがった樹冠がみられる。
3. **正しい**。水田地帯に，適度の間隔をおいて高い塔が直線上に並んでおり，塔の間をつなぐ線が見られれば，送電線と判読する。
4. **正しい**。丘陵地で，林に囲まれた長細い形状の緑地がいくつも隣接して並んでいれば，ゴルフ場と判読する。
5. **正しい**。耕地の中に，緑色の細長い筋状に並んでいる列が何本も見られれば，茶畑と判読する。

　したがって，**肢2**が間違っている。

正解 ▶ 2

9. 写真地図の特徴

No. 157　次のa～eの文は，公共測量における写真地図作成について述べたものである。明らかに間違っているものだけの組合せはどれか。次の中から選べ。

a．正射変換とは，数値写真を中心投影から正射投影に変換し，正射投影画像を作成する作業をいう。

b．写真地図は，図上で水平距離を計測することができる。

c．ブレークライン法により標高を取得する場合，なるべく段差の小さい斜面等の地性線をブレークラインとして選定する。

d．使用する数値写真は，撮影時期，天候，撮影コースと太陽位置との関係などによって現れる色調差や被写体の変化を考慮する必要がある。

e．モザイクとは，隣接する中心投影の数値写真をデジタル処理により結合する作業をいう。

1．a，c
2．a，d
3．b，d
4．b，e
5．c，e

本問は，公共測量における写真地図作成に関する問題である。

a．**正しい**。正射変換とは，数値写真を中心投影から正射投影に変換し，正射投影画像を作成する作業をいう（作業規程の準則第322条）。

b．**正しい**。写真地図は，正射投影されたものであるから，地形図と同様に図上で距離を計測することができる（作業規程の準則解説と運用）。

c．**間違い**。写真地図は空中写真の土地の起伏によるずれやひずみ等を修正して，地名等の必要情報を盛り込み地図の代わりとしたものである。この作成における標高の取得方法としては，等高線法やブレークライン法などがある。

　ブレークライン法によりブレークラインを選定する位置は，段差の大きい人工斜面，被覆等の地性線等を選定する（第317条3項1号〜5号）。

d．**正しい**。使用する数値写真は，撮影時期，天候，撮影コースと太陽位置との関係等によって現れる色調差や被写体の変化を考慮して用いる（第315条2項）。

e．**間違い**。モザイクは，隣接する写真地図の重複部分を利用して位置合わせと色合わせを行った後，隣接する写真地図を集成することをいう（第325条，解説と運用）。

したがって，間違っているものは**c**，**e**であり，その組合せは**肢5**である。

正解 ▶ 5

9．写真地図の特徴

重要度 A

No. 158　次のa～eの文は，写真地図について述べたものである。明らかに間違っているものだけの組合せはどれか。次の中から選べ。

ただし，注記など重ね合わせるデータはないものとする。

a．写真地図は，図上で水平距離を計測することができない。

b．写真地図は，図上で土地の傾斜を計測することができない。

c．写真地図は，写真地図データファイルに位置情報が付加されていなくても，位置情報ファイルがあれば地図上に重ね合わせることができる。

d．写真地図は，正射投影されているので，隣接する写真が重複していれば実体視することができる。

e．写真地図には，平たんな場所より起伏の激しい場所の方が，標高差の影響によるゆがみが残りやすい。

1．a，c

2．a，d

3．b，d

4．b，e

5．c，e

本問は，写真地図の特徴に関する問題である。

a．間違い。 写真地図は，正射投影されたものであるから，地形図と同様に図上で距離を計測することができる（作業規程の準則解説と運用）。

b．正しい。 写真地図の作成は，正射投影法により行う。写真地図は，空中写真の土地の起伏によるずれや，撮影した時のカメラの傾きなどを修正して正射変換したものであるから，地形図のように等高線の表示はない。したがって，図上で土地の傾斜を計測することはできない。

c．正しい。 写真地図は，空中写真の中心投影画像のゆがみを補正して正射投影画像にしたものであり，位置情報を付与できるようにしたものである。したがって，写真地図データファイルに位置情報が付加されていなくても，位置情報ファイルがあれば地図上に重ね合わせることができる。

d．間違い。 写真地図は，中心投影でなく正射投影されたものであるから，オーバーラップしていても実体視することはできない。

e．正しい。 写真地図は，空中写真の土地の起伏によるずれやひずみ等を修正したものである。したがって，平たんな場所より起伏の激しい場所の方が，標高差の影響によるゆがみが残りやすい。

したがって，間違っているものはa，dであり，組み合わせは**肢2**である。

第5章

写真測量

正解 ▶ 2

No. 159 図は，公共測量における写真地図（数値空中写真を正射変換した正射投影画像（モザイクしたものを含む。））作成の標準的な作業工程を示したものである。 ア ～ エ に入る工程別作業区分の組合せとして最も適当なものはどれか。次の中から選べ。

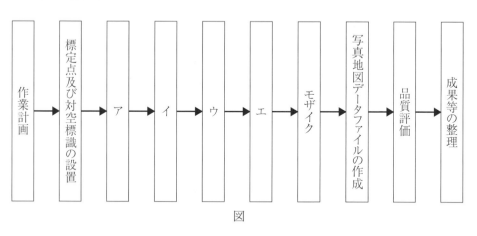

図

	ア	イ	ウ	エ
1.	撮影	同時調整	数値地形モデルの作成	正射変換
2.	同時調整	数値地形モデルの作成	正射変換	現地調査
3.	撮影	同時調整	正射変換	数値地形モデルの作成
4.	同時調整	撮影	数値地形モデルの作成	正射変換
5.	撮影	数値地形モデルの作成	現地調査	正射変換

■■■ **解 説** ■■■

本問は，写真地図作成の標準的な作業工程に関する問題である。

写真地図作成の標準的作業工程は，次のとおりである（作業規程の準則第 312 条）。

(1) 作業計画

(2) 標定点の設置

(3) 対空標識の設置

(4) **撮影**（ア）

(5) **同時調整**（イ）

(6) **数値地形モデルの作成**（ウ）

(7) **正射変換**（エ）

(8) モザイク

(9) 写真地図データファイルの作成

(10) 品質評価

(11) 成果等の整理

したがって，**肢 1** の語句の組合せが最も適当である。

正解 ▶ 1

重要度 A

11. 航空レーザ測量

No. 160　　次のa～cの文は，公共測量における航空レーザ測量の欠測率について述べたものである。　ア　及び　イ　に入る語句又は数値の組合せとして最も適当なものはどれか。次の1～5の中から選べ。

なお，関数の値が必要な場合は，巻末の関数表を使用すること。

a. 「欠測」とは，点群データを格子間隔で区切り，一つの格子内に点群データがない場合をいう。

b. 欠測率は，対象面積に対する欠測の割合を示すものであり，欠測率＝（欠測格子数／格子数）× 100 で求めるものとする。なお，欠測率の計算対象に，水部　ア　ものとする。

c. 800m × 600m の範囲において，計画する格子間隔が1 m になるように計測した点群データがある。この範囲内に水部はなく，点群データがない格子の個数を数えたところ，36,000 であった。この範囲における欠測率として最も近い値は　イ　％である。

	ア	イ
1.	は含まない	7.0
2.	は含まない	7.5
3.	は含まない	8.1
4.	も含む	7.0
5.	も含む	7.5

第5章

写真測量

　本問は，公共測量における航空レーザ測量の欠測率を求める問題である。

(1)　欠測率の計算は，主に航空機の揺動による計測量の粗密が生じてないかを点検するために行われる。

　　欠測率の計算は，計画する格子間隔を単位とし，点群データの欠測の割合を算出して求められる。

(2)　欠測とは，点群データを格子間隔で区切り，1つの格子内に点群データがない場合をいうが，水部は含まない。よって，欠測率の計算対象に，水部 ア. は含まない 。

(3)　欠測率は，対象面積に対する欠測の割合を示すものであるから，次の計算式により求められる（以上，作業規程の準則第 555 条）。

　　欠測率＝（欠測格子数／格子数）× 100

(4)　本問の全格子数は，800m × 600m の範囲において，計画する格子間隔が 1 m であるから，800 × 600 ÷ 1 = 480,000 個である。この範囲内に水部はなく，点群データがない格子の個数は 36,000 であったのであるから，

　　欠測率＝（36,000/480,000）× 100 ≒ 7.5％となる。

　　したがって，この範囲における欠測率として最も近い値は イ. 7.5 ％である。

　　したがって，**肢2**の組合せが最も適当である。

正解 ▶ 2

11. 航空レーザ測量

No. 161 　次の文は，公共測量における航空レーザ測量について述べたものである。明らかに間違っているものはどれか。次の中から選べ。

1．グラウンドデータとは，オリジナルデータから，地表面以外のデータを取り除くフィルタリング処理を行い作成した，地表面の三次元座標データである。

2．航空レーザ測量では，主に近赤外波長のレーザ光を用いているため，レーザ計測で得られるデータは雲の影響を受けない。

3．対地高度以外の計測諸元が同じ場合，対地高度が高くなると，取得点間距離は長くなる。

4．航空レーザ測量システムは，GNSS/IMU 装置，レーザ測距装置及び解析ソフトウェアから構成される。

5．フィルタリング及び点検のために撮影する数値写真は，航空レーザ計測と同時期に撮影する。

本問は，公共測量における航空レーザ測量に関する問題である。

1．正しい。 グラウンドデータとは，取得したレーザ測距データから，地表面以外の
データを取り除くフィルタリング処理を行い作成した，地表面の三次元座標データ
である（作業規程の準則第 382 条 1 項）。

2．間違い。 航空レーザ測量は，航空機から指向性の高いレーザ光線を照射しなが
ら標高を計測するため，天候条件としては降雨や降雪あるいは濃霧によりレーザ
が反射するなどの影響を受ける。また，雲が航空機より下にある場合にもデータ取
得に影響を受ける。しかし，曇天でも雲が航空機より上空にある場合には，計測が
可能である（解説と運用）。

3．正しい。 撮影高度以外の撮影条件が一定である場合に，撮影高度が高ければ，
写真に写る地上の範囲もそれだけ広く写るため，取得間距離は長くなる（L2 ＞
L1）。

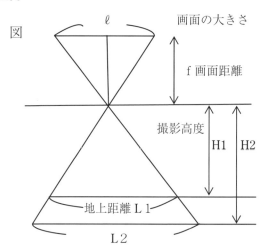

4．正しい。 航空レーザ測量システムは，GNSS/IMU 装置，レーザ測距装置及び解
析ソフトウェアから構成される（第 542 条 1 項）。

5．正しい。 航空レーザ用数値写真は，空中から地表を撮影した画像データであり，
フィルタリング及び点検のために取得し，航空レーザ計測と同時期に撮影すること
が標準とされている（第 544 条 1 項，2 項 1 号）。

したがって，**肢 2** が間違っている。

正解 ▶ 2

11. 航空レーザ測量

No. 162 　　公共測量における航空レーザ測量において，格子状の標高データである数値標高モデルを格子間隔 1m で作成する計画に基づき航空レーザ計測を行い，点群データを作成した。図は得られた点群データの一部範囲の分布を示したものである。この範囲における欠測率は幾らか。最も近いものを次の中から選べ。

　なお，関数の値が必要な場合は，巻末の関数表を使用すること。

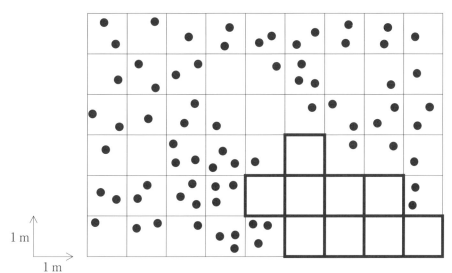

図

凡例

● 点群データ

☐ 水部

1．　7%

2．　9%

3．17%

4．24%

5．29%

本問は，公共測量における航空レーザ測量において，点群データの欠測率を求める問題である。

(1) 欠測率の計算は，主に航空機の揺動による計測量の粗密が生じてないかを点検するために行われる。

欠測率の計算は，計画する格子間隔を単位とし，点群データの欠測の割合を算出して求められる。

(2) 欠測とは，点群データを格子間隔で区切り，1つの格子内に点群データがない場合をいうが，水部は含まない。

(3) 欠測率は，対象面積に対する欠測の割合を示すものであるから，次の計算式により求められる（以上，作業規程の準則第555条）。

欠測率＝（欠測格子数／格子数）×100

(4) 本問の全格子数は，54個である。このうち，水部メッシュ数は9個であり，欠測メッシュ数は4個である。

これにより欠測率＝$\dfrac{4}{54-9} \times 100 \fallingdotseq$ **9%**となる。

したがって，**肢2**が最も近い。

正解 ▶ 2

11. 航空レーザ測量

No. 163　　次の a ～ d の文は，公共測量における航空レーザ測量について述べたものである。

　　ア　～　エ　に入る語句の組合せとして最も適当なものはどれか。次の中から選べ。

a．航空レーザ測量では，　ア　及び点検のための航空レーザ用数値写真を同時期に撮影する。

b．航空レーザ測量システムは，レーザ測距装置，　イ　，解析ソフトウェアなどにより構成されている。

c．グラウンドデータとは，取得したレーザ測距データから，　ウ　以外のデータを取り除く　ア　処理を行い作成した，　ウ　の点群データである。

d．点群データの点検及び補正を行うために　エ　を設置する必要がある。

	ア	イ	ウ	エ
1．	リサンプリング	GNSS/IMU 装置	水面	簡易水準点
2．	フィルタリング	オドメーター	水面	調整点
3．	リサンプリング	オドメーター	地表面	簡易水準点
4．	フィルタリング	GNSS/IMU 装置	地表面	簡易水準点
5．	フィルタリング	GNSS/IMU 装置	地表面	調整点

■ 解　説 ■

　本問は，公共測量における航空レーザ測量に関する問題である。

a． 航空レーザ測量では，**ア．フィルタリング** 及び点検のための航空レーザ用数値写真を同時期に撮影する（作業規程の準則第 544 条 1 項，2 項 1 号）。

b． 航空レーザ測量システムは，レーザ測距装置，**イ．GNSS/IMU 装置**，解析ソフトウェアなどにより構成されている（第 542 条 1 項）。

c． グラウンドデータとは，取得したレーザ測距データから，**ウ．地表面** 以外のデータを取り除く **ア．フィルタリング** 処理を行い作成した，**ウ．地表面** の点群データである（第 559 条 1 項）。

d． 点群データの点検及び補正を行うために **エ．調整点** を設置する必要がある（第 547 条）。

したがって，**肢 5** の組合せが最も適当である。

正解 ▶ 5

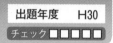

11. 航空レーザ測量

重要度 Ⓐ

No. 164　　次の文は，航空レーザ測量について述べたものである。明らかに間違っているものはどれか。次の中から選べ。

1．航空機からレーザパルスを照射し，地表面や地物で反射して戻ってきたレーザパルスを解析し，地形などを計測する測量方法である。
2．空中写真撮影と同様に，データ取得時に雲の影響を受ける。
3．対地高度以外の計測諸元が同じ場合，対地高度が高くなると，取得点間距離が短くなる。
4．フィルタリング及び点検のための航空レーザ用数値写真を同時期に撮影する。
5．計測したデータには，地表面だけでなく，構造物や植生で反射したデータも含まれる。

■■■　解　説　■■■

本問は，公共測量における航空レーザ測量に関する問題である。
1．**正しい。**航空レーザ測量は，航空機からレーザパルスを照射し，地表面や地物で反射して戻ってきたレーザパルスを解析し，地形・地物の標高を計測する測量方法である（作業規程の準則解説と運用）。
2．**正しい。**航空レーザ測量は，航空機から指向性の高いレーザ光線を照射しながら標高を計測するため，天候条件としては降雨や降雪あるいは濃霧によりレーザが反射するなどの影響を受ける。また，雲が航空機より下にある場合にもデータ取得に影響を受ける。しかし，曇天でも雲が航空機より上空にある場合には，計測が可能である（解説と運用）。
3．**間違い。**航空レーザ計測で取得したデータは，空中から地表を撮影した画像データであるから，対地高度が高くなるにしたがい，取得点間距離は広くなる。
4．**正しい。**航空レーザ用数値写真は，空中から地表を撮影した画像データであり，フィルタリング及び点検のために取得し，航空レーザ計測と同時期に撮影することが標準とされている（作業規程の準則第544条1項，2項1号）。
5．**正しい。**航空レーザ計測で取得したデータには，地表面だけでなく構造物，植生で反射したデータが含まれていることから，フィルタリングを行うことにより，地表面だけの標高データを作成することができる（第559条1項参照）。

したがって，**肢3**が間違っている。

正解▶ 3

11. 航空レーザ測量

No. 165　次の文は，公共測量における航空レーザ測量について述べたものである。明らかに間違っているものはどれか。次の中から選べ。

1．航空レーザ測量は，航空機からレーザパルスを下向きに照射し，地表面や地物に反射して戻ってきたレーザパルスを解析し，地形を計測する測量方法である。
2．航空レーザ測量システムは，レーザ測距装置，GNSS/IMU 装置，解析ソフトウェアなどにより構成されている。
3．航空レーザ測量では，空中写真撮影と同様に，データ取得時に雲の影響を受ける。
4．航空レーザ測量では，GNSS/IMU 装置を用いるため，計測の点検及び調整を行うための基準点を必要としない。
5．グラウンドデータとは，取得したレーザ測距データから，地表面以外のデータを取り除くフィルタリング処理を行い作成した，地表面の点群データである。

■■ 解　説 ■■

本問は，公共測量における航空レーザ測量に関する問題である。

1．**正しい。** 航空レーザ測量は，航空機からレーザパルスを照射し，地表面や地物で反射して戻ってきたレーザパルスを解析し，地形・地物の標高を計測する測量方法である（作業規程の準則解説と運用）。
2．**正しい。** 航空レーザ測量システムは，GNSS/IMU 装置，レーザ測距装置及び解析ソフトウェアより構成される（作業規程の準則第 542 条 1 項）。
3．**正しい。** 航空レーザ測量は，航空機から指向性の高いレーザ光線を照射しながら標高を計測するため，天候条件としては降雨や降雪あるいは濃霧によりレーザが反射するなどの影響を受ける。また，雲が航空機より下にある場合にもデータ取得に影響を受ける。しかし，曇天でも雲が航空機より上空にある場合には，計測が可能である（解説と運用）。
4．**間違い。** 航空レーザ測量では，航空機の位置をキネマティック GNSS 測量で求めるための固定局として，電子基準点を用いることを原則とする（作業規程の準則第 539 条 1 項，3 項）。したがって，計測の点検及び調整を行うための基準点が必要である。
5．**正しい。** グラウンドデータとは，航空レーザ測量システムにより取得したデータから，樹木や建物など地表面以外のデータを取り除くフィルタリング処理を行うことにより作成した，地表面の点群データ（地表面標高データ）である（第559 条 1 項）。

したがって，**肢4**が間違っている。

正解 ▶ 4

No. 166　　次の文は，公共測量における航空レーザ測量について述べたものである。明らかに間違っているものはどれか。次の中から選べ。

1．航空レーザ測量は，航空機からレーザパルスを照射し，地表面や地物で反射して戻ってきたレーザパルスを解析し，地形を計測する測量方法である。
2．航空レーザ測量では，レーザ測距装置，GNSS/IMU 装置などにより構成されたシステムを使用する。
3．航空レーザ測量では，計測データを基にして三次元点群データファイルを作成することができる。
4．航空レーザ測量で計測したデータには，地表面だけでなく，構造物や植生で反射したデータも含まれる。
5．航空レーザ測量では，雲の影響を受けずにデータを取得することができる。

■■■　解　説　■■■

本問は，公共測量における航空レーザ測量に関する問題である。
1．正しい。航空レーザ測量は，航空機からレーザパルスを照射し，地表面や地物で反射して戻ってきたレーザパルスを解析し，地形・地物の三次元計測をする測量方法である（作業規程の準則解説と運用）。
2．正しい。航空レーザ測量システムは，GNSS/IMU 装置，レーザ測距装置及び解析ソフトウェアから構成される（作業規程の準則第 542 条 1 項）。
3．正しい。航空レーザ測量は，航空レーザ測量システムを用いて地形を計測し，格子状の標高データであるグリッドデータ等の三次元点群データファイルを作成する作業であるから，これにより三次元点群データファイルを作成することができる（第 535 条）。
4．正しい。航空レーザ計測で取得したデータには，地表面だけでなく構造物，植生で反射したデータが含まれていることから，フィルタリングを行うことにより，地表面だけの標高データを作成する（第 559 条 1 項参照）。
5．間違い。航空レーザ測量は，航空機から指向性の高いレーザ光線を照射しながら標高を計測するため，天候条件としては降雨や降雪あるいは濃霧によりレーザが反射するなどの影響を受ける。また，雲が航空機より下にある場合には，その影響を受けるためデータを取得できない。しかし，曇天でも雲が航空機より上空にある場合には，計測が可能である（解説と運用）。

したがって，**肢 5** が間違っている。

正解 ▶ 5

11. 航空レーザ測量

No. 167　　　次のa〜eの文は，公共測量における航空レーザ測量について述べたものである。明らかに間違っているものは幾つあるか。次の中から選べ。

a．航空レーザ測量では，水面の状況によらず水部のデータを取得することができる。

b．航空レーザ測量では，計測データを基にして三次元点群データファイルを作成することができる。

c．航空レーザ測量では，GNSS/IMU 装置，レーザ測距装置等により構成されたシステムを使用する。

d．航空レーザ測量では，雲の影響を受けずにデータを取得することができる。

e．航空レーザ測量では，フィルタリング及び点検のための航空レーザ用数値写真を同時期に撮影する。

1．0（間違っているものは1つもない。）
2．1つ
3．2つ
4．3つ
5．4つ

本問は，公共測量における航空レーザ測量に関する問題である。

a．間違い。航空レーザ測量は，航空機から地上に向けてレーザ光線を照射し，地表面や地物で反射した地点の三次元データを取得するものである。航空レーザは，一般に近赤外線が用いられているが，近赤外線は水域での反射率が低く，また水面に植生が繁茂している場合は，レーザ光線が届きにくく，さらに波のない静水面からはレーザ光線の反射がない。そのため，水部のデータ取得には，水面の状況が精度に影響する（作業規程の準則解説と運用）。

b．正しい。航空レーザ測量は，航空レーザ測量システムを用いて地形を計測し，格子状の標高データであるグリッドデータ等の三次元点群データファイルを作成する作業であるから，これにより三次元点群データファイルを作成することができる（作業規程の準則第535条）。

c．正しい。航空レーザ測量システムは，GNSS/IMU装置，レーザ測距装置及び解析ソフトウェアから構成される（第542条1項）。

d．間違い。航空レーザ測量は，航空機から指向性の高いレーザ光線を照射しながら標高を計測するため，天候条件としては降雨や降雪あるいは濃霧によりレーザが反射するなどの影響を受ける。また，雲が航空機より下にある場合には，その影響を受けるためデータを取得できない。しかし，曇天でも雲が航空機より上空にある場合には，計測が可能である（解説と運用）。

e．正しい。航空レーザ用数値写真は，空中から地表を撮影した画像データであり，フィルタリング及び点検のために撮影し，航空レーザ計測と同時期に撮影することが標準とされている（作業規程の準則第544条1項，2項1号）。

したがって，明らかに間違っているものは**a，d**の2つであり，**肢3**が正解である。

第6章 地図編集

No. 168　次の1～5の文は，地図投影法について述べたものである。明らかに間違っているものはどれか。次の1～5の中から選べ。

1．地図投影では，立体である地球の表面を平面で表すため，地図には必ず何らかのひずみが生じる。このため，表現したい地図の目的に応じて投影法を選択する必要がある。

2．正角図法は，地球上と地図上との対応する点において，任意の2方向の夾（きょう）角が等しくなり，ごく狭い範囲での形状が相似となる図法である。

3．ユニバーサル横メルカトル図法は，北緯84°以南，南緯80°以北の地域に適用され，経度幅6°ごとの範囲が一つの平面に投影されている。

4．平面直角座標系（平成14年国土交通省告示第9号）におけるY軸は，座標系原点において子午線に直交する軸とし，真東に向かう方向を正としている。

5．国土地理院の「500万分1日本とその周辺」は，地図主点である東京から方位と距離が正しく表される地図であり，ガウス・クリューゲル図法で地図投影されている。

本問は，地図投影法に関する問題である。

1. **正しい。** 地図投影とは，立体である地球の表面を平面に描くために考えられたものである。曲面にあるものを平面に表現するという性質上，地図の投影にはごく狭い範囲を描く場合を除いて，必ずひずみを生じる。

　　ひずみの要素や大きさは投影法によって異なるため，地図の用途や描く地域，縮尺に応じた最適な投影法を選択する必要がある。

　　例えば，正距方位図法では，地図上の各点において特定の1点からの距離と方位を同時に正しく描くことができる。メルカトル図法では，両極を除いた任意の地点における角度を正しく描くことができる（作業規程の準則解説と運用）。

2. **正しい。** 正角図法は，地球上の任意の2方向に引いた方向線のなす角と，地図上のこれに対する角とが等しくなり，ごく狭い範囲での形状が相似となる。

3. **正しい。** ユニバーサル横メルカトル図法は，地球全体を6°の経度帯（ゾーン）に分割し，北緯84°以南，南緯80°以北に適用され，それぞれのゾーンをガウス・クリューゲル図法で投影する方法である。各経度帯の原点は，赤道上にあり，各図の中央子午線上にある。

4. **正しい。** 平面直角座標系におけるX軸は，座標系原点における子午線（＝経線）に一致する軸であり，座標値は，X座標では，座標系原点より北側（真北に向かう方向）を「正（＋）」としている。一方，平面直角座標系におけるY軸は，座標系原点において座標系のX軸（＝子午線，経線）に直交する軸とし，座標系原点より東側を「正（＋）」としている（平成14年国土交通省告示第9号参照）。

5. **間違い。** 「500万分1日本とその周辺」は，国土地理院が刊行する地図のうち最も縮尺が小さいものであり，離島を含む日本の国土全体を一枚の図葉に収めて，日本の領域とその周辺隣国との地理的位置関係を一目で理解できるようになっている。そのため，地理の勉強，各種調査や地図帳の基礎資料などに役立つ地図である。この「500万分1日本とその周辺」は，日本経緯度原点を投影中心とする正距方位図法で作成されている。一方，ガウス・クリューゲル図法は横円筒図法の一種である。すなわち，「500万分1日本とその周辺」は，ガウス・クリューゲル図法とは全く異なる投影法で作成されている。

したがって，明らかに間違っているものは**肢5**である。

正解 ▶ 5

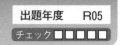
No. 169 次のa〜eの文は，地図投影法について述べたものである。明らかに間違っているものだけの組合せはどれか。次の中から選べ。

a．平面直角座標系（平成14年国土交通省告示第9号）におけるX軸は，座標系原点において子午線に一致する軸とし，真北に向かう値を正としている。

b．正角図法は，地球上と地図上との対応する点において，任意の2方向の爽（きょう）角が等しくなり，ごく狭い範囲での形状が相似となる図法である。

c．平面に描かれた地図において，正積の性質と正角の性質を同時に満足させることは理論上不可能である。

d．ユニバーサル横メルカトル図法（UTM図法）は，北緯84°から南緯80°の間の地域を緯度差6°ずつの範囲に分割して投影している。

e．平面直角座標系に用いることが定められている地図投影法は，ランベルト正角円錐図法である。

1．a，b
2．a，e
3．b，c
4．c，d
5．d，e

本問は，地図の投影法に関する問題である。

a．正しい。平面直角座標系におけるX軸は，座標系原点における子午線に一致する軸であり，座標値は，X座標では，座標系原点より北側（真北に向かう方向）を「正（＋）」とし，Y座標では座標系原点より東側を「正（＋）」としている。

b．正しい。正角図法は，地球上の任意の二方向に引いた方向線のなす角と，地図上のこれに対する角とが等しくなり，ごく狭い範囲での形状が相似となる。

c．正しい。同一の図法により描かれた地図において，正距図法（ある点間の距離は正しい）と正角図法，又は正距図法と正積図法の性質を同時に満たすことは可能である。しかし，地球上のすべての地点の角度及び面積を同時に正しく表示することはできない。

d．間違い。ユニバーサル横メルカトル図法は，地球全体を6°の経度帯（ゾーン）に分割し，北緯84°以南，南緯80°以北に適用され，それぞれのゾーンをガウス・クリューゲル図法で投影する方法である。各経度帯の原点は，赤道上にあり，各図の中央子午線上にある。「緯度差6°ずつ」ではない。

e．間違い。平面直角座標系で用いる投影法は，横円筒図法の一種であるガウスの等角投影法（ガウス・クリューゲル図法）である。

以上作業規程の準則解説と運用による。

したがって，間違っているものは**d，e**であり，その組合せは**肢5**である。

第6章

地図編集

正解 ▶ **5**

No. 170　次の文は，地図投影法について述べたものである。明らかに間違っているものはどれか。次の中から選べ。

1．メルカトル図法は，球面上の角度が地図上に正しく表現される正角円筒図法である。

2．ユニバーサル横メルカトル図法（UTM 図法）は，北緯 84 度から南緯 80 度の間の地域を経度差 6 度ずつの範囲に分割して投影している。

3．平面直角座標系（平成 14 年国土交通省告示第 9 号）は，横円筒図法の一種であるガウス・クリューゲル図法を適用している。

4．正距図法は，地球上の距離と地図上の距離を正しく対応させる図法であり，すべての地点間の距離を同一の縮尺で表示することができる。

5．正積図法は，地球上の任意の範囲の面積が，縮尺に応じて地図上に正しく表示される図法である。

■ 解　説 ■

本問は，地図の投影法に関する問題である。

1．**正しい**。メルカトル図法は，両極を除いた任意の地点における球面上の角度が地図上に正しく表現される正角円筒図法である。

2．**正しい**。ユニバーサル横メルカトル図法は，地球全体を 6° の経度帯（ゾーン）に分割し，北緯 84° 以南，南緯 80° 以北に適用され，それぞれのゾーンをガウス・クリューゲル図法で投影する方法である。各経度帯の原点は，赤道上にあり，各図の中央子午線上にある（作業規程の準則解説と運用）。

3．**正しい**。平面直角座標系で用いる投影法は，横円筒図法の一種であるガウス・クリューゲル図法である。

4．**間違い**。正距図法は，地球上の特定の 1 点あるいは 2 点から全ての地点への距離を，地球上の距離と地図上の距離を正しく対応させることが可能な投影法である。しかし，すべての地点間の距離を同一の縮尺で表示することはできない。

5．**正しい**。正積図法は縮尺に応じて，地球上の任意の範囲の面積が地図上に正しく表わされる投影法である。すなわち，球面上の図形の面積比が地図上でも正しく表わされる。

したがって，**肢 4** が間違っている。

正解 ▶ 4

チェック □□□□□

1. 地図投影法

No. 171 次の文は，地図投影法について述べたものである。明らかに間違っているものはどれか。次の中から選べ。

1. 正距図法は，地球上の距離と地図上の距離を正しく対応させる図法であり，任意の地点間の距離を正しく表示することができる。
2. 正積図法では，球面上の図形の面積比が地図上でも正しく表される。
3. ガウス・クリューゲル図法は，平面直角座標系（平成14年国土交通省告示第9号）で用いられている。
4. 平面直角座標系では，日本全国を19の区域に分けている。
5. ユニバーサル横メルカトル図法は，北緯84°以南，南緯80°以北の地域に適用され，経度幅6°ごとの範囲が一つの平面に投影されている。

■■■ **解 説** ■■■

本問は，地図の投影法に関する問題である。

1. **間違い。**正距図法は，地球上の特定の1点あるいは2点から全ての地点への距離を，地球上の距離と地図上の距離を正しく対応させることが可能な投影法である。しかし，任意の地点間の距離を正しく表示することはできない。
2. **正しい。**正積図法は縮尺に応じて，地球上の任意の範囲の面積が地図上に正しく表わされる投影法である。したがって，球面上の図形の面積比が地図上でも正しく表わされる。
3. **正しい。**横円筒図法の一種であるガウス・クリューゲル図法は，平面直角座標系で用いられている投影法である（作業規程の準則解説と運用）。
4. **正しい。**平面直角座標系は，日本全国を19の区域に分けて定義されており，各座標系の原点は19の区域それぞれに定められている。平面直角座標系におけるX軸は，座標系原点における子午線に一致する軸であり，座標軸は，X座標では，座標系原点より北側（真北に向かう方向）を正としている（解説と運用）。
5. **正しい。**ユニバーサル横メルカトル図法は，地球全体を6°の経度帯（ゾーン）に分割し，北緯84°以南，南緯80°以北に適用され，それぞれのゾーンをガウス・クリューゲル図法で投影する方法である。各経度帯の原点は，赤道上にあり，各図の中央子午線上にある（解説と運用）。

したがって，**肢1**が間違っている。

正解 ▶ 1

1．地図投影法

No. 172　次のa～eの文は，平面直角座標系（平成14年国土交通省告示第9号）について述べたものである。明らかに間違っているものだけの組合せはどれか。次の中から選べ。

a．平面直角座標系に用いることが定められている地図投影法は，ガウスの等角二重投影法である。

b．平面直角座標系におけるY軸は，座標系原点において子午線に直交する軸とし，真東に向かう方向を正としている。

c．平面直角座標系では，日本全国を19の座標系に分けている。

d．平面直角座標系における座標系原点はすべて赤道上にはない。

e．各平面直角座標系の原点を通る子午線上における縮尺係数は0.9999であり，この子午線から離れるに従って縮尺係数は小さくなる。

1．a，b
2．a，e
3．b，d
4．c，d
5．c，e

━━ 解　説 ━━

本問は，地図の投影法に関する問題である。

a．間違い。 平面直角座標系に用いることが定められている地図投影法は，ガウスの等角投影法である。

b．正しい。 平面直角座標系におけるY軸は，座標系原点において座標系のX軸に直交する軸とし，真東に向う値を正としている。

c．正しい。 平面直角座標系は，日本全国を19の区域に分けて定義されている。

d．正しい。 平面直角座標系は，日本全国を19の区域に分けて定義されており，各座標系の原点は19の区域それぞれに定められている。したがって，座標系原点はすべて赤道上にはない。

e．間違い。 平面直角座標系では，中央子午線（中央経線・原点）上の縮尺係数（縮小率）を0.9999とし，中央経線より約90km離れた地点で縮小率が1.0000となるようにして座標系内のひずみを小さくしている。

　また，中央経線より約130km離れた地点では，縮尺係数は1.0001としている。

　したがって，子午線から離れるにしたがって縮尺係数は大きくなる。

以上，作業規程の準則解説と運用による。

　したがって，間違っているものはa，eであり，その組合せは**肢2**である。

正解 ▶ 2

重要度 A

1．地図投影法

No. 173　次の文は，地図の投影について述べたものである。**明らかに間違っているものはどれか。次の中から選べ。**

1．ガウス・クリューゲル図法は，平面直角座標系（平成 14 年国土交通省告示第 9 号）で用いられている投影法である。

2．ユニバーサル横メルカトル図法は，国土地理院刊行の 1/25,000 地形図，1/50,000 地形図で採用されている。

3．平面直角座標系（平成 14 年国土交通省告示第 9 号）では，日本全国を 19 の区域に分けており，座標系の X 軸は，座標系原点において子午線に一致する軸とし，真北に向う値を正としている。

4．国土地理院がインターネットで公開している地図情報サービス「地理院地図」は，メルカトル投影の数式を使って作成した地図画像を使用している。

5．地球の表面を平面上に投影した地図において，距離（長さ），方位（角度）及び面積を同時に正しく表すことができる。

■■■ **解　説** ■■■

本問は，地図の投影法に関する問題である。

1．**正しい。**横円筒図法の一種であるガウス・クリューゲル図法は，平面直角座標系で用いられている投影法である（作業規程の準則解説と運用）。

2．**正しい。**ユニバーサル横メルカトル図法は，国土地理院発行の地形図では，1/25,000 地形図や 1/50,000 地形図の中縮尺地図に採用されている。

3．**正しい。**平面直角座標系は，日本全国を 19 の区域に分けて定義されており，各座標系の原点は 19 の区域それぞれに定められている。平面直角座標系における X 軸は，座標系原点における子午線に一致する軸であり，座標値は，X 座標では，座標系原点より北側（真北に向かう方向）を正としている（作業規程の準則解説と運用）。

4．**正しい。**国土地理院がインターネットで公開している地図情報サービス「地理院地図」は，メルカトル投影の数式を使って作成した地図画像が使用されている。

5．**間違い。**同一の図法により描かれた地図において，正距図法（ある点間の距離は正しい）と正角図法，又は正距図法と正積図法の性質を同時に満たすことは可能である。しかし，球面を平面上に描いた地図において，地球上のすべての地点の距離（長さ），方位（角度）及び面積を同時に正しく表示することはできない。

したがって，**肢5**が間違っている。

正解 ▶ 5

No. 174　次のa〜eの文は，**平面直角座標系（平成14年国土交通省告示第9号）**（以下「平面直角座標系」という。）について述べたものである。明らかに間違っているものだけの組合せはどれか。次の中から選べ。

a. 平面直角座標系で用いる投影法は，横円筒図法の一種であるガウス・クリューゲル図法である。

b. 平面直角座標系の X 軸上における縮尺係数は，1.0000 である。

c. 平面直角座標系では，日本全国を16の区域に分けている。

d. 平面直角座標系における座標系原点の座標値は，$X = 0.000$m，$Y = 0.000$m である。

e. 平面直角座標系における Y 軸は，座標系原点において子午線に直交する軸とし，東に向かう方向を正としている。

1. a, d
2. a, e
3. b, c
4. b, e
5. c, d

■■■ **解　説** ■■■

本問は，地図の投影法に関する問題である。

a. 正しい。 平面直角座標系で用いる投影法は，横円筒図法の一種であるガウス・クリューゲル図法である。

b. 間違い。 平面直角座標系では，中央子午線（原点・X軸）上の縮尺係数（縮小率）を 0.9999 とし，原点より約90km離れた地点で縮小率が 1.0000 となるようにして座標系内のひずみを小さくしている。

c. 間違い。 平面直角座標系は，日本全国を19の区域に分けて定義されており，各座標系の原点は19の区域それぞれに定められている。

d. 正しい。 平面直角座標系における各座標系原点の座標値は，$X = 0.000$m，$Y = 0.000$m である。

e. 正しい。 平面直角座標系における Y 軸は，座標系原点において子午線に直交する軸とし，東に向かう方向を正としている。

以上，作業規程の準則解説と運用による。

したがって，明らかに間違っているのは **b，c** であり，**肢3**が正解となる。

正解 ▶ 3

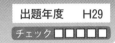
No. 175　　次の文は，ユニバーサル横メルカトル図法（以下「UTM図法」という。）及び平面直角座標系（平成14年国土交通省告示第9号）（以下「平面直角座標系」という。）について述べたものである。明らかに間違っているものはどれか。次の中から選べ。

1．UTM図法に基づく座標系の縮尺係数は，中央経線上において0.9996，中央経線から180km離れたところで1.0000である。
2．UTM図法に基づく座標系は，地球全体を経度差6°の南北に長い座標帯に分割し，各座標帯の中央経線と赤道の交点を原点としている。
3．UTM図法と平面直角座標系で用いる投影法は，ともに横円筒図法の一種であるガウス・クリューゲル図法である。
4．平面直角座標系におけるX軸は，座標系原点において子午線に一致する軸とし，真北に向かう方向を正としている。
5．平面直角座標系では，日本全国を16の区域に分けている。

■■■ **解　説** ■■■

本問は，地図の投影法に関する問題である。

1．**正しい。** UTM図法に基づく座標系では，中央子午線（中央経線）における縮尺係数を0.9996とし，中央経線から約180km離れたところで1.0000としている。
2．**正しい。** UTM図法に基づく座標系は，地球全体を6°の経度帯（ゾーン）に分割し，それぞれのゾーンをガウス・クリューゲル図法で投影する方法である。各経度帯の原点は，赤道上にあり，各図の中央子午線上にある。
3．**正しい。** UTM図法と平面直角座標系で用いる投影法は，ともに横円筒図法の一種であるガウス・クリューゲル図法である。
4．**正しい。** 平面直角座標系におけるX軸は，座標系原点における子午線に一致する軸であり，座標値は，X座標では，座標系原点より北側（真北に向かう方向）を「正（+）」とし，Y座標では座標系原点より東側を「正（+）」としている。
5．**間違い。** 平面直角座標系は，日本全国を19の区域に分けて定義されており，各座標系の原点は19の区域それぞれに定めている。
以上，作業規程の準則解説と運用による。

したがって，**肢5**が間違っている。

正解 ▶ 5

1. 地図投影法

No. 176　次のa～eの文は，地図の投影法について述べたものである。明らかに間違っているものだけの組合せはどれか。次の中から選べ。

a．ユニバーサル横メルカトル図法（UTM 図法）は，国土地理院刊行の 1/25,000 地形図で採用されている投影法である。

b．平面直角座標系（平成 14 年国土交通省告示第 9 号）では，日本全国を 16 の区域に分けてそれぞれの座標系原点の経緯度を定義している。

c．ユニバーサル横メルカトル図法（UTM 図法）と平面直角座標系（平成 14 年国土交通省告示第 9 号）で用いる投影法は，ともに横円筒図法の一種であるガウス・クリューゲル図法である。

d．メルカトル図法は，面積が正しく表現される投影法である。

e．投影法は，投影面の種類によって分類すると，方位図法，円錐図法及び円筒図法に大別される。

1．a，c
2．a，e
3．b，d
4．b，e
5．c，d

■ **解　説** ■

本問は，地図の投影法に関する問題である。

a．正しい。 ユニバーサル横メルカトル図法は，国土地理院発行の地形図では，1/25,000 地形図や 1/50,000 地形図の中縮尺地図に採用されている。

b．間違い。 平面直角座標系は，日本全国を 19 の区域に分けて定義されており，各座標系の原点は 19 の区域それぞれに定められている。

c．正しい。 ユニバーサル横メルカトル図法（UTM 図法）と平面直角座標系で用いる投影法は，ともに横円筒図法の一種であるガウス・クリューゲル図法である。

d．間違い。 メルカトル図法は正角円筒図法であり，両極を除いた任意の地点における角度（方位）は正しく描くことができるが，面積は正しく表現できない。

e．正しい。 投影法は投影面の種類によって分類すると，平面に投影する方位図法，円錐面に投影する円錐図法及び円筒面に投影する円筒図法に大別される。

以上，作業規程の準則解説と運用による。

したがって，間違っているものは **b**，**d** であり，その組合せは**肢 3** である。

正解 ▶ 3

1．地図投影法

No. 177　　次の文は，地図の投影法について述べたものである。明らかに間違っ
ているものはどれか。次の中から選べ。

1．正距図法は，地球上の距離と地図上の距離を正しく対応させる図法であり，すべ
ての地点間の距離を同一の縮尺で表示することができる。

2．平面上に描かれた地図において，地球上のすべての地点の角度及び面積を同時に
正しく表すことはできない。

3．海図の投影法は，正角円筒図法であるメルカトル図法を主に使用している。

4．平面直角座標系（平成14年国土交通省告示第9号）に用いることが定められて
いる投影法は，横円筒図法の一種であるガウスの等角投影法（ガウス・クリューゲ
ル図法）である。

5．ユニバーサル横メルカトル図法（UTM図法）は，北緯84°から南緯80°の間の
地域を経度差6°ずつの範囲に分割して投影している。

■■■　**解　説**　■■■

本問は，地図の投影法に関する問題である。

1．間違い。正距図法は，ある特定の点からすべての地点まで，又はすべての経線
あるいは緯線の長さ，接点を中心とした同心円の円弧の長さのどれかが正しい距
離で表現されている。地球上の2地点間の距離が正しく比例して表現される図法
であるが，すべての地点間の距離を同一の縮尺で表示することはできない。

2．正しい。同一の図法により描かれた地図において，正距図法（ある点間の距離
は正しい）と正角図法，又は正距図法と正積図法の性質を同時に満たすことは可
能である。しかし，球面を平面上に描いた地図において，地球上のすべての地点
の角度及び面積を同時に正しく表示することはできない。

3．正しい。メルカトル図法は，両極を除いた任意の地点における角度を正しく描
くことができる。そのため，角度が重要な要素である海図で主に使用されている。

4．正しい。平面直角座標系で用いる投影法は，横円筒図法の一種であるガウスの
等角投影法（ガウス・クリューゲル図法）である。

5．正しい。ユニバーサル横メルカトル図法は，地球全体を6°の経度帯（ゾーン）
に分割し，それぞれのゾーンをガウス・クリューゲル図法で投影する方法である。
各経度帯の原点は，赤道上にあり，各図の中央子午線上にある。

以上，作業規程の準則解説と運用による。

したがって，明らかに間違っているものは**肢1**である。

正解 ▶ 1

No. 178　　図は，国土地理院がインターネットで提供している二次元の地図「地理院地図」の一部（縮尺を変更，一部を改変）である。この図にある裁判所の経緯度で最も近いものを次の1〜5の中から選べ。

　ただし，表に示す数値は，図の中にある税務署及び保健所の経緯度を地理院地図で読み取った値である。

　なお，関数の値が必要な場合は，巻末の関数表を使用すること。

（注）本試験の地形図の大きさを本書で表示させるには、縮尺を変更する必要があります。そのため、本試験とは縮尺を変更して掲載しております。

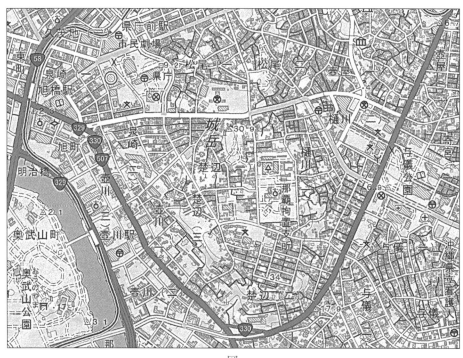

図

表

	緯度	経度
税務署	北緯 26° 12′ 38″	東経 127° 40′ 35″
保健所	北緯 26° 12′ 24″	東経 127° 41′ 38″

〈次のページに続く〉

1．北緯 26° 12′ 17″　　東経 127° 42′ 05″
2．北緯 26° 12′ 29″　　東経 127° 41′ 02″
3．北緯 26° 12′ 30″　　東経 127° 41′ 14″
4．北緯 26° 12′ 31″　　東経 127° 41′ 11″
5．北緯 26° 12′ 51″　　東経 127° 41′ 31″

■■■　解　説　■■■

　本問は，地図上の裁判所の経緯度を求める問題である。

　図式記号を理解しておくことが必要であり，経緯度は比例計算により求めることができる。

① 裁判所の地図記号は 🏛 であり，この記号が地形図の中央やや右側「那覇拘置所」の北に隣接して存在するので，この構造物が裁判所であることがわかる。

　なお，本問では，2個の地図記号（税務署 ◆ と保健所 ⊕）の経緯度が与えられているので，これを地形図の図郭線の経緯度とする。

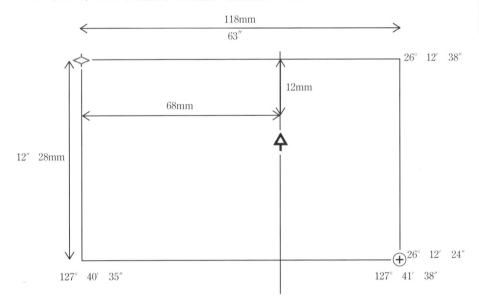

　裁判所を，税務署と保健所の図郭線を基準として長さを定規で測定すると，税務署から縦＝約 14mm，横＝約 68mm に位置している。

　一方，この図郭線の縦（緯度 12″）の長さは約 28mm であり，横（経度 63″）の長さは約 118mm である。

③ 縦の長さ14mmは，秒に換算すると

$12'' : 28mm = x'' : 14mm$ $x'' = (12'' \times 14)/28'' = 6''$

したがって，緯度は

$26° \ 12' \ 38'' - 6'' = \textbf{26° 12' 32''}$

④ 同様に横の長さ68mmを，秒に換算すると

$63'' : 118mm = y'' : 68mm$ $y'' = (63'' \times 68)/118'' \fallingdotseq 36.3''$

経度は，

$127° \ 40' \ 35'' + 36.3'' = \textbf{127° 41' 11.3''}$

となる。

したがって，**肢4**が最も近い。

正解 ▶ 4

2. 緯度・経度

No. **179**　　　図は，国土地理院がインターネットで公開しているウェブ地図「地理院地図」の一部（縮尺を変更，一部を改変）である。この図にある自然災害伝承碑の経緯度で最も近いものを次のページの中から選べ。

　ただし，表に示す数値は，図の中にある裁判所及び税務署の経緯度を表す。

　なお，関数の値が必要な場合は，巻末の関数表を使用すること。

（注）本試験の地形図の大きさを本書で表示させるには、縮尺を変更する必要があります。そのため、本試験とは縮尺を変更して掲載しております。

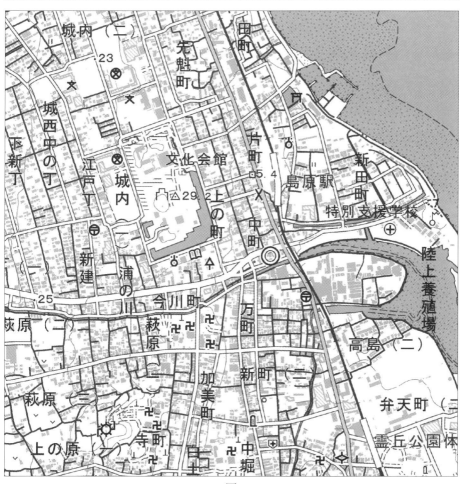

図

第6章

地図編集

表

	緯度	経度
裁判所	北緯 32° 47′ 16″	東経 130° 22′ 06″
税務署	北緯 32° 46′ 56″	東経 130° 22′ 23″

1．北緯 32° 46′ 54″　　東経 130° 22′ 34″
2．北緯 32° 46′ 57″　　東経 130° 22′ 15″
3．北緯 32° 46′ 59″　　東経 130° 22′ 12″
4．北緯 32° 47′ 21″　　東経 130° 22′ 35″
5．北緯 32° 47′ 23″　　東経 130° 22′ 00″

■■■　解　説　■■■■■■■■■■■■■■■■■■■■■■■■■■■■■■■■■■■

　本問は，地図上の自然災害伝承碑の経緯度を求める問題である。
　図式記号を理解しておくことが必要であり，経緯度は比例計算により求めることができる。

① 　自然災害伝承碑の地図記号は 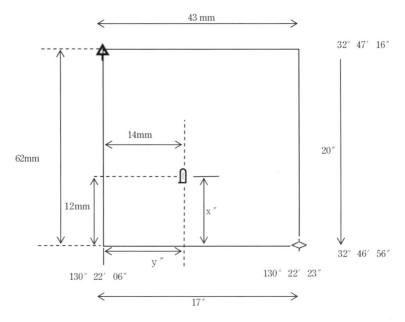 であり，この記号が地形図の中央下側「新町」
　近くにあるので，この構造物が自然災害伝承碑であることがわかる。
　　なお，本問では，2 個の地図記号（裁判所 ♠ と税務署 ◆ ）の経緯度が与えられ
　ているので，これを地形図の図郭線の経緯度とする。

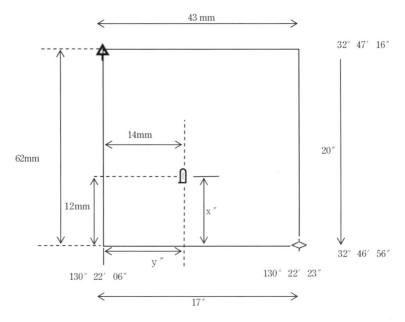

② 自然災害伝承碑を，裁判所と税務署の図郭線を基準として長さを測定すると，縦 = 12mm，横 = 14mm である。

　一方，この図郭線の縦（緯度20″）の長さは62mmであり，横（経度17″）の長さは43mmである。

③ 縦の長さ12mmは，秒に換算すると

　　　$20″ : 62mm = x″ : 12mm$　　　　　$x″ = 20″ × （12/62）″ ≒ 3.9″$

　したがって，緯度は

　　　$32° 46′ 56″ + 3.9″ = 32° 46′ 59.9″ ≒$ **32° 46′ 59″**

④ 同様に横の長さ14mmを，秒に換算すると

　　　$17″ : 43mm = y″ : 14mm$　　　　　$y″ = 17″ × （14/43）″ ≒ 5.5″$

　経度は，

　　　$130° 22′ 06″ + 5.5″ = 130° 22′ 11.5″ ≒$ **130° 22′ 12″**

となる。

したがって，**肢3**が最も近い。

　なお，上記解説は本試験に出題された地形図上での実測をもとに計算したものである。

　本書掲載の縮小された地形図上の実測から，上記解説中の62mmは51mmに，43mmは35mmに，12mmは9mmに，そして14mmは12mmにそれぞれ読み替えて，比例式に当てはめることで正解を導き出すことができる。

　緯度は，$20″ : 51mm = x″ : 9mm$

　　　　　$x″ = 20″ × （9／51）″ ≒ 3.53″$

　　　　　したがって，$32° 46′ 56″ + 3.53″ ≒ 32° 46′ 59″$

　経度は，$17″ : 35mm = y″ : 12mm$

　　　　　$y″ = 17″ × （12／35）″ ≒ 5.82″$

　　　　　したがって，$130° 22′ 06″ + 5.82″ ≒ 130° 22′ 12″$

となる。

正解 ▶ 3

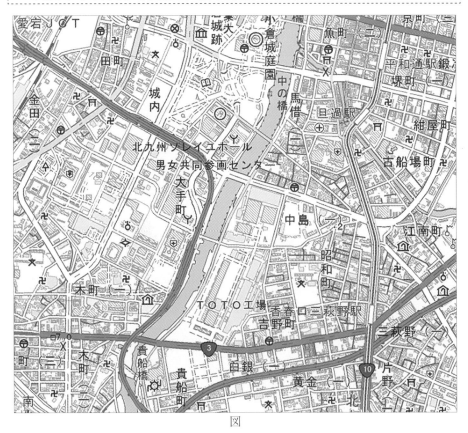

2．緯度・経度

No.　180　図は，国土地理院刊行の電子地形図 25000 の一部（縮尺を変更，一部改変）である。この図にある税務署の経緯度で最も近いものを次のページの中から選べ。

　ただし，表に示す数値は，図の中にある裁判所，保健所の経緯度を表す。

　なお，関数の値が必要な場合は，巻末の関数表を使用すること。

（注）本試験の地形図の大きさを本書で表示させるには、縮尺を変更する必要があります。そのため、本試験とは縮尺を変更して掲載しております。

図

表

地図記号	緯度	経度
裁判所	北緯 33° 52′ 43″	東経 130° 51′ 56″
保健所	北緯 33° 52′ 49″	東経 130° 52′ 42″

1．北緯 33° 51′ 15″　東経 130° 51′ 58″
2．北緯 33° 52′ 32″　東経 130° 52′ 09″
3．北緯 33° 52′ 35″　東経 130° 52′ 10″
4．北緯 33° 52′ 47″　東経 130° 51′ 37″
5．北緯 33° 53′ 04″　東経 130° 52′ 29″

■■■ 解　説 ■■■

　本問は，地図上の税務署の経緯度を求める問題である。

　図式記号を理解しておくことが必要であり，経緯度は比例計算により求めることができる。

① 　税務署の地図記号は ✦ であり，この記号が地形図の中央左側「大手町」近くにあるので，この建物が税務署であることがわかる。

　なお，本問では，2個の地図記号（裁判所 ⬥ と保健所 ⊕ ）の経緯度が与えられているので，これを地形図の図郭線の経緯度とする。

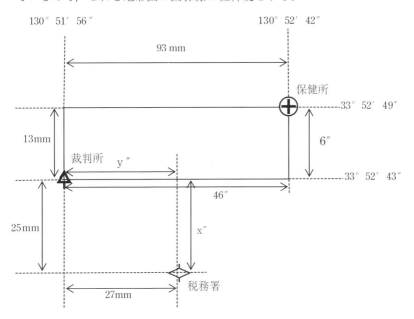

② 税務署を，裁判所と保健所の図郭線を基準として長さを測定すると，
縦＝25mm，横＝27mmである。
　　一方，この図郭線の縦（緯度6″）の長さは13mmであり，横（経度46″）
の長さは93mmである。

③ 縦の長さ25mmは，秒に換算すると
　　　　6″：13mm＝x″：25mm　　　　　　x″＝6″×(25/13)″≒11.5″
したがって，緯度は
　　　　33°52′43″−11.5″＝33°52′31.5″≒**33°52′32″**
同様に横の長さ27mmを，秒に換算すると
　　　　46″：93mm＝y″：27mm　　　　y″＝46″×(27/93)″≒13.35″
経度は，
　　　　130°51′56″＋13.35″＝130°51′69.35″≒**130°52′09″**
となる。

したがって，**肢2**が最も近い。

　なお，上記解説は本試験に出題された地形図上での実測をもとに計算したものである。

　本書掲載のさらに縮小された地形図上の実測から，上記解説中の25mmは20mmに，13mmは10.5mmに，27mmは21mmに，そして93mmは75mmにそれぞれ読み替えて，比例式に当てはめることで正解を導き出すことができる。
　緯度は，6″：10.5mm＝x″：20mm
　　　　　　x″＝6″×(20／10.5)≒11.4″
　　　　　したがって，33°52′43″−11.4″＝33°52′31.6″≒33°52′32″
　経度は，46″：75mm＝y″：21mm
　　　　　　y″＝46″×(21／75)≒12.9″
　　　　　したがって，130°51′56″＋12.9″＝130°51′68.9″≒130°52′09″
となる。

正解▶2

No. 181　　　図は，国土地理院がインターネットで公開しているウェブ地図「地理院地図」の一部（縮尺を変更，一部を改変）である。この図にある博物館の経緯度で最も近いものを次のページの中から選べ。

　　ただし，表に示す数値は，図の中にある三角点の標高及び経緯度を表す。

（注）本試験の地形図の大きさを本書で表示させるには、縮尺を変更する必要があります。そのため、本試験とは縮尺を変更して掲載しております。

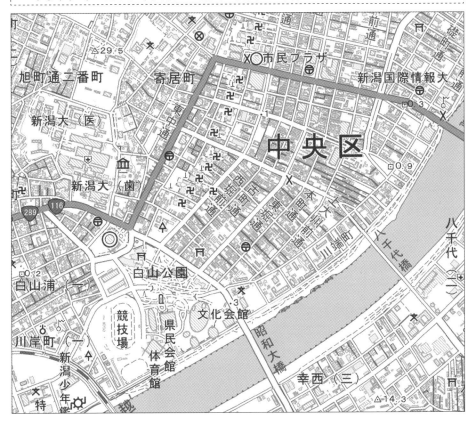

図

表

標高（m）	経度	緯度
29.5	東経 139° 02′ 09″	北緯 37° 55′ 22″
14.3	東経 139° 02′ 55″	北緯 37° 54′ 38″

1. 東経 139° 02′ 07″   北緯 37° 55′ 08″
2. 東経 139° 02′ 11″   北緯 37° 54′ 58″
3. 東経 139° 02′ 13″   北緯 37° 55′ 08″
4. 東経 139° 02′ 20″   北緯 37° 55′ 00″
5. 東経 139° 02′ 21″   北緯 37° 55′ 09

解　説

本問は，地図上の博物館の経緯度を求める問題である。
図式記号を理解しておくことが必要であり，経緯度は比例計算により求めることができる。

① 博物館の地図記号は 🏛 であり，この記号が地形図の中央左側「新潟大（歯）」近くにあるので，この建物が博物館であることがわかる。

なお，本問では，2個の三角点（記号は △）の経緯度が与えられているので，これを地形図の図郭線の経緯度とする。

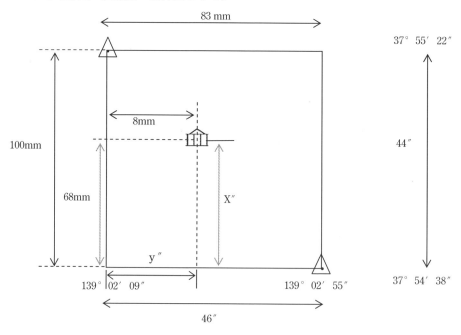

② この建物を，三角点で囲まれた地形図の図郭線を基準として長さを測定すると，
縦 = 68mm，横 = 8mm である。
　一方，この図郭線の縦（緯度 44″）の長さは 100mm であり，横（経度 46″）の
長さは 83mm である。

③ 縦の長さ 68mm は，秒に換算すると
　　　$44″ : 100mm = x″ : 68mm$　　　$x″ = 44″ × (68/100)″ ≒ 29.92″$
したがって，緯度は
　　　$37° 54′ 38″ + 29.92″ = 37° 55′ 07.92″ ≒$ **$37° 55′ 08″$**

④ 同様に横の長さ 8mm を，秒に換算すると
　　　$46″ : 83mm = y″ : 8mm$　　　$y″ = 46″ × (8/83)″ ≒ 4.4″$
経度は，
　　　$139° 02′ 09″ + 4.4″ = 139° 02′ 13.4″ ≒$ **$139° 02′ 13″$**
となる。

したがって，**肢3**が最も近い。

　なお，上記解説は本試験に出題された地形図上での実測をもとに計算したものである。
　本書掲載の縮小された地形図上の実測から，上記解説中の 100mm は 93mm に，
83mm は 76mm に，68mm は 63mm に，そして 8mm は 7mm にそれぞれ読み替えて，
比例式に当てはめることで正解を導き出すことができる。

　緯度は，$44″ : 93mm = x″ : 63mm$
　　　　　　$x″ = 44″ × (63 / 93)″ ≒ 29.80″$
　　　　　　したがって，$37° 54′ 38″ + 29.80″ ≒ 37° 55′ 08″$
　経度は，$46″ : 76mm = y″ : 7mm$
　　　　　　$y″ = 46″ × (7 / 76)″ ≒ 4.23″$
　　　　　　したがって，$139° 02′ 09″ + 4.23″ ≒ 139° 02′ 13″$
となる。

正解 ▶ 3

2．緯度・経度

No. 182　　国土地理院は，過去に起きた津波，洪水，火山災害，土砂災害などの自然災害の情報を伝える新たな地図記号「自然災害伝承碑」を電子地形図 25000 などに掲載する取組を行っている。

　図は，電子地形図 25000 の一部（縮尺を変更）である。この図にある自然災害伝承碑（🏳）の経緯度で最も近いものを次のページの中から選べ。

　ただし，表に示す数値は図の中にある地図記号の経緯度を表している。また，図では自然災害伝承碑の地図記号を〔¨〕で囲んでいる。

> （注）本試験の地形図の大きさを本書で表示させるには，縮尺を変更する必要があります。そのため，本試験とは縮尺を変更して掲載しております。

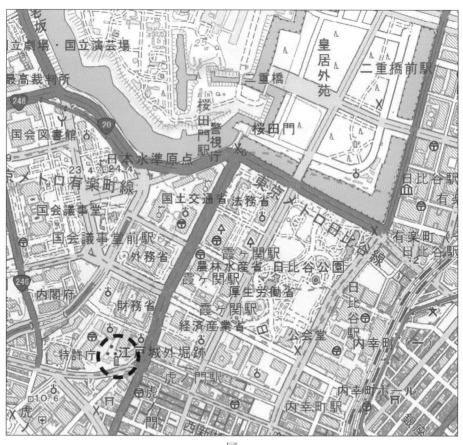

図

表

地図記号	経度	緯度
博物館	東経 139° 45′ 38″	北緯 35° 40′ 35″
病院	東経 139° 44′ 43″	北緯 35° 40′ 08″

1．東経 139° 44′ 49″　　北緯 35° 40′ 20″
2．東経 139° 44′ 54″　　北緯 35° 40′ 14″
3．東経 139° 44′ 54″　　北緯 35° 40′ 26″
4．東経 139° 45′ 31″　　北緯 35° 40′ 14″
5．東経 139° 45′ 50″　　北緯 35° 40′ 41″

■■■ 解 説 ■

　本問は，地図上の博物館の経緯度を求める問題である。
図式記号を理解しておくことが必要であり，経緯度は比例計算により求めることができる。なお，下記解説は，本試験に出題された地形図上で測定した距離をもとに計算したものである。

① 自然災害伝承碑（ 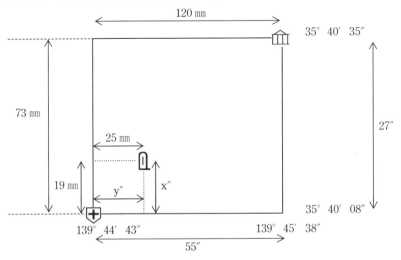 ）は， （ ） で囲まれており，この記号は，地形図の左側下方の「特許庁」近くにあることがわかる。

　　なお，本問では，2個の地図記号（博物館 と病院 ）の経緯度が与えられているので，これを地形図の図郭線の経緯度とする。

　　また，博物館は，地形図右側中段「日比谷駅」の南側に位置し，病院は地形図左側下方「虎ノ門駅」の東側に位置する。

② この自然災害伝承碑を，2個の地図記号で囲まれた地形図の図郭線を基準として長さを測定すると，縦＝19mm，横＝25mm である。

一方，この図郭線の縦（緯度 27″）の長さは73mm であり，横（経度 55″）の長さは120mm である。

③ 縦の長さ 19mm は，秒に換算する（x″とする）と

　　　$27″ : 73mm = x″ : 19mm$　　　　$x″ = 27″ \times (19/73)″ \fallingdotseq 7.0″$

したがって，緯度は

　　　$35° \ 40′ \ 08″ + 7.0″ = \mathbf{35° \ 40′ \ 15″}$

④ 同様に横の長さ 25mm を，秒に換算する（y″とする）と

　　　$55″ : 120mm = y″ : 25mm$　　　　$y″ = 55″ \times (25/120)″ \fallingdotseq 11.4″$

経度は，

　　　$139° \ 44′ \ 43″ + 11.4″ = 139° \ 44′ \ 54.4″ \fallingdotseq \mathbf{139° \ 44′ \ 54″}$

となる。

したがって，**肢2**が最も近い。

なお，本書掲載の縮小された地形図上の実測から，上記解説中の 19mm → 15mm に，25mm → 20mm に，73mm → 60mm に，そして 120mm → 98mm と読み替えて比例式に当てはめることで，正解を導き出すことができる。

緯度は，$27″ : 60mm = x″ : 15mm$

　　　　$x″ = 27″ \times (15/60)″ \fallingdotseq 6.7″$

　　　　$35° \ 40′ \ 08″ + 6.7″ \fallingdotseq 35° \ 40′ \ 15″$

経度は，$55″ : 98mm = y″ : 20mm$

　　　　$y″ = 55″ \times (20/98)″ \fallingdotseq 11.2″$

　　　　$139° \ 44′ \ 43″ + 11.2″ \fallingdotseq 139° \ 44′ \ 54″$

となる。

正解 ▶ 2

2．緯度・経度

No. 183　図は，国土地理院刊行の電子地形図 25000 の一部（縮尺を変更，一部を改変）である。この図にある博物館の経緯度で最も近いものを次の中から選べ。

ただし，表に示す数値は，図の中にある三角点の経緯度を表す。

(注) 本試験の地形図の大きさを本書で表示させるには、縮尺を変更する必要があります。そのため、本試験とは縮尺を変更して掲載しております。

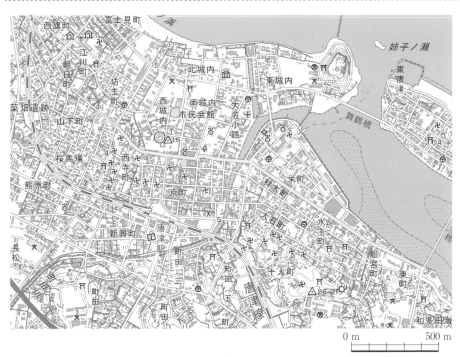

0 m　　　500 m

図

表

経　度	緯　度
東経 129° 58′ 06″	北緯 33° 27′ 00″
東経 129° 58′ 37″	北緯 33° 26′ 33″

1．東経 129° 57′ 49″　北緯 33° 27′ 08″

2．東経 129° 58′ 02″　北緯 33° 26′ 43″

3．東経 129° 58′ 14″　北緯 33° 26′ 59″

4．東経 129° 58′ 18″　北緯 33° 27′ 12″

5．東経 129° 58′ 27″　北緯 33° 27′ 02″

第6章

地図編集

本問は，地図上の博物館の経緯度を求める問題である。

図式記号を理解しておくことが必要であり，経緯度は比例計算により求めることができる。なお，下記解説は，本試験に出題された地形図上で測定した距離をもとに計算したものである。

① 博物館の地図記号は🏛であり，この記号が地形図の中央上部の「北城内」近くにあるので，この建物が博物館であることがわかる。

なお，本問では，２個の三角点（記号は△）の経緯度が与えられているので，これを地形図の図郭線の経緯度とする。

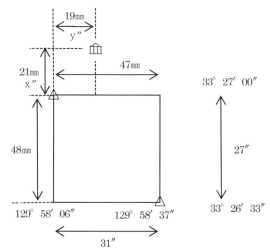

② この建物を，三角点で囲まれた地形図の図郭線を基準として長さを測定すると，縦＝21 mm，横＝19 mmである。

一方，この図郭線の縦（緯度27″）の長さは48 mmであり，横（経度31″）の長さは47 mmである。

③ 縦の長さ21 mmを，秒に換算する（x″とする）と

$27'' : 48\,\text{mm} = x'' : 21\,\text{mm}$　　　$x'' = 27'' \times (21/48)'' \fallingdotseq 11.8''$

したがって，緯度は

$33° 27' 00'' + 11.8'' = 33° 27' 11.8'' \fallingdotseq \mathbf{33° 27' 12''}$

④ 同様に横の長さ19 mmを，秒に換算する（y″とする）と

$31'' : 47\,\text{mm} = y'' : 19\,\text{mm}$　　　$y'' = 31'' \times (19/47)'' \fallingdotseq 12.5''$

経度は，

$129° 58' 06'' + 12.5'' = 129° 58' 18.5'' \fallingdotseq \mathbf{129° 58' 18''}$ となる。

したがって，**肢4**が最も近い。

正解 ▶ 4

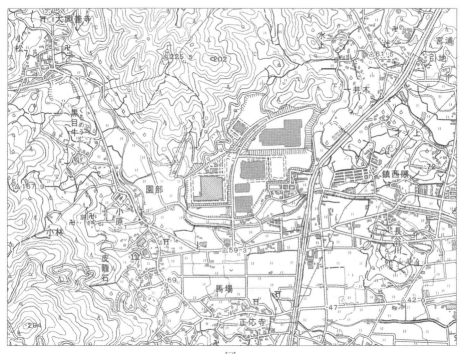

2．緯度・経度

No. 184　図は，国土地理院刊行の電子地形図 25000 の一部（縮尺を変更，一部を改変）である。この図内に示す老人ホームの経緯度は幾らか。最も近いものを次の中から選べ。

　ただし，表に示す数値は，図内の三角点のうち 2 点の経緯度及び標高を表す。

（注）本試験の地形図の大きさを本書で表示させるには、縮尺を変更する必要があります。そのため、本試験とは縮尺を変更して掲載しております。

図

表

種　別	経　度	緯　度	標　高（ｍ）
四等三角点	130° 30′ 10″	33° 25′ 38″	225.46
四等三角点	130° 31′ 02″	33° 24′ 55″	41.98

1．東経 130° 29′ 55″　北緯 33° 25′ 05″
2．東経 130° 29′ 57″　北緯 33° 25′ 16″
3．東経 130° 30′ 03″　北緯 33° 25′ 03″
4．東経 130° 30′ 17″　北緯 33° 24′ 47″
5．東経 130° 31′ 10″　北緯 33° 25′ 17″

本問は，地図上の老人ホームの経緯度を求める問題である。

図式記号を理解しておくことが必要であり，経緯度は比例計算により求めることができる。

老人ホームの地図記号は 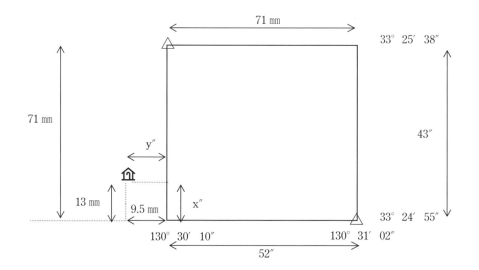 であり，この記号が地形図の左側中ほどより下の「皮籠石」近くにあるので，この建物が老人ホームであることがわかる。

なお，本問では，2個の三角点（記号は△）の経緯度が与えられているので，これを地形図の図郭線の経緯度とする（地形図上の△の標高で対象の三角点を選別する。地形図上で中央上部のやや左寄りの点と，下部の右寄りの点である）。

この建物を，三角点で囲まれた地形図の図郭線を基準として長さを測定すると，縦＝13 mm，横＝9.5 mmである。

一方，この図郭線の縦（緯度43″）の長さは71 mmであり，横（経度52″）の長さは71 mmである。

縦の長さ13 mmは，秒に換算する（x″とする）と，

$$43'' : 71\,mm = x'' : 13\,mm \qquad x'' = 43'' \times (13/71) \fallingdotseq 7.9''$$

したがって，緯度は 33° 24′ 55″ + 7.9″ ＝ 33° 25′ 02.9″ ≒ **33° 25′ 03″**

同様に横の長さ9.5 mmを，秒に換算する（y″とする）と，

$$52'' : 71\,mm = y'' : 9.5\,mm \qquad y'' = 52'' \times (9.5/71) \fallingdotseq 7''$$

経度は，130° 30′ 10″ － 7″ ＝ **130° 30′ 03″** となる。

※　なお，左記解説は，本試験に出題された地形図上で測定した距離をもとに計算したものである。本書掲載の地形図は紙面の都合上，さらに縮尺を変更しているため，左記解説及び略図中の数値を次のように読み替えたうえで，同様の比例計算により正解を導き出すことができる。

　71 mm→ 65 mm，　13 mm→ 12 mm，　9.5 mm→ 8.5 mm

① 縦の長さ 12 mm は，秒に換算する（x″ とする）と，

$43'' : 65\,\text{mm} = x'' : 12\,\text{mm}$

$x'' = 43'' \times (12/65) \fallingdotseq 7.9''$

したがって，緯度は $33° 24' 55'' + 7.9'' = 33° 25' 02.9'' \fallingdotseq 33° 25' 03''$

② 同様に横の長さ 8.5 mm を，秒に換算する（y″ とする）と，

$52'' : 65\,\text{mm} = y'' : 8.5\,\text{mm}$

$y'' = 52'' \times (8.5/65) = 6.8''$

経度は，$130° 30' 10'' - 6.8'' = 130° 30' 03.2'' \fallingdotseq 130° 30' 03''$

したがって，**肢3** が最も近い。

3. 読図と地図記号

No. 185　図は，国土地理院刊行の 1/25,000 地形図の一部（縮尺を変更，一部を改変）である。次の文は，この図に表現されている内容について述べたものである。明らかに間違っているものはどれか。次の中から選べ。

> （注）本試験の地形図の大きさを本書で表示させるには、縮尺を変更する必要があります。そのため、本試験とは縮尺を変更して掲載しております。

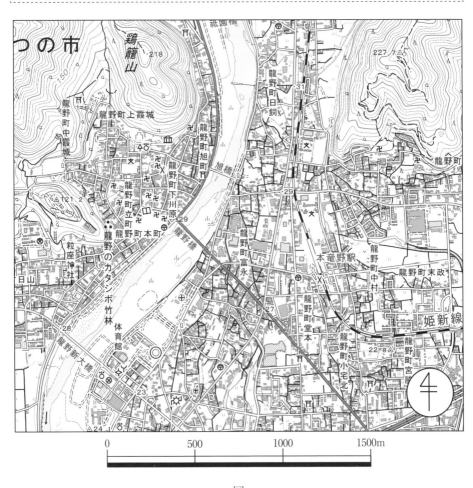

図

1．龍野新大橋と鶏籠山の標高差は，およそ190mである。
2．龍野のカタシボ竹林は，史跡，名勝又は天然記念物である。
3．龍野橋と龍野新大橋では龍野新大橋の方が下流に位置する。
4．裁判所と税務署では税務署の方が北に位置する。
5．本竜野駅の南に位置する交番から警察署までの水平距離は，およそ1,320mである。

■■ **解　説** ■■■■■■■■■■■■■■■■■■■■■■■■

　本問は，読図と地図記号に関する問題である。
1．**正しい**。地形図中「龍野新大橋」の注記の上方に28mの標高点（・28）がある。一方「鶏籠山」の注記の東側には，218mの標高点（・218）がある。両者の標高差は，およそ190mである。
$$218m － 28m ＝ 190m$$
2．**正しい**。地形図中，西側中央付近に「龍野のカタシボ竹林」の注記がある。その地図記号は∴であるから，史跡，名勝又は天然記念物となっている。
3．**正しい**。地形図中央付近の「龍野橋」の注記の上方に29mの標高点（・29）がある。一方，「龍野新大橋」の注記の上方には28mの標高点（・28）がある。これより，龍野橋の標高が襲野新大橋の標高より1m高いので，龍野新大橋の方が下流に位置する。
4．**間違い**。裁判所の地図記号は♠であり，地形図の中央付近より西側に位置している（図中「龍野町上霞城」の注記の下方に位置している）。税務署の地図記号は◈であり，地形図中「龍野新大橋」の注記の東側に位置している。したがって，裁判所と税務署では，税務署の方が南に位置する。
5．**正しい**。本竜野駅の南に位置する交番の地図記号は X である。また，警察署の地図記号は⊗であり，地形図中西側下方（図中「龍野新大橋」の注記の東側）に位置している。両者間の図上距離は，8.2cmである。一方，地形図下に記載のスケールは，図上距離3.1cmを500m，6.2cmを1,000mと表示している。これより，両者間の水平距離をXmと表すと，次式が成り立つ。
$$6.2cm：1,000m＝8.2cm：Xm$$
$$6.2X ＝8,200 \qquad ∴ X≒1323m$$
両者間の水平距離は，およそ1,320mである。

※　なお，本肢解説中の8.2cm（両者間の距離）や，スケール表示3.1cm及び6.2cm
（500m及び1,000m）は実際の問題に出題された地形図上での長さである。この問
題集では紙面の都合上，さらに縮小されており，上記8.2cmは6.4cmに，スケールは
2.4cmを500m，4.8cmを1,000mと表示されている。

　　比例式にすると，

　　4.8cm：1,000m＝6.4cm：Xm

　　　　　4.8X＝6,400

　　　　　　　X≒1,333m

したがって，**肢4**が間違っている。

＜主な建物等の位置関係（略図）＞

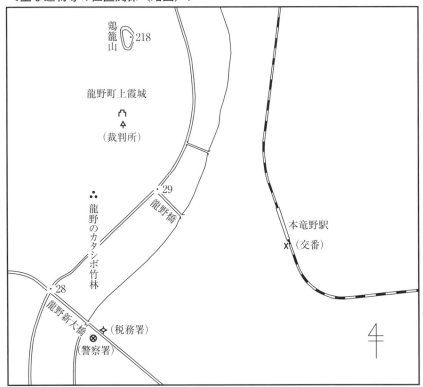

3．読図と地図記号

No. 186　　図は，国土地理院刊行の電子地形図25000の一部（縮尺を変更，一部を改変）である。次の文は，この図に表現されている内容について述べたものである。明らかに間違っているものはどれか。次の中から選べ。

（注）本試験の地形図の大きさを本書で表示させるには、縮尺を変更する必要があります。そのため、本試験とは縮尺を変更して掲載しております。

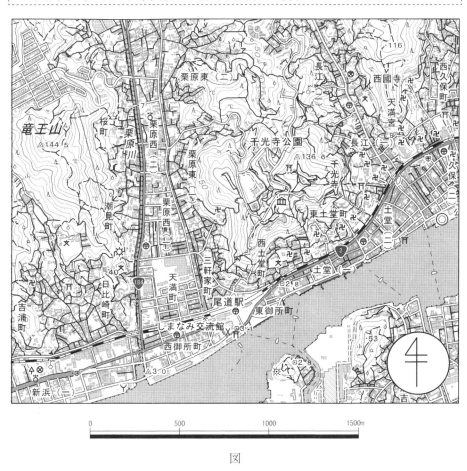

図

1．尾道駅前にある郵便局の南東に灯台がある。
2．市役所と博物館の水平距離は850m以上である。
3．栗原川は北から南へ流れている。
4．竜王山の山頂と尾道駅の標高差は130m以下である。
5．裁判所と警察署が隣接している。

本問は，読図と地図記号に関する問題である。

1．正しい。 灯台の地図記号は☆である。尾道駅前にある郵便局（〒）の南東に海を隔てて灯台がある。

2．正しい。 市役所の地図記号は◎であり，地形図の東端中央部に位置している。博物館の地図記号は🏛であり，市役所より西側（地形図中央付近やや右）に位置している。両者間の図上距離は，5.4cmである。なお，両者間の図上距離は，双方の地図記号の中心間の距離を測定する。一方地形図下に記載のスケールは，図上距離3.0cmを500mで，6.0cmを1,000mと表示している。

　これより，両者間の水平距離をXmと表すと，次式が成り立つ。

　　6.0cm：1,000m＝5.4cm：Xm

　　　　6.0X＝5,400　　　∴ X＝900m

両者間の水平距離は，およそ900mである（850m以上である）。

（注）　なお，本肢解説中の5.4cmや，スケール表示3.0cm及び6.0cmは，実際の問題に出題された地形図上での長さである。この問題集では紙面の都合上，さらに縮小されており，上記5.4cmは4.3cmに，またスケールは2.4cmを500m，4.8cmを1,000mと表示されている。

　　比例式にすると，4.8cm：1,000m＝4.3cm：Xm

　　　　　　4.8X＝4,300　　X≒896m

およそ896mである（850m以上である）。

3．正しい。 地形図中「栗原川」の注記の上方に7mの標高点（・7）がある。一方，栗原川の海沿いには，3.0mの三角点（△3.0）がある。これより，栗原川は北から南へ流れていることがわかる。

4．間違い。 竜王山の三角点は，144.5mである（地形図の西端中央やや上方）。また，図中「栗原東（一）」の注記の右下には50mの計曲線がある。50mの計曲線から下へ40mの線，30mの線，20mの線が記載されている。50mの計曲線を1本目として数えると，全部で4本の線が確認できる。

　これ以上の線はないので，尾道駅の標高は10mである。

　したがって，両者の標高差は，144.5m － 10m ＝ 134.5m である。

5．正しい。 地形図の西側下方に，裁判所（⚖）と警察署（⊗）があり，両者は隣接している。

したがって，**肢4**が間違っている。

＜主な建物等の位置関係（略図）＞

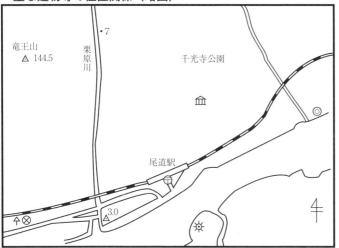

等高線	５万分の１ 地形図	２万５千分の１ 地形図
計曲線	100 m	50 m
主曲線	20 m	10 m
第一次 補助曲線	10 m	5 m

正解 ▶ 4

3．読図と地図記号

No. 187　　図は，国土地理院刊行の電子地形図 25000 の一部（縮尺を変更，一部を改変）である。次の文は，この図に表現されている内容について述べたものである。明らかに間違っているものはどれか。次の中から選べ。

（注）本試験の地形図の大きさを本書で表示させるには、縮尺を変更する必要があります。そのため、本試験とは縮尺を変更して掲載しております。

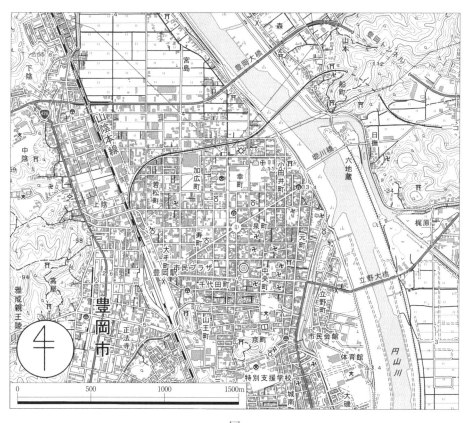

図

1．標高 55.8 m の三角点から標高 3.4 m の三角点までの水平距離は，およそ 2,010 m である。
2．豊岡トンネルの東側の坑口と西側の坑口の標高差は，20 m 以下である。
3．山陰本線豊岡駅の記号の北西角から税務署までの水平距離は，およそ 580 m である。
4．市役所から図書館までの水平距離は，およそ 410 m である。
5．立野大橋より南側かつ円山川より東側には，主に田が広がっている。

■■■ **解　説** ■■■

本問は，読図と地図記号に関する問題である。

1．**間違い**。標高 55.8 m の三角点（地形図上で左側上部の点）から標高 3.4 m の三角点（地形図上で右側下部の点）までの図上距離は，約 16.2 cm である。一方，地形図下方記載のスケールは，図上距離約 7.9 cm を 1,500 m と表示している。

上記三角点両者間の水平距離を X m とすると，次式が成り立つ。

$$7.9\,\text{cm} : 1,500\,\text{m} = 16.2\,\text{cm} : X\,\text{m}$$
$$7.9\,X = 24,300 \qquad X \fallingdotseq 3,076\,\text{m}$$

両者間の水平距離は，およそ 3,076 m である。

（注）　上記の数値は実際の問題に出題された地形図上でのものである。本紙面の図（前ページ）は，全体に縮小されており，距離 16.2 cm は 12.3 cm，スケールにおいては図上 6 cm を 1,500 m と表示されている。

比例式にすると，

$$6.0\,\text{cm} : 1,500\,\text{m} = 12.3\,\text{cm} : X\,\text{m}$$
$$6.0\,X = 18,450 \qquad X = 3,075\,\text{m}$$

2．**正しい**。豊岡トンネルの西側の坑口（⌒）の東方向には計曲線（50 m ごとに表示する等高線）があり，当該坑口はそれより 3 本の主曲線（10 m ごとに表示する等高線）が介在する地点に位置する。したがって，西側の坑口の標高は，50 m－30 m＝20 m より，20 m となる。

一方，東側の坑口の上方には，50 m の計曲線がある。その下 3 本の主曲線の位置に坑口は位置するので，標高は 20 m である。

したがって，両坑口の標高は同じであるから，標高差は 20 m 以下である。

3．**正しい**。税務署の地図記号は ◇ であり，地形図の中央部西側に位置する。豊岡駅の記号の北西角から税務署までの両者間の図上距離は，約 3.1 cm である。なお，両者間の図上距離は，双方の地図記号の中心間の距離を測定する。

地形図上のスケールは，図上距離約 7.9 cm を 1,500 m と表示しているので，両者間の水平距離を Y m とすると，次式が成り立つ。

$$7.9\,\text{cm} : 1,500\,\text{m} = 3.1\,\text{cm} : Y\,\text{m}$$
$$7.9\,Y = 4,650 \qquad Y \fallingdotseq 589\,\text{m}$$

両者間の水平距離は，およそ 580 m である。

（注）　肢1と同様に，7.9 cmを本紙面上の6.0 cmに，3.1 cmを本紙面上の2.3 cmに読み替えて比例式にすると，

$$6.0 \text{ cm} : 1{,}500 \text{ m} = 2.3 \text{ cm} : \text{Y m}$$
$$6.0 \text{ Y} = 3{,}450 \qquad \text{Y} = 575 \text{ m}$$

4．正しい。 市役所の地図記号は ◎ であり，地形図中央部より南側方向に位置しており，図書館の地図記号は 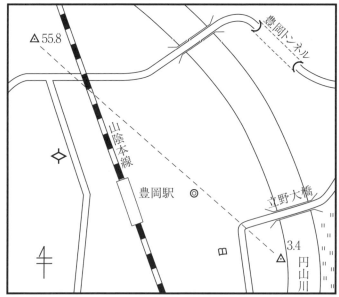 であり，さらに南東側方向に位置している。両者間の図上距離は，約2.2 cmである。その水平距離を Z m とすると，次式が成り立つ。

$$7.9 \text{ cm} : 1{,}500 \text{ m} = 2.2 \text{ cm} : \text{Z m}$$
$$7.9 \text{ Z} = 3{,}300 \qquad \text{Z} \fallingdotseq 417 \text{ m}$$

両者間の水平距離は，およそ410 mである。

（注）　肢1と同様に，7.9 cmを本紙面上の6.0 cmに，2.2 cmを本紙面上の1.6 cmに読み替えて比例式にすると，

$$6.0 \text{ cm} : 1{,}500 \text{ m} = 1.6 \text{ cm} : \text{Z m}$$
$$6.0 \text{ Z} = 2{,}400 \qquad \text{Z} = 400 \text{ m}$$

5．正しい。 田の地図記号は „"„ である。立野大橋より南側かつ円山川より東側には，主に田が広がっている。

したがって，**肢1** が間違っている。

＜主な建物等の位置関係（略図）＞

4．地形図図式規程（地図編集の原則）

No.　188　　次の1〜5の文は，公共測量において数値地形図を編集する場合の表示の原則について述べたものである。明らかに間違っているものはどれか。次の1〜5の中から選べ。

1．表示する対象は，測量作業時に現存し，永続性のあるものとする。
2．数値地形図への表現は，地表面の状況を地図情報レベルに応じて正確かつ詳細に表示する。
3．表示する対象は，上方からの中心投影でその形状を表示する。
4．特定の記号のないもので，特に表示する必要がある対象は，その位置を指示する点を表示し，名称，種類等を文字により表示する。
5．数値地形図に表示する地物の水平位置の転位は，原則として行わない。

■■■■ **解 説** ■■■■

　本問は，公共測量において数値地形図を編集する場合の表示の原則に関する問題である。

1．正しい。「数値地形図に表示する対象は，測量作業時に現存し，永続性のあるものとする」（作業規程の準則付録7公共測量標準図式〔以下，図式〕第3条本文）。

2．正しい。「数値地形図への表現は，地表面の状況を地図情報レベルに応じて正確詳細に表示する」（図式第4条1項）。

3．間違い。「表示する対象は，それぞれの上方からの正射影で，その形状を表示する」（図式第4条2項）。

4．正しい。特定の記号のないもので，特に表示する必要がある対象は，その位置を指示する点を表示し，名称，種類等を文字により表示する」（図式第4条3項）。

5．正しい。「数値地形図に表示する地物の水平位置の転位は，原則として行わない」（図式第5条1項）。

　したがって，明らかに間違っているものは**肢3**である。

正解 ▶ 3

No. 189　　次の文は，地図編集の原則について述べたものである。明らかに間違っているものはどれか。次の中から選べ。

1. 編集の基となる地図（基図）は，新たに作成する地図（編集図）の縮尺より小さく，かつ最新のものを使用する。
2. 地物の取捨選択は，編集図の目的を考慮して行い，重要度の高い対象物を省略することのないようにする。
3. 注記は，地図に描かれているものを分かりやすく示すため，その対象により文字の種類，書体，字列などに一定の規範を持たせる。
4. 有形線（河川，道路など）と無形線（等高線，境界など）とが近接し，どちらかを転位する場合は無形線を転位する。
5. 山間部の細かい屈曲のある等高線を総描するときは，地形の特徴を考慮する。

■■■　**解　説**　■■■

本問は，公共測量における地図編集に関する問題である。

1. **間違い。**新たに編集して作成する地図の基図は，より縮尺が大きく，かつ最新のものを採用する（作業規程の準則第333条2項1号，2号）。
2. **正しい。**地物が相互に近接している場合は，記号と記号が重複してお互いに正しい位置に表示できない。この場合は，位置表示の重要性の低い方を省略して表示する。取捨選択に当たっては，省略時，重要度の高い事項を省略し総合化しすぎて，現況とかけ離れた表現にならないようにする（解説と運用）。
3. **正しい。**注記とは，文字又は数値による表示をいい，地域，人工物，自然地物などの名称，特定の記号のないものの名称，標高値，等高線数値などに用いる。
4. **正しい。**有形線（河川，道路など）と無形線（等高線，境界など）が近接した場合は，無形線（等高線）を転位する（解説と運用）。
5. **正しい。**総合描写では，縮小率を考慮して，現状の形状と相似性を保つようにする，形状の特徴を失わないようにする，必要に応じて形状を多少修飾して，現況を理解しやすく表現することに留意して編集する（解説と運用）。

したがって，**肢1**が間違っている。

正解 ▶ 1

4. 地形図図式規程（地図編集の原則）

No. 190　次の文は，一般的な地図編集における地形，地物の取捨選択，転位及び総描についての技術的手法を述べたものである。明らかに間違っているものはどれか。次の中から選べ。

1. 一般的に重要度が低い対象物でも，局地的に極めて重要度の高い場合は省略しないようにする。
2. 河川と市町村界が近接し転位が必要となる場合は，河川を転位する。
3. 三角点が道路と近接し転位が必要となる場合は，三角点を真位置に描画し，位置関係を変えないように道路を転位する。
4. 建物が密集して，全てを表示することができない場合は，取捨選択して表示することができる。
5. 建物の形状が複雑な場合は，小さな凹凸を省略するなど，現況との相似性を失わない範囲で形状を修飾して現況を理解しやすく総描する。

■ **解　説** ■

　本問は，一般的な地図編集における地形，地物の取捨選択，転位及び総描についての技術的手法に関する問題である。

1. **正しい。** 基図を編集して縮尺の小さい地図を作る場合，同じ面積に表示される情報量が少なくなるため，地図編集において取捨選択を行う。重要度，優先度の高い地形・地物等の地図情報を省略しないようにする。
2. **間違い。** 有形線（河川）と無形線（市町村界）が近接した場合は，無形線（市町村界）を転位する。
3. **正しい。** 基準点である三角点は，転位しない。三角点を真位置に描写し，位置関係を変えないように道路を転位する。
4. **正しい。** 地物が相互に近接している場合は，記号と記号が重複してお互いに正しい位置に表示できない。この場合は，位置表示の重要性の低い方を省略して表示する。取捨選択に当たっては，省略時，重要度の高い事項を省略し総合化しすぎて，現況とかけ離れた表現にならないようにする。建物が密集して，全てを表示することができない場合は，取捨選択して表示する。
5. **正しい。** 総合描写では，縮小率を考慮して，現状の形状と相似性を保つようにする，形状の特徴を失わないようにする，必要に応じて形状を多少修飾して，現況を理解しやすく表現することに留意して編集する。建物の形状が複雑な場合は，小さな凹凸を省略するなど，現況との相似性を失わない範囲で形状を修飾して現況を理解しやすく総描する（作業規程の準則解説と運用）。

　したがって，**肢2**が間違っている。

正解 ▶ 2

重要度 **A**

4．地形図図式規程（地図編集の原則）

No.　191　次のa～eの文は，一般的な地図編集における転位の原則について述べたものである。明らかに間違っているものだけの組合せはどれか。次の中から選べ。

a．道路と三角点が近接し，どちらかを転位する必要がある場合，三角点の方を転位する。

b．河川と等高線が近接し，どちらかを転位する必要がある場合，等高線の方を転位する。

c．海岸線と鉄道が近接し，どちらかを転位する必要がある場合，鉄道の方を転位する。

d．鉄道と河川と道路がこの順に近接し，道路を転位する際にそのスペースがない場合においては，鉄道と河川との間に道路を転位してもよい。

e．一般に小縮尺地図ほど転位による地物の位置精度への影響は大きい。

1．a，b
2．a，d
3．b，c
4．c，e
5．d，e

　本問は，地図編集における転位の原則に関する問題である。

　地図に対象物を記号化して表示する場合，地図の縮尺によっては真位置に表示しようとすると錯雑して読図しにくくなる場合があるため，地図編集における転位の原則に従い真位置から転位して表示する。

　転位の原則として，次のようなことが定められている（作業規程の準則解説と運用）。

① 　基準点（電子基準点，三角点，街区基準点）及び海岸線，湖岸線，河川等の有形自然対象物は，転位しない。（ a ）

② 　基準点のうち，水準点は転位が許される。

③ 　有形線（河川，道路，鉄道など）と無形線（等高線，行政界など）が近接した場合は，無形線を転位する。（ b ）

④ 　有形の自然地物（河川，海岸線など）と有形の人工地物（道路，鉄道など）が近接する場合は，有形の人工地物を転位する。（ c ）（ d ）

⑤ 　地図上で骨格となる人工地物（基準点，道路，鉄道など）とその他の人工地物（記念碑，電波塔，よう壁など）が近接する場合は，その他の人工地物を転位する。

⑥ 　有形線と有形線（道路と鉄道）が並行する場合は，両者の位置の中央線を基準にして双方に同程度に転位する。

⑦ 　表現事項の相対的位置関係を乱さないよう転位する。

a ．間違い。基準点である三角点は，転位しない。道路の方を転位する。

b ．正しい。有形線（河川）と無形線（等高線）が近接した場合は，無形線（等高線）を転位する。

c ．正しい。有形の自然地物（海岸線）と有形の人工地物（鉄道）が近接する場合は，有形の人工地物（鉄道）を転位する。

d ．間違い。有形の自然地物（河川）と有形の人工地物（鉄道，道路）が近接する場合は，有形の自然地物（河川）を真位置におき，次に有形の人工地物である鉄道と道路をそれぞれの真位置より転位する。しかし，道路を鉄道と河川の間に転位しない。

e ．正しい。地図は，小縮尺の地図になるに従い，地図記号が地物等の実寸を縮尺化したものより大きくなり，互いに重なり合うおそれがでてくる。したがって，一般に小縮尺地図ほど転位による地物の位置精度への影響は大きくなる。

　したがって，間違っているものは**a，d**であり，その組合せは**肢2**である。

正解▶2

No. 192　次の文は，一般的な地図編集の原則について述べたものである。明らかに間違っているものはどれか。次の中から選べ。

1．地図編集においては，編集の基となる地図の縮尺は，新たに作成する地図の縮尺より小さいものを採用する。
2．取捨選択に当たっては，表示対象物は縮尺に応じて適切に取捨選択し，かつ正確に表示する。また，重要度の高い対象物を省略することのないようにする。
3．総描に当たっては，現地の形状と相似性を保ち，形状の特徴を失わないようにする。必要に応じて形状を多少修飾して現状を理解しやすく総描する。
4．公共測量において，地図情報レベル2500の数値地形図に表示する地物の水平位置の転位は，原則として行わない。
5．注記とは，文字又は数値による表示をいい，地域，人工物，自然物等の固有の名称，特定の記号のないものの名称及び種類，標高，等高線数値などに用いる。

■ 解　説 ■

本問は，一般的な地図編集の原則に関する問題である。
1．**間違い**。新たに編集して作成する地図の基図は，より縮尺が大きく，かつ最新のものを採用する（作業規程の準則第333条2項1号）。
2．**正しい**。地物が相互に近接している場合は，記号と記号が重複してお互いに正しい位置に表示できない。この場合は，位置表示の重要性の低い方を省略して表示する。取捨選択に当たっては，省略時，重要度の高い事項を省略し総合化しすぎて，現況とかけ離れた表現にならないようにする（解説と運用）。
3．**正しい**。総合描写では，縮小率を考慮して，現状の形状と相似性を保つようにする，形状の特徴を失わないようにする，必要に応じて形状を多少修飾して，現況を理解しやすく表現することに留意して編集する（解説と運用）。
4．**正しい**。公共測量において，地図情報レベル2500の数値地形図に表示する地物の水平位置の転移は，原則として行わない。地図編集における転位の原則による。
5．**正しい**。注記とは，文字又は数値による表示をいい，地域，人工物，自然地物などの名称，特定の記号のないものの名称，標高値，等高線数値などに用いる（作業規程の準則第342条2項）。

したがって，**肢1**が間違っている。

正解 ▶ 1

4．地形図図式規程（地図編集の原則）

No. 193　次のa～eの文は，公共測量における地図編集について述べたものである．明らかに間違っているものだけの組合せはどれか．次の中から選べ．

a．等高線による表現が困難又は不適当な地形は，変形地の記号を用いて表示する．

b．転位及び取捨選択による描画は，小さい縮尺の地図作成において有効な方法である．

c．縮尺の異なる地図においても，地物の取得項目及び表示方法は，共通である．

d．新しい地図の作成のために，複数の既成の地図を使用する場合，縮尺が異なる地図を使用しても良い．ただし，作成する地図より小さい縮尺の地図を使用する．

e．注記は，対象物の種類，図上の面積及び形状により，小対象物，線状対象物などに区分して表示する．

1．a，b
2．a，e
3．b，d
4．c，d
5．c，e

本問は，公共測量における地図編集に関する問題である。

a ．正しい。崖，岩石地及び砂地など，等高線による表現が困難又は不適当な地形を変形地という。これを表わすために変形地記号を用いて表示する（作業規程の準則付録7　公共測量標準図式）。

b ．正しい。縮尺の小さい地図を作成する場合，基図データに表現されている地形，地物など地図情報の全てを編集原図データに表現することは困難である。そのため，転位及び取捨選択による描写は，小さい縮尺の地図作成において有効な方法である（作業規程の準則第342条1項）。

c ．間違い。縮尺の異なる地図において，縮尺の大きい地図では表現されている地形，地物等の取得項目及び表示方法は縮尺の小さい地図より多く記載できる。それに比べて，縮尺の小さい地図は，その地図情報の表現事項を真位置，真形で表現することは困難であるため，取捨選択を要する。したがって，縮尺が異なる地図では，地物の取得項目及び表示方法は異なる（第342条）。

d ．間違い。新たに編集して作成する基図は，より縮尺が大きく，かつ最新のものを使用する（第333条2項1号）。

e ．正しい。公共測量標準図式第53条は，注記の原則について定めており，同条1号は，「注記は，対象物の種類，図上の面積及び形状により，小対象物，地域及び線状対象物に区分して表示する。」と規定している。

したがって，間違っているものは**c，d**であり，その組合せは**肢4**である。

４．地形図図式規程（地図編集の原則）

No.　194　　次の文は，一般的な地図編集における転位の原則について述べたものである。明らかに間違っているものはどれか。次の中から選べ。

１．三角点は転位しない。

２．道路と市町村界が近接し，どちらかを転位する場合は市町村界を転位する。

３．一条河川は，原則として転位しない。

４．海岸線と鉄道が近接し，どちらかを転位する場合は海岸線を転位する。

５．転位にあたっては，相対的位置関係を乱さないようにする。

本問は，地図編集における転位の原則に関する問題である。

地図に対象物を記号化して表示する場合，地図の縮尺によっては真位置に表示しようとすると錯雑して読図しにくくなる場合があるため，地図編集における転位の原則に従い真位置から転位して表示する。

転位の原則として，次のようなことが定められている（作業規程の準則解説と運用）。

① 基準点（電子基準点，三角点，街区基準点）及び海岸線，湖岸線，河川等の有形自然対象物は，転位しない。**(1.)，(3.)**

② 基準点のうち，水準点は転位が許される。

③ 有形線（河川，道路，鉄道など）と無形線（等高線，行政界など）が近接した場合は，無形線を転位する。**(2.)**

④ 有形の自然地物（河川，海岸線など）と有形の人工地物（道路，鉄道など）が近接する場合は，有形の人工地物を転位する。**(4.)**

⑤ 地図上で骨格となる人工地物（基準点，道路，鉄道など）とその他の人工地物（記念碑，電波塔，よう壁など）が近接する場合は，その他の人工地物を転位する。

⑥ 有形線と有形線（道路と鉄道）が並行する場合は，両者の位置の中央線を基準にして双方に同程度に転位する。

⑦ 表現事項の相対的位置関係を乱さないよう転位する。**(5.)**

1．正しい。 基準点である三角点は，転位しない。

2．正しい。 有形線（道路）と無形線（市町村界）が近接した場合は，無形線（市町村界）を転位する。

3．正しい。 一条河川などの有形自然対象物は，原則として転位しない。なお，一条河川とは平水時の幅が 1.5 m 以上 5 m 未満の川をいう。

4．間違い。 有形の自然地物（海岸線）と有形の人工地物（鉄道）が接した場合は，有形人工地物（鉄道）を転位する。

5．正しい。 転位の原則として，転位にあたっては，相対的位置関係を乱さないようにすることが必要である。

したがって，**肢4**が間違っている。

正解 ▶ 4

4．地形図図式規程（地図編集の原則）

No. 195　次のa～eの文は，一般的な地図編集について述べたものである。
　ア　～　オ　に入る語句の組合せとして最も適当なものはどれか。次の中から選べ。

a．新たに編集して作成する地図の基図は，より縮尺が　ア　，かつ最新のものを使用する。

b．基図を基に縮尺の小さい地図を作成する場合，重要度の高い地図情報を選択し，その他の情報を適切に省略する必要がある。これを地図編集における　イ　という。

c．基図を基に縮尺の小さい地図を作成する場合，形状を適宜簡略化して表示する必要が生じる。これを地図編集における　ウ　という。

d．基図を基に縮尺の小さい地図を作成する場合，地形や地物の重要性に応じて，必要最小限の量でこれらを移動させることになる。これを地図編集における　エ　という。

e．　オ　とは，文字又は数値による表示をいい，地域，人工物，自然地物などの名称，特定の記号のないものの名称，標高値，等高線数値などに用いる。

	ア	イ	ウ	エ	オ
1．	大きく	取捨選択	総描	転位	整飾
2．	大きく	取捨選択	総描	転位	注記
3．	大きく	総描	転位	取捨選択	注記
4．	小さく	取捨選択	総描	転位	整飾
5．	小さく	総描	転位	取捨選択	注記

　本問は，一般的な地図編集に関する問題である。

a． 新たに編集して作成する地図の基図は，より縮尺が ア. 大きく ，かつ最新の
　　ものを使用する（作業規程の準則第 333 条 2 項 1 号）。

b． 基図を基に縮尺の小さい地図を作成する場合，重要度の高い地図情報を選択し，
　　その他の情報を適切に省略する必要がある。これを，地図編集における
　　イ. 取捨選択 という（作業規程の準則解説と運用）。

c． 基図を基に縮尺の小さい地図を作成する場合，形状を適宜簡略化して表示する
　　必要が生じる。これを地図編集における ウ. 総描 という（解説と運用）。

d． 基図を基に縮尺の小さい地図を作成する場合，地形や地物の重要性に応じて，
　　必要最小限の量でこれらを移動させることになる。これを地図編集における
　　エ. 転位 という（解説と運用）。

e． オ. 注記 とは，文字又は数値による表示をいい，地域，人工物，自然地物な
　　どの名称，特定の記号のないものの名称，標高値，等高線数値などに用いる（作
　　業規程の準則第 342 条 2 項）。

　したがって，**肢 2** の語句の組合せが最も適当である。

4．地形図図式規程（地図編集の原則）

No. 196　次のa〜eの文は，一般的な地図編集における転位の原則について述べたものである。明らかに間違っているものだけの組合せはどれか。次の中から選べ。

a．骨格となる人工地物（道路，鉄道など）とその他の人工地物（建物など）が近接し，どちらかを転位する場合はその他の人工地物を転位する。

b．有形線（河川，道路など）と無形線（等高線，境界など）とが近接し，どちらかを転位する場合は無形線を転位する。

c．有形の自然地物（河川など）と人工地物（道路など）が近接し，どちらかを転位する場合は自然地物を転位する。

d．三角点及び水準点は転位することはできない。

e．転位にあたっては，相対的位置関係を乱さないようにする。

1．a，b
2．a，e
3．b，c
4．c，d
5．d，e

　本問は，地図編集における転位の原則に関する問題である。

　地図に対象物を記号化して表示する場合，地図の縮尺によっては真位置に表示しようとすると錯雑して読図しにくくなる場合があるため，地図編集における転位の原則に従い真位置から転位して表示する。

　転位の原則として，次のようなことが定められている（作業規程の準則解説と運用）。

① 基準点及び海岸線，湖岸線，河川等の有形自然対象物は，転位しない。

② 基準点のうち，水準点は転位が許される。**（d）**

③ 有形線（河川，道路，鉄道など）と無形線（等高線，行政界など）が近接した場合は，無形線を転位する。**（b）**

④ 有形の自然地物（河川，海岸線など）と有形の人工地物（道路，鉄道など）が近接した場合は，有形の人工地物を転位する。**（c）**

⑤ 地図上で骨格となる人工地物（基準点，道路，鉄道など）とその他の人工地物（記念碑，電波塔，よう壁など）が近接する場合は，その他の人工地物を転位する。**（a）**

⑥ 有形線と有形線（道路と鉄道）が並行する場合は，両者の位置の中心線を基準にして双方に同程度に転位する。

⑦ 表現事項の相対的位置関係を乱さないよう転位する。**（e）**

a．**正しい。**骨格となる人工地物とその他の人工地物とが近接する場合は，その他の人工地物を転位する。

b．**正しい。**有形線と無形線が近接した場合は，無形線を転位する。

c．**間違い。**有形の自然地物と有形の人工地物が近接した場合は，有形の人工地物を転位する。

d．**間違い。**基準点の中で，三角点は転位できないが，水準点は転位してもよい。

e．**正しい。**転位の原則として，転位にあたっては，相対的位置関係を乱さないようにすることが必要である。

　したがって，間違っているものは**c**，**d**であり，その組合せは**肢4**である。

正解 ▶ **4**

重要度 **A**

出題年度　H27

チェック ☐☐☐☐☐

4. 地形図図式規程（地図編集の原則）

No. **197**　　次の a〜e の文は，地図編集の原則について述べたものである。明らかに間違っているものは幾つあるか。次の中から選べ。

a．編集の基となる地図は，新たに作成する地図より縮尺が大きく，かつ，最新のものを採用する。

b．真位置に編集描画すべき地物の一般的な優先順位は，三角点，道路，建物，等高線の順である。

c．建物が密集して，すべてを表示することができない場合は，建物の向きと並びを考慮し，取捨選択して描画する。

d．細かい屈曲のある等高線は，地形の特徴を考慮して総描する。

e．鉄道と海岸線が近接する場合は，海岸線を優先して表示し，鉄道を転位する。

1．0（間違っているものは1つもない。）

2．1つ

3．2つ

4．3つ

5．4つ

第6章

地図編集

本問は，地図編集の原則に関する問題である。

a．正しい。 既にできあがっている地図（基図）をもとに，目的に適した地図を作ることを地図編集という。地図編集では，その精度を保持する必要から，使用する基図データは，編集原図データより精度の高い地図情報レベルのものが必要である。基図は，編集図の縮尺より大きく，かつ最新のものを使用する必要がある（作業規程の準則第333条2項）。

b．正しい。 真位置に編集描画すべき地物の一般的優先順位は，原則として次のとおりである（作業規程の準則解説と運用）。

　　①基準点，②骨格地物（河川，水涯線，道路，鉄道等），③建物，諸記号，

　　④地形（等高線等），⑤植生界，植生記号，⑥行政界

　　原則として，自然地物（河川，海岸線等）と人工地物（道路，鉄道，家屋等）が近接するときは，自然地物を真位置に表示し，人工地物を転位させる。また，基準点（電子基準点，三角点，街区基準点）は転位してはならない。本肢の優先順位は，正しい。

c．正しい。 建物がほぼ一定間隔に分布している住宅集団で，建物のすべてを表示することが困難である場合，向きと並びを考慮して，建物を間引いて表現する（作業規程の準則解説と運用）。

d．正しい。 山間部の細かい屈曲のある等高線は，地形の特徴を考慮して総描する（解説と運用）。

e．正しい。 転位とは，地図の縮尺によっては真位置に表示しようとすると錯雑して読図しにくくなるため，一定の原則に従い真位置から移動して表示することをいう。位置表示の重要性がより低いものを転位する。有形の自然地物と有形の人工地物が近接する場合は，有形の人工地物を転位することになる。したがって，海岸線と鉄道が近接する場合は，海岸線を優先して表示し，鉄道を転位する（上記b解説参照）。

したがって，間違っているものは1つもないので，正解は**肢1**である。

5. GIS（地理情報システム）

No. 198　　次の 1 ～ 5 の文は，地理空間情報活用推進基本法（平成 19 年法律第 63 号）における基盤地図情報について述べたものである。明らかに間違っているものはどれか。次の 1 ～ 5 の中から選べ。

1. 基盤地図情報は，原則としてインターネットにより無償で提供される。
2. 基盤地図情報には，行政区画の境界線などの無形線は含まれない。
3. 基盤地図情報には，海岸線，道路縁，建築物の外周線を含む 13 項目が定められている。
4. 都市計画区域における基盤地図情報はシームレスに整備されているため，隣接市町村にまたがる図面でも調整なしに接合することができる。
5. 基盤地図情報に市から提供された防災施設の位置情報を重ね合わせることにより，地域の防災マップを作成することができる。

■ **解　説** ■

　本問は，地理空間情報活用推進基本法（平成 19 年法律第 63 号）〔以下，「NSDI 法」〕における基盤地図情報に関する問題である。

　これまで国や地方公共団体，民間事業者等の様々な関係者によって，それぞれの目的に応じて整備されてきた地理空間情報は，それぞれが一定の精度を確保しているものの，その精度の範囲の中ではズレが生じているものである。その結果，様々な地理空間情報を重ね合わせて利用しようとしても，微妙にズレてしまう（例：別々の地理空間情報を重ねると道路上に家が存在するようなズレ）。また，隣り合う 2 つの地域の地理空間情報をつなぎ合わせようとしても，微妙に接合しないことも生じる。こうした不都合を防ぐために，地理空間情報を整備する際に，皆が共通の位置の基準を用いることが必要となる。その基準となる情報こそが「基盤地図情報」である。

1. **正しい。**「国は，その保有する基盤地図情報等を原則としてインターネットを利用して無償で提供するものとする」（NSDI 法第 18 条 2 項）。インターネットを通じて無償で閲覧，ダウンロードができる。
2. **間違い。**「この法律において「基盤地図情報」とは，地理空間情報のうち，電子地図上における地理空間情報の位置を定めるための基準となる測量の基準点，海岸

線，公共施設の境界線，行政区画その他の国土交通省令で定めるものの位置情報（国土交通省令で定める基準に適合するものに限る。）であって電磁的方式により記録されたものをいう」（NSDI 法第 2 条 3 項）と規定されており，行政区画などの無形線も基盤地図情報に含まれている。

　基盤地図情報の整備項目や満たすべき基準については，引用した NSDI 法第 2 条 3 項に規定されている通り，国土交通省令で別途定められている（平成 19 年 8 月 29 日，国土交通省令第 78 号）。

　その省令によると，現在，基盤地図情報の項目としては，以下の 13 項目が定められている。

1　測量の基準点
2　海岸線
3　公共施設の境界線（道路区域界）
4　公共施設の境界線（河川区域界）
5　行政区画の境界線及び代表点
6　道路縁
7　河川堤防の表法肩の法線
8　軌道の中心線
9　標高点
10　水涯線
11　建築物の外周線
12　市町村の町若しくは字の境界線及び代表点
13　街区の境界線及び代表点

3．正しい。前肢 2 の解説参照。

4．正しい。都市計画区域における基盤地図情報はシームレスに整備されているため，隣接市町村にまたがる図面でも調整なしに接合することができる。基盤地図情報の更新を行う際に，その対象地域と隣接地域の境界部において，原則シームレスとなるように接合する。

5．正しい。基盤地図情報に市から提供された防災施設の位置情報を重ね合わせることにより，地域の防災マップを作成することができる。繰り返しになるが，基盤地図情報は地理空間情報の統一的，シームレスな接合・重ね合わせを可能にするための共通の位置基準の情報である。地理空間情報の重ね合わせに強い基盤地図情報であるからこそ，防災マップ作成に強みを発揮する。

※ なお，地理空間情報活用推進基本法の略称は NSDI 法であるが，NSDI とは National Spatial Data Infrastructure（国土空間基盤データ）を意味する。

したがって，明らかに間違っているものは**肢 2** である。

正解 ▶ 2

5．GIS（地理情報システム）

No. 199　次の文は，GIS について述べたものである。　ア　〜　ウ　に
入る語句の組合せとして最も適当なものはどれか。次の中から選べ。

　GIS は，様々な地理空間情報とそれを加工・分析・表示するソフトウェアで構成される。GIS では，複数の地理空間情報について，　ア　ごとに分けて重ね合わせることができる。また，情報を重ね合わせるだけでなく，新たに建物や道路などの情報を追加することも可能である。この建物や道路などの情報のように，座標値を持った点又は点列によって線や面を表現する図形データを　イ　データといい，名称などの属性情報を併せ持つことができる。

　GIS の応用分野は幅広く，特に自然災害に対する防災分野においては 1995 年の阪神・淡路大震災を契機にその有用性が認められ，国・地方公共団体などで広く利用されている。防災分野における具体的な利用方法としては，ネットワーク化された道路中心線データを利用して学校から避難所までの最短ルートを導き出すことや，　ウ　を使い山地斜面の傾斜を求め，土砂災害が発生しやすい箇所を推定することなどが挙げられる。

	ア	イ	ウ
1．	レイヤ	ベクタ	数値表層モデル（DSM）
2．	レベル	ラスタ	数値表層モデル（DSM）
3．	レベル	ラスタ	数値地形モデル（DTM）
4．	レイヤ	ラスタ	数値表層モデル（DSM）
5．	レイヤ	ベクタ	数値地形モデル（DTM）

本問は，GIS（地理情報システム）に関する問題である。

GIS は，様々な地理空間情報とそれを加工・分析・表示するソフトウェアで更正される。GIS では，複数の地理空間情報について，ア．レイヤ ごとに分けて重ね合わせることができる。また，情報を重ね合わせるだけでなく，新たに建物や道路などの情報を追加することも可能である。この建物や道路などの情報のように，座標値を持った点又は点列によって線や面を表現する図形データを イ．ベクタ データといい名称などの属性情報を併せ持つことができる。

GIS の応用分野は幅広く，特に自然災害に対する防災分野においては，1995 年の阪神・淡路大震災を契機にその有用性が認められ，国・地方公共団体などで広く利用されている。防災分野における具体的な利用方法としては，ネットワーク化された道路中心線データを利用して学校から避難所までの最短ルートを導き出すことや，ウ．数値地形モデル（DTM） を使い山地斜面の傾斜を求め，土砂災害が発生しやすい箇所を推定することなどが挙げられる。

したがって，**肢5**の組合せが最も適当である。

正解 ▶ 5

（参考）
地理情報システム（GIS：Geographic Information System）
数値地形モデル（DTM：Digital Terrain Model）
数値表層モデル（DSM：Digital Surface Model）

5．GIS（地理情報システム）

No. 200　地理空間情報の防災における利用について，次の問いに答えよ。

　地形と自然災害の発生リスクには，密接な関係がある。例えば，山地や崖・段丘崖の下方にあり，崖崩れや土石流などによって土砂が堆積してできた「山麓堆積地形」においては，大雨による土石流災害のリスクがあり，地盤が不安定なため大雨や地震による崖崩れにも注意が必要である。

　身のまわりの地形が示すその土地の成り立ちと，その土地が本来持っている自然災害リスクについて，誰もが簡単に確認できるようにする目的で，国土地理院のウェブ地図「地理院地図」から「地形分類」を示す地図を公開しており，災害の種類ごとの「指定緊急避難場所」を重ね合せ表示することで事前に避難ルートを調べることができる。

　表は，地形分類，土地の成り立ち及び地形から見た自然災害リスクを説明したものである。　ア　～　エ　に入る「地形から見た自然災害リスク」を説明した次のページのa～dの文の組合せとして最も適当なものはどれか。次のページの中から選べ。

表

地形分類	土地の成り立ち	地形から見た自然災害リスク
扇状地	山地の谷の出口から扇状に広がる緩やかな斜面。谷口からの氾濫によって運ばれた土砂が堆積してできる。	ア
自然堤防	現在や昔の河川に沿って細長く分布し，周囲より0.5～数メートル高い土地。河川が氾濫した場所に土砂が堆積してできる。	イ
凹地・浅い谷	台地や扇状地，砂丘などの中にあり，周辺と比べてわずかに低い土地。小規模な流水の働きや，周辺部に砂礫が堆積して相対的に低くなる等でできる。	ウ
氾濫平野	起伏が小さく，低くて平坦な土地。洪水で運ばれた砂や泥などが河川周辺に堆積したり，過去の海底が干上がったりしてできる。	エ

a．洪水に対しては比較的安全だが，大規模な洪水では浸水することがある。縁辺部では液状化のリスクがある。

b．大雨の際に一時的に雨水が集まりやすく，浸水のおそれがある。地盤は周囲（台地・段丘など）より軟弱な場合があり，特に周辺が砂州・砂丘の場所では液状化のリスクがある。

c．河川の氾濫に注意が必要である。地盤は海岸に近いほど軟弱で，地震の際にやや揺れやすい。液状化のリスクがある。沿岸部では高潮に注意が必要である。

d．山地からの出水による浸水や，谷口に近い場所では土石流のリスクがある。比較的地盤は良いため，地震の際には揺れにくい。下流部では液状化のリスクがある。

	ア	イ	ウ	エ
1.	a	b	c	d
2.	b	a	d	c
3.	d	b	c	a
4.	b	a	c	d
5.	d	a	b	c

■■■ **解　説** ■■■

本問は，地理空間情報の防災における利用に関する問題である。

(1) **扇状地**は，河川が山間部から平地に流れ込む場所に，谷口からの氾濫によって運ばれた土砂が堆積してできる。そのため， **ア．d** 山地からの出水による浸水や，谷口に近い場所では土石流のリスクがある。比較的地盤は良いため，地震の際には揺れにくい。下流部では液状化のリスクがある。

(2) **自然堤防**は，河川下流域の両岸に自然にできた堤防状微高地形である。河川が氾濫した場所に土砂が堆積してできる。そのため， **イ．a** 洪水に対しては比較的安全だが，大規模な洪水では浸水することがある。縁辺部では液状化のリスクがある。

(3) **凹地・浅い谷**は，台地・段丘や扇状地などの表面に形成された周辺と比べてわずかに低い土地である。そのため， **ウ．b** 大雨の際に一時的に雨水が集まりやすく，浸水のおそれがある。地盤は周囲（台地・段丘など）より軟弱な場合があり，特に周辺が砂州・砂丘の場所では液状化のリスクがある。

(4) **氾濫平野**は，河川の流水時，河道から氾濫する範囲に，洪水で運ばれた砂や泥などが河川周辺に堆積するなどしてできる。起伏が小さく，低くて平坦な土地である。そのため， **エ．c** 河川の氾濫に注意が必要である。地盤は海岸に近いほど軟弱で，地震の際にやや揺れやすい。液状化のリスクがある。沿岸部では高潮に注意が必要である。

したがって，**肢5**の組合せが最も適当である。

正解▶5

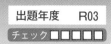

重要度 Ⓐ

出題年度　R03

チェック ☐☐☐☐☐

5．GIS（地理情報システム）

No. 201　　次のa～eの文は，GISで扱うデータ形式やGISの機能について述べたものである。明らかに間違っているものだけの組合せはどれか。次の中から選べ。

a．GISでよく利用されるデータにはベクタデータとラスタデータがあり，ベクタデータのファイル形式としては，GML，KML，TIFFなどがある。

b．居住地区の明治期の地図に位置情報を付与できれば，GISを用いてその位置精度に応じた縮尺の現在の地図と重ね合わせて表示できる。

c．国土地理院の基盤地図情報ダウンロードページから入手した水涯線データに対して，GISを用いて標高別に色分けすることにより，浸水が想定される範囲の確認が可能な地図を作成できる。

d．数値標高モデル（DEM）から，斜度が一定の角度以上となる範囲を抽出し，その範囲を任意の色で着色することにより，雪崩危険箇所を表示することができる。

e．地震発生前と地震発生後の数値表層モデル（DSM）を比較することによって，倒壊建物がどの程度発生したのかを推定し，被災状況を概観する地図を作成することが可能である。

1．a，b
2．a，c
3．b，d
4．c，e
5．d，e

　本問は，GIS（地理情報システム）で扱うデータ形式や GIS の機能に関する問題である。

a．間違い。GIS でよく利用されるデータで，ベクタデータのファイル形式として，EPS，AI データなどがあり，ラスタデータのファイル形式としては，BMP，JPEG，TIFF などがある。

b．正しい。GIS の特徴的な機能として「地図を表示する機能」があり，地図と情報の重ね合わせを実施できる。したがって，本肢のように居住地区の明治期の地図に位置情報を付与して，その位置精度に応じた縮尺の現在の地図と重ね合わせて表示できる。

c．間違い。水涯データは，高さを持つ線データであるから，標高別に色分けして，浸水が想定される範囲の確認ができる地図は作成できない。

d．正しい。数値標高モデル（DEM）は，地表面を等間隔の正方形に区切り，それぞれの正方形の中心点の標高値を持たせたデータである。したがって，これより斜度が一定の角度以上となる範囲を抽出し，その範囲を任意の色で着色することにより，雪崩危険箇所を表示することができる。

e．正しい。数値表層モデル（DSM）は，人口構造物や樹木などの高さを含む地表面の高さを表した，三次元座標をデジタル表現したデータである。したがって，地震発生前と発生後の建物の高さを含む地表面の高さを数値表層モデル（DSM）で比較することによって，倒壊建物がどの程度発生したのかを推定し，被災状況を概観する地図を作成することが可能である。

　したがって，明らかに間違っているものは**a，c**であり，その組合せは**肢2**である。

正解▶2

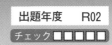

重要度 **A**

5．GIS（地理情報システム）

No. 202　次の文は，GIS で扱うデータ形式や GIS の機能について述べたものである。明らかに間違っているものはどれか。次の中から選べ。

1．ラスタデータは，地図や画像などを微小な格子状の画素（ピクセル）に分割し，画素ごとに輝度や濃淡などの情報を与えて表現するデータである。

2．ベクタデータは，図形や線分を，座標値を持った点又は点列で表現したデータであり，線分の長さや面積を求める幾何学的処理が容易にできる。

3．ベクタデータで構成されている地物に対して，その地物から一定の距離内にある範囲を抽出し，その面積を求めることができる。

4．ネットワーク構造化されていない道路中心線データに，車両等の最大移動速度の属性を与えることで，ある地点から指定時間内で到達できる範囲がわかる。

5．GIS を用いると，ベクタデータに付属する属性情報をそのデータの近くに表示することができる。

■ **解 説** ■

本問は，GIS（地理情報システム）で扱うデータ形式や GIS の機能に関する問題である。

1．正しい。 ラスタデータは，一定の大きさの画素を配列して，地物などの位置や形状を表すデータ形式である。地図や画像などを微小な格子状の画素（ピクセル）に分割し，画素ごとに輝度や濃淡などの情報を与えて表現する。

2．正しい。 ベクタデータとは，座標値をもった点列によって表現される図形データである。地図上の距離，重心座標や面積などの幾何学的処理を簡単に行うことができる。

3．正しい。 ベクタデータは，端点に座標値を持った点列によって，端点から端点へのベクトルデータにより表現される図形である。ベクタデータで構成されている地物に対して，その地物から一定の距離内にある範囲を抽出し，その面積を求めることができる。

4．間違い。 GIS では，空間解析機能により，最短経路の探索，連結性の測定などのネットワーク分析も取り扱うことができる。道路中心線データに，車両等の最大移動速度の属性を与えることで，ある地点から指定時間内で到達できる範囲がわかる。しかし，それにはネットワーク構造化された道路中心線データが，必要である。

5．正しい。 ベクタデータには，道路，鉄道，河川など分類コードごとに属性を持たせることができ，個々のベクタデータに付属する属性情報をそのデータの近くに文字で表示することができる。

以上，作業規程の準則解説と運用。

したがって，**肢4** が間違っている。

正解 ▶ 4

第6章

地図編集

No. 203　次の文は，地理空間情報を用いたGIS（地理情報システム）での利用について述べたものである。明らかに間違っているものはどれか。次の中から選べ。

1．50mメッシュ間隔の人口メッシュデータと避難所の点データを用いて，避難所から半径1kmに含まれるおおよその人口を計算した。

2．ネットワーク化された道路中心線データを利用し，消防署から火災現場までの最短ルートを表示した。

3．航空レーザ測量で得た数値地形モデル（DTM）と基盤地図情報の建築物の外周線データを用いて，建物の高さ15m以上の津波避難ビルの選定を行った。

4．公共施設の点データに含まれる種別属性と建物の面データを用いて，公共施設である建物面データを種別ごとに色分け表示した。

5．浸水が想定される区域の面データと地図情報レベル2500の建物の面データを用いて，浸水被害が予想される概略の家屋数を集計した。

■■■ **解　説** ■■■

　本問は，地理空間情報を用いた GIS（地理情報システム）の利用に関する問題である。

1．正しい。GIS の機能の特色として，空間解析機能が充実しているため，点，線，面などの図形から等しい距離にある領域を特定することによって，勢力圏の設定が可能である。したがって，本肢のように，50 m メッシュ間隔の人口メッシュデータと避難所の点データを用いて，避難所から半径 1 km に含まれるおおよその人口の計算ができる。

2．正しい。GIS（地理情報システム）では，空間解析機能により，最短経路の探索，連結性の測定などのネットワーク分析も取り扱うことができる。したがって，ネットワーク化された道路中心線データを利用し，消防署から火災現場までの最短ルートを表示できる。

3．間違い。数値地形モデル（DTM）は，建物や樹木などの高さを取り除いた地表そのものの高さのモデルである。したがって，数値地形モデル（DTM）と基盤地図情報の建築物の外周線データを用いて，建物の高さ 15 m 以上の津波避難ビルの選定を行うことは，数値地形モデル（DTM）に建物や樹木などの高さが含まれていないので，できない。

4．正しい。GIS の機能として，空間解析機能が充実しているため，属性の異なる複数のレイヤ（空間データを層にすること）を重ねて，新しい主題図を作成することができる。したがって，本肢のように公共施設の点データに含まれる種別属性と建物の面データを用いて，公共施設である建物面データを種別ごとに色分け表示することができる。

5．正しい。GIS の特徴的な機能として「地図を表示する機能」があり，地図と情報の重ね合わせを実施できる。したがって，本肢のように浸水被害が予想される概略家屋数を集計できる。

　したがって，**肢3**が間違っている。

地図編集

5．GIS（地理情報システム）

No.　204　　次の文は，防災分野における地理空間情報の利用について述べたものである。明らかに間違っているものはどれか。次の中から選べ。

1．災害対策の基本計画を立案するため，緊急避難場所データを利用することとしたが，緊急避難場所は，地震や洪水など，あらゆる種別の災害に対応しているとは限らないことから，対応する災害種別が属性情報として含まれるデータを入手した。

2．最短の避難経路の検討を行うため，道路データを入手したが，ネットワーク化された道路中心線データでは経路検索が行えないので，ラスタデータに変換して利用した。

3．洪水による浸水範囲の高精度なシミュレーションを行うため，航空レーザ測量により作成されたデータを入手したが，建物の高さが取り除かれた数値標高モデル（DEM）だったことから，三次元建物データをあわせて利用した。

4．地震や洪水などの災害による被害を受けやすい箇所を推定するため，過去の土地の履歴を調べる目的で，過去の地図や空中写真のほか，土地の成り立ちを示した地形分類データをあわせて利用した。

5．土砂災害や雪崩などの危険箇所を推定するため，数値標高モデル（DEM）を利用して地形の傾斜を求めた。

■■■ 解　説 ■■■

本問は，防災分野における地理空間情報の利用に関する問題である。

1．**正しい。**災害対策の基本計画を立案するに際し，緊急避難場所データを利用する場合は，対応する災害種別が属性情報として含まれるデータを入手することは防災上有効な方法である。

2．**間違い。**最短の避難経路の検討を行うための道路データの道路中心線のような線状地物データを変換する場合は，データ量の多いラスタデータよりもデータ量の少ないベクタデータの方が適している。

3．**正しい。**洪水による浸水範囲の高精度なシミュレーションを行う場合に，航空レーザ測量により作成されたデータの建物の高さがとり除かれた数値標高モデル（DEM）に，三次元建物データを併せて利用することは防災上有効な方法である。

4．**正しい。**地震や洪水などの災害による被害を受けやすい箇所を推定するため，過去の土地の履歴を調べる場合に，過去の地図や空中写真の土地の成り立ちを示した地形分類データをあわせて利用することは，防災上有効な方法である。

5．**正しい。**土砂災害や雪崩などの危険箇所を推定する場合に，数値標高モデル（DEM）を利用して地形の傾斜を求めることは防災上有効な方法である。

したがって，**肢2**が間違っている。

正解 ▶ 2

5．GIS（地理情報システム）

No. 205　　N市では，津波，土砂災害，洪水のハザードマップや各種防災に関する地理空間情報を利用できる GIS を導入した。次の文は，こうした地理空間情報を GIS で処理することによってできることや，GIS での処理方法について述べたものである。明らかに間違っているものはどれか。次の中から選べ。

1．河川流域の地形の特徴を表した地形分類図に，過去の洪水災害の発生箇所に関する情報を重ねて表示すると，過去の洪水で堤防が決壊した場所が旧河道に当たる場所であることがわかった。

2．津波ハザードマップと土砂災害ハザードマップを重ねて表示すると，津波が発生した際の緊急避難場所の中に，土砂災害の危険性が高い箇所があることがわかった。

3．住民への説明会用に，航空レーザ測量で得た数値表層モデル（DSM）を用いて，洪水で水位が上昇した場合の被害のシミュレーション画像を作成した。

4．標高の段彩図を作成する際，平地の微細な起伏を表すため，同じ色で示す標高の幅を，傾斜の急な山地に比べ平地では広くした。

5．災害時に災害の危険から身を守るための緊急避難場所と，一時的に滞在するための施設となる避難所との違いを明確にするため，別の記号を表示するようにした。

本問は，地理情報システム（GIS）の利用及び処理方法に関する問題である。

1．正しい。 GIS の特徴的な機能として「地図を表示する機能」があり，地図と情報の重ね合わせを実施できる。河川流域の地形の特徴を表した地形分類図に，過去の洪水災害の発生箇所に関する情報を重ねて表示すれば，過去の洪水で堤防が決壊した場所が旧河道に当たる場所であることも判明する。

2．正しい。 GIS の持つ空間分析機能により，属性の異なる複数のレイヤ（空間データを層にすること）を重ねて，新しい主題図を作成することができる。津波ハザードマップと土砂災害ハザードマップを重ねて表示すれば，津波が発生した際の緊急避難場所の中に，土砂災害の危険性が高い箇所があることも判明する。

3．正しい。 GIS の持つ空間分析機能により，属性の異なる複数のレイヤを重ねて新しい主題図を作成できる。住民への説明会用に，航空レーザ測量で得た数値表層モデル（DSM）を用いて，洪水で水位が上昇した場合の被害のシミュレーション画像を作成できる。

4．間違い。 標高の段彩図の作成において，平地の微細な起伏を表わすためには，傾斜の急な山地より標高の幅は狭くしなければならない。

5．正しい。 災害時に災害の危険から身を守るための緊急避難場所と，一時的に滞在するための施設となる避難所との違いを明確にするため，別の記号によって表示すれば，緊急避難場所と一時避難場所との違いが明確になり，判別しやすくなる。

以上，作業規程の準則解説と運用。

したがって，**肢4**が間違っている。

正解 ▶ 4

重要度 **A**

5．GIS（地理情報システム）

出題年度　**H28**

チェック ■■■■■

No.　206　　次の文は，ハザードマップについて述べたものである。明らかに間違っているものはどれか。次の中から選べ。

1．地震・洪水などの災害をもたらす自然現象を予測して，想定される被害の種類・程度とその範囲をハザードマップに示した。
2．地震災害，洪水災害など災害の種類に応じたハザードマップを作成した。
3．洪水災害のハザードマップの使用を希望した者がハザードマップを作成した自治体の職員ではなかったので，使用を許可しなかった。
4．地域の土地の成り立ちや地形・地盤の特徴，過去の災害履歴などの情報を用いてハザードマップを作成した。
5．最新の基図データを使用したハザードマップの作成を，公共測量として実施した。

■■■　**解　説**　■■■

本問は，ハザードマップに関する問題である。

ハザードマップとは，災害予測図のことであり，自然災害による被害の軽減や防災対策にあてる目的で作成される。地図上には，被害の想定範囲区域や，避難場所・避難経路などの防災関係施設の位置などが表示される（作業規程の準則解説と運用）。

1．正しい。 ハザードマップの目的から，地震・洪水などの災害をもたらす自然現象を予測して，想定される被害の種類・程度とその範囲をハザードマップに示す。

2．正しい。 災害には，地震災害・洪水災害・土砂災害・津波浸水・高潮などいろいろあるため，災害の種類に応じたハザードマップの作成が有用である。

3．間違い。 ハザードマップの作成の目的が，自然災害による被害の軽減や防災対策にあてることにあるため，洪水災害のハザードマップの使用を希望した者が，ハザードマップを作成した自治体の職員でなかったとしても，ハザードマップ自体は広く公開されるべきものであり，その使用は許可されるべきである。国土交通省では，ハザードマップポータルサイトがあり，誰でも閲覧することができる。

4．正しい。 ハザードマップを作成するためには，その地域の土地の成り立ちや，災害の素因となる地形・地盤の特徴，過去の災害履歴などの防災地理情報が必要となる。

5．正しい。 最新の基図データを使用したハザードマップの作成を，公共測量として実施できる（測量法第5条，作業規程の準則第696条以下）。

　なお，土砂災害警戒区域等における土砂災害防止対策の推進に関する法律により，土砂災害警戒区域が指定された市町村では，作成が義務づけられている。

したがって，**肢3**が間違っている。

正解 ▶ 3

第6章

地図編集

5．GIS（地理情報システム）

No. 207　　地理情報システム（以下「GIS」という。）は，地理空間情報を総合的に管理・加工し，視覚的に表示し，高度な分析や迅速な判断を可能にする情報システムである。

　次の文は，様々な地理空間情報を GIS で処理することによってできること及び GIS で扱う数値データの特徴について述べたものである。明らかに間違っているものはどれか。次の中から選べ。

1．過去の市町村の行政界データを重ね合わせて，市町村合併の変遷を視覚化するシステムを構築する。

2．コンビニエンスストアの位置情報と，詳細な人口分布データ等を利用し，任意の地点から指定した距離を半径とする円内に出店されているコンビニエンスストアの数や居住人口を計算することで，新たなコンビニエンスストアの出店計画を支援する。

3．ネットワーク解析による最短経路検索には，一般にベクタデータよりラスタデータの方が適している。

4．スキャナで読み込んだ紙地図の画像データに含まれる等高線をラスタ・ベクタ変換して，等高線のベクタデータを作成する。

5．ベクタデータは，点，線，面を表現でき，いずれの場合も属性を付加することができる。

本問は，地理情報システム（GIS）の利用及び特徴に関する問題である。

1．**正しい。**GIS の機能として，空間解析機能が充実しているため，属性の異なる複数のレイヤ（空間データを層にすること）を重ねて，新しい主題図を作成することができる。本肢のように，過去の市町村の行政データを重ね合わせて，市町村合併の変遷を視覚化するシステムを構築できる。

2．**正しい。**GIS の機能の特色として，空間解析機能が充実しているため，点，線，面などの図形から等しい距離にある領域を特定することによって，勢力圏（例，スーパーマーケット・コンビニの商圏）の設定が可能である。したがって，本肢のような新たなコンビニエンスストアの出店計画を支援することができる（作業規程の準則解説と運用）。

3．**間違い。**ラスタデータは，画素数が多くなるとデータ量が増えるため，検索には不向きである。ネットワーク解析による最短経路検索には，ベクタデータが適している（作業規程の準則第 254 条）。

4．**正しい。**スキャナを用いて取得した紙画像データは，ラスタデータ（画素データ）である。ベクタデータのほうが，データ量は少なく各種検索や計算処理に適している。本肢のように，スキャナで読み込んだ紙地図の画像データに含まれる等高線をラスタ・ベクタ変換して，等高線のベクタデータを作成することができる（解説と運用）。

5．**正しい。**ベクタデータは，点，線，面を表現できる。また，それぞれに属性を付加することができる（解説と運用）。

したがって，**肢 3** が間違っている。

第6章

地図編集

正解 ▶ 3

第7章 地形測量

1. 現地測量

No. 208　　次の文は，公共測量における地形測量のうち現地測量について述べたものである。明らかに間違っているものはどれか。次の中から選べ。

1. 地形の状況により，基準点からの細部測量が困難なため，ネットワーク型RTK法によりTS点を設置した。
2. 現地測量にGNSS測量機を用いる場合，トータルステーションは併用してはならない。
3. 現地測量により作成する数値地形図データの地図情報レベルは，原則として1000以下とし250，500及び1000を標準とする。
4. トータルステーションを用いて，地形，地物などの水平位置を放射法により測定した。
5. 編集作業において，地物の取得漏れが判明したため，補備測量を実施した。

■■■　解　説　■■■

本問は，地形測量における現地測量に関する問題である。

1. 正しい。 作業規程の準則第117条1項に，「地形，地物等の状況により，基準点にTS等又はGNSS測量機を整置して細部測量を行うことが困難な場合は，TS点を設置することができる。」と規定されている。

2. 間違い。 第109条に，「「現地測量」とは，現地においてTS等又はGNSS測量機を用いて，又は併用して，地形，地物等を測定し，数値地形図データを作成する作業をいう。」と規定されている。現地測量にGNSS測量機を用いる場合，トータルステーションと併用してもよい。

3. 正しい。 第111条に，「現地測量により作成する数値地形図データの地図情報レベルは，原則として1000以下とし250，500及び1000を標準とする。」と規定されている。

4. 正しい。 第122条1項に，「TS等を用いる地形，地物等の測定は，基準点又はTS点にTS等を整置し，放射法等により行うものとする。」と規定されている。

5. 正しい。 第127条2項に，補備測量で，「現地において確認及び補備すべき事項は，編集作業で生じた疑問事項及び重要な表現事項（1号），編集困難な事項（2号），現地調査以降に生じた変化に関する事項（3号），境界及び注記（4号），各種表現対象物（地物）の表現の誤り及び脱落（5号）とする。」と規定されている。

したがって，**肢2**が間違っている。

正解 ▶ 2

No. 209　　次のa～eの文は，公共測量における地形測量のうち，現地測量について述べたものである。明らかに間違っているものだけの組合せはどれか。次の中から選べ。

a. 現地測量により作成する数値地形図データの地図情報レベルは，原則として1000以下である。

b. 現地測量は，4級基準点，簡易水準点又はこれと同等以上の精度を有する基準点に基づいて実施する。

c. 細部測量とは，トータルステーション又はGNSS測量機を用いて地形を測定し，数値標高モデルを作成する作業をいう。

d. トータルステーションを用いた地形，地物などの測定は，主にスタティック法により行われる。

e. 地形，地物などの状況により，基準点にトータルステーションを整置して細部測量を行うことが困難な場合，TS点を設置することができる。

1. a，b
2. a，d
3. b，e
4. c，d
5. c，e

本問は，地形測量における現地測量に関する問題である。

a．正しい。作業規程の準則第 111 条に，「現地測量により作成する数値地形図データの地図情報レベルは，原則として 1000 以下とし 250，500 及び 1000 を標準とする。」と規定されている。

b．正しい。第 110 条に，「現地測量は，4 級基準点，簡易水準点又はこれと同等以上の精度を有する基準点に基づいて実施するものとする。」と規定されている。

c．間違い。第 116 条に，「本章において「細部測量」とは，基準点又は第 117 条 1 項の TS 点に TS 等又は GNSS 測量機を整置し，地形，地物等を測定し，数値地形図データを取得する作業をいう。」と規定されている。

d．間違い。第 122 条第 1 項に「TS 等を用いる地形，地物等の測定は，基準点又は TS 点に TS 等を整置し，放射法等により行うものとする。」と規定されている。

e．正しい。第 117 条 1 項に，「地形，地物などの状況により，基準点にトータルステーションを整置して細部測量を行うことが困難な場合は，TS 点を設置することができる。」と規定されている。

したがって，間違っているものは **c，d** であり，その組合せは**肢4**である。

正解 ▶ 4

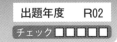

1. 現地測量

No. 210　　次の文は，公共測量における地形測量のうち現地測量について述べたものである。明らかに間違っているものはどれか。次の中から選べ。

1．地形，地物などの測定においては，トータルステーションと GNSS 測量機を併用しなければならない。
2．現地測量は，4 級基準点，簡易水準点又はこれと同等以上の精度を有する基準点に基づいて実施する。
3．現地測量により作成する数値地形図データの地図情報レベルは，原則として 1000 以下とし 250，500 及び 1000 を標準とする。
4．細部測量において，携帯型パーソナルコンピュータなどの図形処理機能を用いて，図形表示しながら計測及び編集を現地で直接行う方式をオンライン方式という。
5．補備測量においては，編集作業で生じた疑問事項及び重要な表現事項，編集困難な事項，現地調査以降に生じた変化に関する事項などが，現地において確認及び補備すべき事項である。

■ 解　説 ■

本問は，地形測量における現地測量に関する問題である。
1．**間違い。**作業規程の準則第 109 条に，「「現地測量」とは，現地において TS 等又は GNSS 測量機を用いて，又は併用して，地形，地物等を測定し，数値地形図データを作成する作業をいう。」と規定されている。トータルステーションと GNSS 測量機は，必ずしも併用しなくてもよい。
2．**正しい。**第 110 条に，「現地測量は，4 級基準点，簡易水準点又はこれと同等以上の精度を有する基準点に基づいて実施するものとする。」と規定されている。
3．**正しい。**第 111 条に，「現地測量により作成する数値地形図データの地図情報レベルは，原則として 1000 以下とし 250，500 及び 1000 を標準とする。」と規定されている。
4．**正しい。**第 116 条 3 項 1 号に，「オンライン方式は，携帯型パーソナルコンピュータ等の図形処理機能を用いて，図形表示しながら計測及び編集を現地で直接行う方式（電子平板方式を含む）」と規定されている。
5．**正しい。**第 127 条 2 項に，補備測量で，「現地において確認及び補備すべき事項は，編集作業で生じた疑問事項及び重要な表現事項（1 号），編集困難な事項（2 号），現地調査以降に生じた変化に関する事項（3 号），境界及び注記（4 号），各種表現対象物（地物）の表現の誤り及び脱落（5 号）とする。」と規定されている。

したがって，**肢 1** が間違っている。

正解 ▶ 1

第 7 章

地形測量

重要度 Ⓐ

1. 現地測量

出題年度　H30

チェック　□□□□□

No. 211　次の文は，公共測量における地形測量のうち，現地測量について述べたものである。明らかに間違っているものはどれか。次の中から選べ。

1. 細部測量とは，地形，地物などを測定し，数値地形図データを取得する作業である。
2. トータルステーションを用い，地形，地物などの測定を放射法により行った。
3. 地形の状況により，基準点からの測定が困難なため，TS点を設置した。
4. 設置したTS点を既知点とし，別のTS点を設置した。
5. 障害物のない上空視界の確保されている場所で，GNSS測量機を用いてTS点を設置した。

■ **解　説** ■

　本問は，公共測量における地形測量のうちの現地測量に関する問題である。

1. **正しい。**細部測量とは，地形，地物等を測定し，数値地形図データを取得する作業である（作業規程の準則第116条1項）。
2. **正しい。**トータルステーションによる，地形・地物等の測定は，放射法等により行う（第122条）。
3. **正しい。**地形・地物等の状況により，基準点にトータルステーションを整置して細部測量を行うことが困難な場合は，TS点を設置することができる（第117条1項）。
4. **間違い。**地形・地物等の状況により，基準点にTSを整置して作業を行うことが困難な場合は，TS点（補助基準点）を設置することができる（第117条1項）が，設置したTS点を既知点として，別のTS点を設置することは，精度の低下を招くので認められていない（作業規程の準則解説と運用）。
5. **正しい。**GNSS測量では，人工衛星から発射される信号電波を受信するものであるから，電波障害をおこすもの以外は天候の影響にもほとんど左右されずに観測できる（解説と運用第25条）。したがって，障害物のない上空視界の確保されている場所で，GNSS測量機を用いてTS点を設置できる（解説と運用）。

　したがって，**肢4**が間違っている。

正解 ▶ 4

2．TS・GNSS 測量による等高線描画

No. 212　　次の１〜５の文は，地形測量における等高線による地形の表現方法について述べたものである。明らかに間違っているものはどれか。次の１〜５の中から選べ。

1．１本の等高線は，原則として，図面の内又は外で閉合する。
2．閉合する等高線の内部に必ずしも山頂があるとは限らない。
3．傾斜の緩やかな斜面では，傾斜の急な斜面に比べて，地形図上における等高線の間隔は狭くなる。
4．傾斜に変化のない斜面では，地形図上における等高線の間隔が等しくなる。
5．計曲線は，等高線の標高値を読みやすくするため，一定本数ごとに太く描かれる主曲線である。

■■■ 解　説 ■■■

本問は，地形測量における等高線による地形の表現方法に関する問題である。
等高線には，以下の性質がある。
①　同一の等高線上の全ての点は，同じ高さである。
②　傾斜が一様であるとき，等高線の相互間の距離は等しい。急傾斜なら狭く，緩傾斜であれば広い。（3.，4.）
③　１本の等高線は，その図面の内又は外で必ず閉合し，途中で消失したり，分岐することはない。（1.）
④　図上の一番内側の等高線が閉合する箇所は，山頂か凹地である。（2.）
⑤　高さが異なる 2 本以上の等高線は，交わることはない。
⑥　等高線は，最大傾斜線，凸線，凹線に直交する。
1．**正しい。**１本の等高線は原則として，図面の内又は外で必ず閉合する。
2．**正しい。**等高線が図面内で閉合する場合は，山頂に限らず凹地の場合もある。
3．**間違い。**傾斜が一様である等高線相互距離は等しいが，急傾斜なら狭く，緩傾斜であれば広い。
4．**正しい。**傾斜に変化のない斜面では，地形図上における等高線の間隔が等しくなる。
5．**正しい。**計曲線は，等高線の標高値を読みやすくするため，主曲線の５本目ごとに太い実線で描かれる主曲線である。

したがって，**肢3**が間違っている。

正解 ▶ 3

2. TS・GNSS測量による等高線描画

No. 213 トータルステーションを用いた縮尺 1/1,000 の地形図作成において，ある道路上に設置された標高 40.8 m の基準点 A から，同じ道路上の点 B の観測を行ったところ，高低角 6°，斜距離 50m の結果が得られた。

このとき，地形図上において，点 A，点 B 間を結ぶ道路とこれを横断する標高 45 m の等高線との交点は，点 A から何 cm の地点か。最も近いものを次の 1 ～ 5 の中から選べ。

ただし，点 A と点 B を結ぶ道路は，傾斜が一定でまっすぐな道路であるとする。

なお，関数の値が必要な場合は，巻末の関数表を使用する こと。

1. 3.0cm
2. 3.5cm
3. 4.0cm
4. 4.5cm
5. 5.0cm

■ **解 説** ■

本問は，トータルステーションによる地形測量における等高線描画に関する問題である。

等高線は，地形の変化点の標高を求め，地形の変化点間を一定の傾斜として等高線位置を計算で求め描画する。

点 A，点 B 間を結ぶ道路とこれを横断する標高 45m の等高線との交点を C とし，図のように付合をふる。

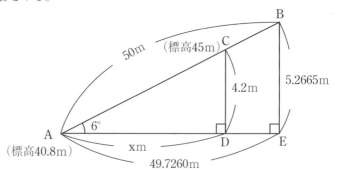

図より，

BE $= 50\sin 6°$
$\quad = 50 \times 0.10453$
$\quad = 5.2265$ （m）

AE $= 50\cos 6°$
$\quad = 50 \times 0.99452$
$\quad = 49.726$ （m）

点 A，点 C の標高はそれぞれ 40.8m，45m であるから，

CD $= 45 - 40.8$
$\quad = 4.2$ （m）

点 C が点 A から Xm の地点にあるとすると，△ACD と△ABE は相似であるから，

CD：AD $=$ BE：AE より，

4.2：X $= 5.2265$：49.7260

よって，X $= 4.2 \times 49.7260 \div 5.2265$

X $= 39.95966708$ （m）

以上より，1/1,000 の地形図上において点 C が点 A から何 cm の地点かというと，

39.95966708 （m）$\times 1/1,000$
$\quad = 0.0395966708$ （m）
$\quad = 3.995966708$ （cm）
$\quad \fallingdotseq$ **4.00 （cm）**

したがって，最も近いのは**肢3**である。

2．TS・GNSS測量による等高線描画

No.　214　図は，ある道路の縦断面を模式的に示したものである。この道路において，GNSS測量により縮尺1/1,000の地形図作成を行うため，縦断面上の点A〜Cの3点で観測を実施した。点Aの標高は78m，点Bの標高は73m，点Cの標高は69mで，点Aと点Bの間の水平距離は50m，点Bと点Cの間の水平距離は48mであった。

このとき，点Aと点Bの間を結ぶ道路とこれを横断する標高75mの等高線との交点をX，点Bと点Cの間を結ぶ道路とこれを横断する標高70mの等高線との交点をYとすると，この地形図上における交点Xと交点Yの間の水平距離は幾らか。最も近いものを次の中から選べ。

ただし，点A〜Cはこの地形図上で同一直線上にあり，点Aと点Bの間を結ぶ道路，点Bと点Cの間を結ぶ道路は，それぞれ傾斜が一定でまっすぐな道路とする。

なお，関数の値が必要な場合は，巻末の関数表を使用すること。

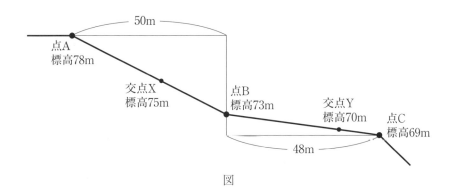

図

1．3.0cm

2．3.6cm

3．4.2cm

4．5.6cm

5．7.0cm

本問は，GNSS測量による地形測量における等高線描画に関する問題である。

① 各点に下図のように，D，E，Fの符号をふる。

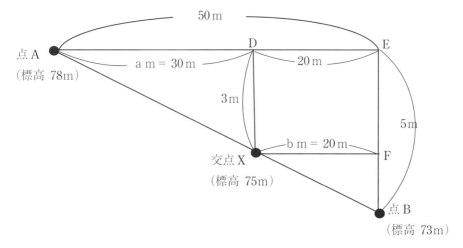

② 点AD間及び点XF間の距離を求める。

　　点EB間　78 m － 73 m ＝ 5 m

　　点DX間　78 m － 75 m ＝ 3 m

　　△ABEと△AXDは，相似三角形であるから，点AD間の水平距離をa mとすると，次の比例式が成り立つ。

　　50 m：5 m ＝ a m：3 m　これを解くと，a ＝ 30 mである。

　　次に，点XF間の距離（b mとする。）を求める。

　　50 m － 30 m ＝ 20 mと判明する。

③ 各点に，下図のようにG，Hの符号をふる。

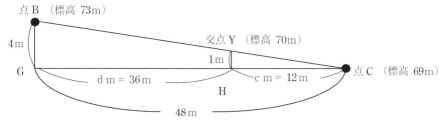

④ 図の点GH間及び点HC間の距離を求める。

　　まず，点BG間及び点YH間の距離を求める。

　　点BG間　73m － 69m ＝ 4m

点 YH 間　70m − 69m = 1m

　△ BCG と△ YCH は，相似三角形であるから，点 GH 間の水平距離を c m とすると，次の比例式が成り立つ。

　　4m : 48m = 1m : c m　これを解くと，c = 12m である。

　次に，点 GH 間の距離（d m とする。）を求める。

　　48 m − 12m = 36m と判明する。

⑤　交点 X と交点 Y の間の水平距離は，X F 間と G H 間の距離の和になるから，

　　20m + 36m = 56m である。

⑥　1/1000 地形図上では，56m/1000 = **5.6cm** となる。

したがって，**肢 4** が最も近い。

正解 ▶ 4

2．TS・GNSS 測量による等高線描画

No. 215　　次のa～dの文は，公共測量の地形測量における等高線による地形表現について述べたものである。　ア　～　オ　に入る語句の組合せとして最も適当なものはどれか。次の中から選べ。

a．等高線は，間隔が広いほど傾斜が　ア　地形を表す。

b．等高線の区分において，　イ　とは，0m の　ウ　及びこれより起算して
　5本目ごとの　ウ　をいう。

c．等高線は，山頂のほか凹地でも　エ　する。

d．等高線が谷を横断するときは，谷を　オ　から谷筋を直角に横断する。

	ア	イ	ウ	エ	オ
1．	緩やかな	計曲線	主曲線	閉合	上流の方へ上がって
2．	急な	補助曲線	計曲線	交差	下流の方へ下がって
3．	緩やかな	主曲線	補助曲線	閉合	下流の方へ下がって
4．	急な	計曲線	主曲線	閉合	下流の方へ下がって
5．	緩やかな	補助曲線	計曲線	交差	上流の方へ上がって

■　解　説　■

　本問は，公共測量の地形測量における等高線による地形表現に関する問題である。

a．等高線は，間隔が広いほど傾斜が ア．緩やかな 地形を表す。

b．等高線の区分において， イ．計曲線 とは，0m の ウ．主曲線 及びこれより
　起算して5本目ごとの ウ．主曲線 をいう。

c．等高線は，山頂のほか凹地でも エ．閉合 する。

d．等高線が谷を横断するときは，谷を オ．上流の方へ上がって から谷筋を直角
　に横断する。

　したがって，肢1の組合せが最も適当である。

正解 ▶ 1

2. TS・GNSS 測量による等高線描画

重要度 **A**

出題年度　R02

チェック ☐☐☐☐☐

No. 216　図は，ある道路の縦断面を模式的に示したものである。この道路において，トータルステーションを用いた縮尺 1/500 の地形図作成を行うため，標高 125m の点 A にトータルステーションを設置し点 B の観測を行ったところ，高低角 −30°，斜距離 86m の結果を得た。また，同じ道路上にある点 C の標高は 42m であった。点 B と点 C を結ぶ道路は，傾斜が一定でまっすぐな道路である。

このとき，点 B，C 間の水平距離を 300m とすると，点 B と点 C を結ぶ道路とこれを横断する標高 60m の等高線との交点 X は，この地形図上で点 C から何 cm の地点か。最も近いものを次の中から選べ。

なお，関数の値が必要な場合は，巻末の関数表を使用すること。

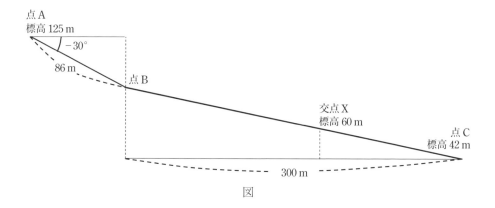

図

1．8.6cm
2．13.5cm
3．16.2cm
4．27.0cm
5．33.0cm

　本問は，トータルステーションによる地形測量における等高線描画に関する問題である。

　等高線は，地形の変化点の標高を求め，地形の変化点間を一定の傾斜として等高線位置を計算で求め描画する。

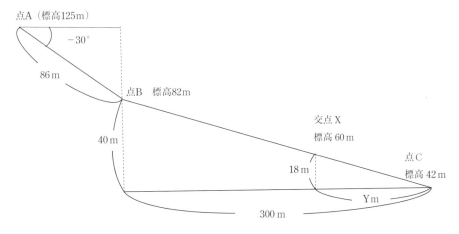

点A（標高125m）

① 　点Bの標高を求める。標高125mの点Aから高低角−30°，斜距離86mの地点であるから，点Aと点Bの標高差は，$86\text{m} \times \sin 30° = 43\text{m}$ となる。

　　したがって，点Bの標高は，$125\text{m} - 43\text{m} = 82\text{m}$ となる。

② 　点Bと点Cの標高差は，$82\text{m} - 42\text{m} = 40\text{m}$。また，標高60mの等高線位置と点Cの標高差は，$60\text{m} - 42\text{m} = 18\text{m}$ となる。

③ 　点Cから標高60mの等高線までの水平距離をYmとすれば，点BC間の水平距離は300mであるから，次式が成り立つ。

　　なお，地形図は平面に記載したものであるから，地形図上での距離（位置）は，水平距離となる。

　　$300\text{m} : 40\text{m} = Y\text{m} : 18\text{m}$　→　$40Y = 5{,}400$　∴ $Y = 135\text{m}$

④ 　1/500 地形図上では，$135\text{m} / 500 = $ **27cm**

したがって，**肢4**が最も近い。

正解 ▶ 4

2. TS・GNSS 測量による等高線描画

No.	217

トータルステーションを用いた縮尺 1/1,000 の地形図作成において，傾斜が一定な斜面上の点 A と点 B の標高を測定したところ，点 A の標高が 103.8 m，点 B の標高が 95.3 m であった。また，点 A，B 間の水平距離は 70 m であった。このとき，点 A，B 間を結ぶ直線とこれを横断する標高 100 m の等高線との交点は，地形図上で点 A から何 cm の地点か。最も近いものを次の中から選べ。

なお，関数の値が必要な場合は，巻末の関数表を使用すること。

1. 3.1 cm
2. 3.9 cm
3. 5.7 cm
4. 6.4 cm
5. 6.7 cm

本問は，トータルステーションによる地形測量における等高線描画に関する問題である。

等高線は，地形の変化点の標高を求め，地形の変化点間を一定の傾斜として等高線位置を計算で求める。

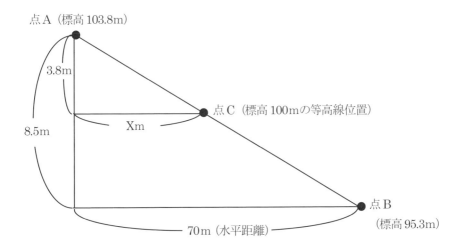

点 A と点 B の標高差は，103.8 m − 95.3 m = 8.5 m

点 A から標高 100 m の等高線までの水平距離を X m とすれば，次式が成り立つ。なお，地形図上の距離は，水平距離となる。

　　70 m : 8.5 m = X m : 3.8 m

$$X = \frac{70\,\text{m} \times 3.8\,\text{m}}{8.5\,\text{m}}$$

　　∴X ≒ 31 m

1/1,000 地形図上では，31 m/1,000 = **3.1cm** となる。

したがって，**肢1** が最も近い。

正解 ▶ 1

2. TS・GNSS測量による等高線描画

重要度 A

出題年度　R01

チェック□□□□□

No. 218　次の文は，地形測量における等高線による地形の表現方法について述べたものである。明らかに間違っているものはどれか。次の中から選べ。

1．主曲線は，地形を表現するための等高線として用いるため，原則として省略しない。

2．計曲線は，等高線の標高値を読みやすくするため，一定本数ごとに太く描かれる主曲線である。

3．補助曲線は，主曲線だけでは表せない緩やかな地形などを適切に表現するために用いる。

4．傾斜の急な箇所では，傾斜の緩やかな箇所に比べて，等高線の間隔が広くなる。

5．閉合する等高線の内部に必ずしも山頂があるとは限らない。

解　説

本問は，地形測量における等高線による地形の表現方法に関する問題である。
等高線には，以下の性質がある。

① 同一の等高線上の全ての点は，同じ高さである。

② 傾斜が一様であるとき，等高線の相互間の距離は等しい。急傾斜なら狭く，緩傾斜であれば広い。（**4.**）

③ 1本の等高線は，その図面の内又は外で必ず閉合し，途中で消失したり，分岐することはない。

④ 図上の一番内側の等高線が閉合する箇所は，山頂か凹地である。（**5.**）

⑤ 高さが異なる2本以上の等高線は，交わることはない。

⑥ 等高線は，最大傾斜線，凸線，凹線に直交する。

1．正しい。 主曲線は，地図上で正確に緩急を表現するため，また，一定の鉛直距離をもつ等高線として用いるため，原則として省略しない。

2．正しい。 計曲線は，等高線の標高値を読みやすくするため，主曲線の5本目ごとに太い実線で描かれる主曲線である。

3．正しい。 補助曲線は，主曲線だけでは表せない緩やかな地形などを適切に表現するため，必要な部分に用いる。

4．間違い。 傾斜が一様である等高線相互距離は等しいが，急傾斜なら狭く，緩傾斜であれば広い。

5．正しい。 等高線が図面内で閉合する場合は，山頂に限らず凹地の場合もある。

したがって，**肢4**が間違っている。

正解 ▶ 4

2．TS・GNSS 測量による等高線描画

重要度 **B**

No. **219**　トータルステーション（以下「TS」という。）を用いた縮尺 1/1,000 の地形図作成において，標高 70m の基準点から，ある道路上の点Aの観測を行ったところ，高低角 25°，斜距離 33m の結果が得られた。その後，点Aに TS を設置し，点Aと同じ道路上にある点Bを観測したところ，標高 73m，水平距離 190m の結果が得られた。

　このとき，点Aと点Bを結ぶ道路とこれを横断する標高 80m の等高線との交点は，この地形図上で点Bから何 cm の地点か。最も近いものを次の中から選べ。

　ただし，点Aと点Bを結ぶ道路は直線で傾斜は一定であるとする。

　なお，関数の値が必要な場合は，巻末の関数表を使用すること。

1．　4.9 cm
2．　6.8 cm
3．　9.3 cm
4．　12.2 cm
5．　15.8 cm

本問は，トータルステーションによる地形測量における等高線描画に関する問題である。

等高線は，地形の変化点の標高を求め，地形の変化点間を一定の傾斜として等高線位置を計算で求める。

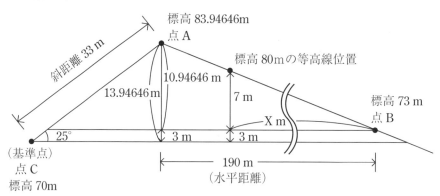

① 点Aの標高は，標高70mの基準点（点Cとする）から高低角25°，斜距離33mであるから，点Cと点Aの標高差を求めると，

33m×sin25°＝33m×0.42262＝13.94646m となる。

（sin25°は巻末の関数表による）

したがって，点Aの標高は，70m＋13.94646m＝83.94646m となり，
点Aと点Bの標高差は，83.94646m － 73m＝10.94646m となる。

② また，標高80mの等高線位置と点Bの標高差は，80m － 73m＝7m となる。

③ 点Bから標高80mの等高線までの水平距離をXmとすれば，次式が成り立つ。

なお，地形図上の距離は水平距離となる。

190：10.94646＝X：7　　∴ X＝121.5m

1/1,000 地形図上では，121.5m/1,000＝0.121500…m＝12.15cm≒**12.2cm**となる。

したがって，**肢4**が最も近い。

2．TS・GNSS 測量による等高線描画

No. 220　　次の文は，一般的な地図に表される等高線について述べたものである。明らかに間違っているものはどれか。次の中から選べ。

1．1本の等高線は，原則として，図面の内又は外で，必ず閉合する。
2．計曲線は，等高線の標高値を読みやすくするため，一定本数ごとに太めて描かれる主曲線である。
3．補助曲線は，主曲線だけでは表せない緩やかな地形を適切に表現するために用いる。
4．山の尾根線や谷線は，等高線と直角に交わる。
5．閉合する等高線の内部には必ず山頂がある。

■■■　解　説　■■■■■■■■■■■■■■■■■■■■■■■■■■■■■■■■■■

本問は，一般的な地図に表わされる等高線に関する問題である。
等高線には，以下の性質がある。
① 同一の等高線上の全ての点は，同じ高さである。
② 傾斜が一様である等高線の相互間の距離は等しい。急傾斜なら間隔が狭く，緩傾斜であれば間隔が広い。
③ 1本の等高線は，その図面の内又は外で必ず閉合し，途中で消失したり，分岐することはない。(**1.**)
④ 図上の一番内側の等高線が閉合する箇所は，山頂か凹地である。(**5.**)
⑤ 高さが異なる2本以上の等高線は，交わることはない。
⑥ 等高線は，最大傾斜線，凸線，凹線に直交する。(**4.**)

1．正しい。1本の等高線は原則として，図面の内又は外で必ず閉合する。
2．正しい。計曲線は，等高線の標高値を読みやすくするため，主曲線の5本目ごとに太い実線で描かれる主曲線である。
3．正しい。補助曲線は，主曲線だけでは表せない緩やかな地形などを適切に表現するため，必要な部分に用いる。
4．正しい。山の尾根線（最大傾斜線）や谷線（凹線）は，等高線と直角に交わる。
5．間違い。等高線が図面内で閉合する場合は，山頂に限らず凹地の場合もある。

したがって，**肢5**が間違っている。

正解 ▶ 5

第7章

地形測量

2．TS・GNSS 測量による等高線描画

No. 221 トータルステーションを用いた縮尺 1/1,000 の地形図作成において，傾斜が一定な斜面上の点Aと点Bの標高を測定したところ，それぞれ 105.1 m，96.6 mであった。また，点A，B間の水平距離は 80 mであった。

このとき，点A，B間を結ぶ直線とこれを横断する標高 100 mの等高線との交点は，地形図上で点Aから何 cm の地点か。最も近いものを次の中から選べ。

なお，関数の値が必要な場合は，巻末の関数表を使用すること。

1．3.2 cm
2．4.8 cm
3．5.3 cm
4．7.4 cm
5．7.6 cm

　本問は，トータルステーションによる地形測量における等高線描画に関する問題である。

　等高線は，地形の変化点の標高を求め，地形の変化点間を一定の傾斜として等高線位置を計算で求める。

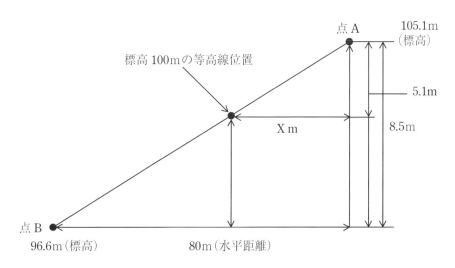

　点Aと点Bの標高差は，105.1 m − 96.6 m = 8.5 m。また，標高100 mの等高線位置と点Aの標高差は，105.1 m − 100 m = 5.1 mとなる。

　点Aから標高100mの等高線までの水平距離をX mとすれば，次式が成り立つ。
なお，地形図上の距離は，水平距離となる。

　　80 m : 8.5 m = X m : 5.1 m 　　　∴ X = 48 m

　　1/1,000 地形図上では，48 m/1,000 = **4.8 cm** となる。

したがって，**肢2** が最も近い。

正解 ▶ 2

2．TS・GNSS 測量による等高線描画

No. 222　　トータルステーション（以下「TS」という。）を用いた縮尺 1/1,000 の地形図作成において，標高 110 m の基準点から，ある道路上の点 A の観測を行ったところ，高低角－30°，斜距離 24 m の結果が得られた。その後，点 A に TS を設置し，点 A と同じ道路上にある点 B を観測したところ，点 B の標高 66 m，点 A，B 間の水平距離 96 m の結果が得られた。

　このとき，点 A と点 B を結ぶ道路とこれを横断する標高 90 m の等高線との交点は，この地形図上で点 B から何 cm の地点か。最も近いものを次の中から選べ。

　ただし，点 A と点 B を結ぶ道路は傾斜が一定でまっすぐな道路とする。

　なお，関数の値が必要な場合は，巻末の関数表を使用すること。

1．4.8 cm
2．6.4 cm
3．7.2 cm
4．8.0 cm
5．9.6 cm

　本問は，トータルステーションによる地形測量における等高線描画に関する問題である。

　等高線は，地形の変化点の標高を求め，地形の変化点間を一定の傾斜として等高線位置を計算で求める。

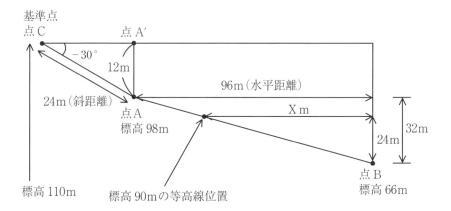

① 点Aの標高を求める。点Aの標高は，標高110 mの基準点（点Cとする）から高低角－30°，斜距離24 mの地点であるから，点Cと点Aの標高差は，

　　$24 \text{ m} \times \sin 30° = 12 \text{ m}$　となる。

　　　したがって，点Aの標高は，$110 \text{ m} - 12 \text{ m} = 98 \text{ m}$　となる。

② 点Aと点Bの標高差は，$98 \text{ m} - 66 \text{ m} = 32 \text{ m}$。また，標高90 mの等高線位置と点Bの標高差は，$90 \text{ m} - 66 \text{ m} = 24 \text{ m}$ となる。

③ 点Bから標高90 mの等高線までの水平距離を X m とすれば，点AB間の水平距離は96 mであるから，次式が成り立つ。

　　なお，地形図は平面に記載したものであるから，地形図上での距離（位置）は，水平距離となる。

　　$96 \text{ m} : 32 \text{ m} = \text{X m} : 24 \text{ m}$　　→　　$32 \text{X} = 2{,}304$　　$\therefore \text{X} = 72 \text{ m}$

④ 1/1,000 地形図上では，$72 \text{ m}/1{,}000 = \textbf{7.2cm}$となる。

したがって，**肢3**が最も近い。

正解 ▶ 3

2．TS・GNSS 測量による等高線描画

No. 223　　次の文は，地形測量における地形の表現方法について述べたものである。明らかに間違っているものはどれか。次の中から選べ。

1．同一の等高線は，途中で2本以上に分岐することはない。
2．補助曲線は，主曲線だけでは表せない緩やかな地形などを適切に表現するために用いる。
3．傾斜の急な箇所では，傾斜の緩やかな箇所に比べて，等高線の間隔が狭くなる。
4．山の尾根線や谷線は，等高線と直角に交わる。
5．等高線が図面内で閉合する場合，必ずその内部に山頂がある。

■■■　**解　説**　■■■

　本問は，地形測量における地形の表現方法（等高線）に関する問題である。等高線には，以下の性質がある。
　① 同一の等高線上の全ての点は，同じ高さである。
　② 傾斜が一様である等高線の相互間の距離は等しい。急傾斜なら間隔が狭く，緩傾斜であれば間隔が広い。（**3.**）
　③ 1本の等高線は，その図面の内又は外で必ず閉合し，途中で消失したり，分岐することはない。（**1.**）
　④ 図上の一番内側の等高線が閉合する箇所は，山頂か凹地である。（**5.**）
　⑤ 高さが異なる2本以上の等高線は，交わることはない。
　⑥ 等高線は，最大傾斜線，凸線，凹線に直交する。（**4.**）

1．正しい。同一の等高線は途中で2本以上に分岐することはない。
2．正しい。補助曲線は，主曲線だけでは表せない緩やかな地形などを適切に表現するため，必要な部分に用いる。
3．正しい。傾斜の急な箇所では，図上の等高線の間隔は狭くなり，緩斜面では，広くなる。
4．正しい。山の尾根線（最大傾斜線）や谷線（凹線）は，等高線と直角に交わる。
5．間違い。等高線が図面内で閉合する場合は，山頂に限らず凹地の場合もある。

　したがって，**肢5**が間違っている。

正解 ▶ 5

2. TS・GNSS 測量による等高線描画

No. 224　トータルステーション（以下「TS」という。）を用いた縮尺 1/1,000 の地形図作成において，標高 138 m の基準点から，ある道路上の点Aの観測を行ったところ，高低角－ 30°，斜距離 48 m の結果が得られた。その後，点Aに TS を設置し，点Aと同じ道路上にある点Bを観測したところ，点Bの標高 102 m，点A，B間の水平距離 144 m の結果が得られた。

このとき，点Aと点Bを結ぶ道路とこれを横断する標高 110 m の等高線との交点は，この地形図上で点Bから何 cm の地点か。最も近いものを次の中から選べ。

ただし，点Aと点Bを結ぶ道路は直線で傾斜は一定であるとする。

なお，関数の数値が必要な場合は，巻末の関数表を使用すること。

1．3.2 cm
2．4.8 cm
3．6.4 cm
4．8.0 cm
5．9.6 cm

　本問は，トータルステーションによる地形測量における等高線描画に関する問題である。

　等高線は，地形の変化点の標高を求め，地形の変化点間を一定の傾斜として等高線位置を計算で求める。

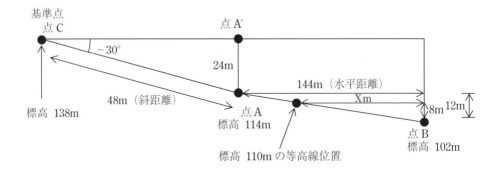

① 　点Aの標高を求める。点Aの標高は，標高138 mの基準点（点Cとする）から高低角 $-30°$，斜距離48 mの地点であるから，点Cと点Aの標高差は，
　　$48 \text{ m} \times \sin30° = 24 \text{ m}$　となる。
　　したがって，点Aの標高は，$138 \text{ m} - 24 \text{ m} - 114\text{m}$　となる。

② 　点Aと点Bの標高差は，$114 \text{ m} - 102 \text{ m} = 12\text{m}$
　　また，標高110 mの等高線位置と点Bの標高差は，$110 \text{ m} - 102 \text{ m} = 8 \text{ m}$ となる。

③ 　点Bから標高110 mの等高線までの水平距離をXmとすれば，点AB間の水平距離は144 mであるから，次式が成り立つ。なお，地形図上の距離は，水平距離となる。
　　$144 \text{ m} : 12 \text{ m} = X \text{ m} : 8 \text{ m}$　→　$12 X = 1,152$　∴ $X = 96\text{m}$

④ 　1/1,000 地形図上では，$96\text{m}/1,000 = \textbf{9.6cm}$ となる。

したがって，**肢5** が最も近い。

正解 ▶ 5

重要度 **A**

3．細部測量

No. 225　細部測量において，基準点 A にトータルステーションを整置し，点 B を観測したときに 2′ 40″ の水平方向の誤差があった場合，点 B の水平位置の誤差は幾らか。最も近いものを次の中から選べ。

ただし，基準点 A と点 B の間の水平距離は 97m，角度 1 ラジアンは $(2×10^5)$″ とする。

また，距離測定と角度測定は互いに影響を与えないものとし，角度測定以外の誤差は考えないものとする。

なお，関数の値が必要な場合は，巻末の関数表を使用すること。

1．　38mm
2．　59mm
3．　78mm
4．　97mm
5．116mm

本問は，細部測量における観測の際の水平位置の誤差を求める問題である。

① 測量器械で測角されるのは，度分秒であるから，誤差を計算する場合はラジアンに変換して行う。

本問におけるBの水平位置の誤差は，図のBC間を求めればよい。ただ，誤差が 2′40″ と角度が小さいため，半径を 97m とする円の円弧長 r と弦BCは近似的に等しいと考えることができる。

② 上記のように，角度 θ（又は a ラジアン）が小さいとき，円弧長 r と弦BCは近似的に等しいから，

BC ≒ r ＝ R a ＝ R × θ''／P″　が成り立つ。

ただし，r：円弧長

R：半径

θ：度分秒単位の角度

α：ラジアン単位の角度

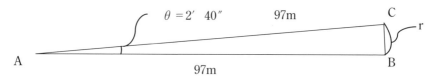

ただし，点Aと円弧の交点を点Cとする。

③ θ が小さいので，BC ≒ r とみなせるから，

BC ＝ R × θ''／P″

　　＝ 97m ×（160″/200000″）

　　＝ 97m ×（16″/20000″）

　　＝ 97,000mm ×（8″/10000″）

　　＝ 77.6mm

　　≒ **78mm**

したがって，**肢3**が最も近い。

3．細部測量

No.　226　　細部測量において，基準点 A にトータルステーションを整置し，点 B を観測したときに 1′ 40″ の水平方向の誤差があった場合，点 B の水平位置の誤差は幾らか。最も近いものを次の中から選べ。

　ただし，点 A，B 間の水平距離は 120m，角度 1 ラジアンは $(2×10^5)″$ とする。

　また，距離測定と角度測定は互いに影響を与えないものとし，角度測定以外の誤差は考えないものとする。

　なお，関数の値が必要な場合は，巻末の関数表を使用すること。

1．24mm
2．36mm
3．48mm
4．60mm
5．72mm

本問は，細部測量における観測の際の水平位置の誤差を求める問題である。

① 測量器械で測角されるのは，度分秒であるから，誤差を計算する場合はラジアンに変換して行う。

本問におけるBの水平位置の誤差は，図のBCを求めればよい。ただ，誤差が1′ 40″と角度が小さいため，半径を120mとする円の円弧長rと弦BCは近似的に等しいと考えることができる。

② 上記のように，角度θ（又はαラジアン）が小さいとき，円弧長rと弦BCは近似的に等しいものとみなせるから，

$BC ≒ r = Rα = R × θ″／P″$　が成り立つ。

　　　ただし，r：円弧長

　　　　　　　R：半径

　　　　　　　θ：度分秒単位の角度

　　　　　　　α：ラジアン単位の角度

　　　　　　　P″：1ラジアン ≒ $(2×10^5)″ = 200,000″$

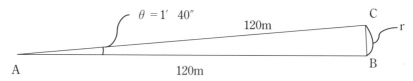

$θ = 1′ 40″$　　120m　　C　　r

A　　　　　120m　　　　B

ただし，点Aと円弧の交点を点Cとする。

③ θが小さいので，BC ≒ rとみなせるから，

$BC = R × θ″／P″$　　　　　（$θ″ = 1′ 40″ = 100″$）

　　$= 120m × (100″／200,000″)$

　　$= 120m × (1″／2,000″)$

　　$= 120,000mm × (1″／2,000″)$

　　$= 60mm$

したがって，**肢4**が最も近い。

正解 ▶ 4

3. 細部測量

No. 227　細部測量において，基準点 A にトータルステーションを整置し，点 B を観測したときに 2′00″ の方向誤差があった場合，点 B の水平位置の誤差は幾らか。最も近いものを次の中から選べ。

ただし，点 A，B 間の水平距離は 96 m，角度 1 ラジアンは，（ 2 × 10⁵）″ とする。

また，距離測定と角度測定は互いに影響を与えないものとし，その他の誤差は考えないものとする。

なお，関数の値が必要な場合は，巻末の関数表を使用すること。

1．48 mm
2．52 mm
3．58 mm
4．64 mm
5．72 mm

　本問は，細部測量における観測の際の水平位置の誤差を求める問題である。

① 　測量器械で測角されるのは，度分秒であるから，誤差を計算する場合はラジアンに変換して行う。

　　本問におけるBの水平位置の誤差は，図のBCを求めればよい。ただ，誤差が$2'00''$と角度が小さいため，半径を96mとする円の円弧長rと弦BCは近似的に等しいと考えることができる。

② 　上記のように，角度θ（又はαラジアン）が小さいとき，円弧長rと弦BCは近似的に等しいものとみなせるから，

　　BC $\doteqdot$ r $=$ Rα $=$ R$\times \theta''/\rho''$が成り立つ。

　　　　　　ただし，r：円弧長

　　　　　　　　　　R：半径

　　　　　　　　　　θ：度分秒単位の角度

　　　　　　　　　　α：ラジアン単位の角度

　　　　　　　　　　1ラジアン$=\rho''\doteqdot(2\times10^{5})''=200{,}000''$

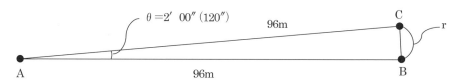

　　　　　ただし，点Aと円弧の交点を点Cとする。

③ 　θが小さいので，BC$\doteqdot$rとみなせるから，

　　BC $=$ R$\times \theta''/\rho''$

　　　　 $=$ 96 m $\times (120''/200{,}000'')$

　　　　 $=$ 96 m $\times (12''/20{,}000'')$

　　　　 $=$ 96,000 mm $\times (6''/10{,}000'')$

　　　　 $=$ 57.6 mm

　　　　 $\doteqdot$ **58 mm**

したがって，**肢3**が最も近い。

正解 ▶ 3

No. 228　次のa～dの文は，公共測量における地形測量のうち，トータルステーション（以下「TS」という。）又はGNSS測量機を用いた細部測量について述べたものである。　ア　～　エ　に入る語句の組合せとして最も適当なものはどれか。次の中から選べ。

a．細部測量とは，地形，地物などを測定し，　ア　を取得する作業である。

b．TSを用いた地形，地物などの測定は，主に　イ　により行われる。

c．GNSS測量機を用いた地形，地物などの測定は，　ウ　がなくても行うことができる。

d．地形，地物などの状況により，基準点にTSを整置して作業を行うことが困難な場合，　エ　を設置することができる。

	ア	イ	ウ	エ
1．	グラウンドデータ	単点観測法	上空視界	仮想基準点
2．	数値地形図データ	放射法	基準点と観測点間の視通	TS点
3．	グラウンドデータ	放射法	基準点と観測点間の視通	仮想基準点
4．	数値地形図データ	単点観測法	基準点と観測点間の視通	仮想基準点
5．	数値地形図データ	放射法	上空視界	TS点

■ 解 説 ■

本問は，GNSS測量機を用いた細部測量に関する問題である。

a．細部測量とは，地形，地物などを測定し，ア．数値地形図データを取得する作業である（作業規程の準則第116条1項）。

b．TSを用いた地形，地物などの測定は，主にイ．放射法により行われる（第122条1項）。

c．GNSS測量機を用いた地形，地物などの測定は，ウ．基準点と観測点間の視通がなくても行うことができる（作業規程の準則解説と運用）。

d．地形，地物などの状況により，基準点にTSを整置して作業を行うことが困難な場合，エ．TS点を設置することができる（作業規程の準則第117条1項）。

したがって，肢2の語句の組合せが最も適当である。

正解 ▶ 2

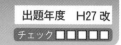

重要度 **A**

出題年度 H27 改

チェック ☐☐☐☐☐

3．細部測量

No. 229　次の文は，公共測量における地形測量のうちの細部測量について述べたものである。明らかに間違っているものはどれか。次の中から選べ。

1．細部測量とは，トータルステーション等又は GNSS 測量機を用い，地形，地物等を測定し，数値地形図データを取得する作業である。

2．キネマティック法又は RTK 法による地形，地物等の測定は，放射法により行う。

3．ネットワーク型 RTK 法によって地形，地物等の標高を求める場合は，国土地理院が提供するジオイド・モデルより求めたジオイド高を用いて，楕円体高を補正して求める。

4．キネマティック法又は RTK 法による地形，地物等の測定では，霧や弱い雨にほとんど影響されずに観測を行うことができる。

5．キネマティック法又は RTK 法による地形，地物等の測定において，GLONASS 衛星を用いて観測する場合は，GPS 衛星は使用しない。

■■■ **解　説** ■■■

本問は，公共測量における地形測量のうちの細部測量に関する問題である。

1．正しい。細部測量とは，基準点又は作業規程の準則第 117 条 1 項の TS 点に TS 等又は GNSS 測量機を整置し，地形，地物等を測定し，数値地形図データを取得する作業をいう（作業規程の準則第 116 条 1 項）。

2．正しい。キネマティック法又は RTK 法による地形，地物等の測定は，基準点又は TS 点に GNSS 測量機を整置し，放射法により行う（第 123 条 1 項）。

3．正しい。標高は，ジオイド面からの高さである。ネットワーク型 RTK 法によって標高を求める場合，楕円体高を基準とした高さになるので，標高を求めるにはジオイド高を差し引く必要があるので，国土地理院が提供するジオイド・モデルより求めたジオイド高を用いて，楕円体高を補正して求める（第 124 条 5 項）。

4．正しい。キネマティック法又は RTK 法による地形，地物等の測定は，肢 2 のように基準点又は TS 点に GNSS 測量機を整置して行う。GNSS 測量では，人工衛星から発射される信号電波を受信するものであるから，電波障害をおこすもの以外は天候の影響にもほとんど左右されずに観測できる（作業規程の準則解説と運用）。

5．間違い。キネマティック法又は RTK 法による地形，地物等の測定において，GLONASS 衛星を用いて観測する場合は，使用衛星数は 6 衛星以上とする。ただし，GPS・準天頂衛星及び GLONASS 衛星を，それぞれ 2 衛星以上を用いること，とされている（作業規程の準則第 123 条 3 項）。

したがって，**肢 5** が間違っている。

正解 ▶ 5

No. 230　　細部測量において，基準点Aにトータルステーションを整置し，点B を観測したときに 2′ 30″の方向誤差があった場合，点Bの水平位置の誤差は幾らか。最も近いものを次の中から選べ。

ただし，点A，B間の水平距離は 92 m，角度 1 ラジアンは 2″×10^5 とする。

1．46 mm
2．50 mm
3．54 mm
4．61 mm
5．69 mm

本問は，細部測量における観測の際の水平位置の誤差を求める問題である。

① 測量器械で測角されるのは，度分秒であるから，誤差を計算する場合はラジアンに変換して行う。

本問における点Bの水平位置の誤差は，図において点Aと円弧の交点を点Cとすると，点BCを求めればよいことになる。ただ，誤差が2′30″と角度が小さいため，半径を92mとする円の円弧長rと弦BCは近似的に等しいと考えることができる。

② 上記のように，角度θ（又はαラジアン）が小さいとき，円弧長rと弦BCは近似的に等しいものとみなせるから，

$$BC ≒ r = Rα = R × θ″/ρ″ \quad が成り立つ。$$

ただし，r：円弧長
R：半径
θ：度分秒単位の角度
α：ラジアン単位の角度
$$1 ラジアン = ρ″ ≒ 2″ × 10^5 = 200,000″$$

点C
$$θ = 2′ 30″ （150″）$$
（αラジアン）
92m
r

点A
92m（水平距離）
点B

③ θが小さいので，BC ≒ rとみなせるから，

$$BC = R × θ″/ρ″$$
$$= 92 m × （2′ 30″ /200,000）$$
$$= 92 m × （150″ /200,000）$$
$$= 92 m × （3″ /4,000）$$
$$= 0.069 m$$
$$= 69mm$$

したがって，**肢5**が最も近い。

4. 数値地形図データ（地上レーザ測量）

No. 231　　次のa〜cの文は，公共測量における，地上レーザスキャナを用いた数値地形図データの作成について述べたものである。 ア 〜 ウ に入る語句の組合せとして最も適当なものはどれか。次の中から選べ。

a．地上レーザスキャナから計測対象物に対しレーザ光を照射し，対象物までの距離と方向を計測することにより，対象物の位置や形状を ア で計測する。

b．レーザ光を用いた距離計測方法には，照射と受光の際の光の イ から距離を算出する イ 方式と，照射から受光までの時間を距離に換算するTOF（タイム・オブ・フライト）方式がある。

c．地上レーザスキャナを用いた計測方法は，平面直角座標系による方法と局地座標系による方法があり，局地座標系で計測して得られたデータは，相似変換による方法又は ウ 交会による方法を用いて，平面直角座標系に変換する。

	ア	イ	ウ
1.	三次元	反射強度差	前方
2.	二次元	位相差	前方
3.	三次元	位相差	後方
4.	三次元	位相差	前方
5.	二次元	反射強度差	後方

第7章　地形測量

■ 解　説 ■

本問は，公共測量における地上レーザスキャナを用いた，数値地形図データ作成に関する問題である。

a．地上レーザスキャナから計測対象物に対しレーザ光を照射し，対象物までの距離と方向を計測することにより，対象物の位置や形状を ア．三次元 で計測する（作業規程の準則解説と運用）。

b．レーザ光を用いた距離計測方法には，照射と受光の際の光の イ．位相差 から距離を算出する イ．位相差 方式と，照射から受光までの時間を距離に換算するTOF（タイム・オブ・フライト）方式がある（作業規程の準則第375条1号）。

c．地上レーザスキャナを用いた計測方法は，平面直角座標系による方法と局地座標系による方法があり，局地座標系で計測して得られたデータは，相似変換による方法又は ウ．後方 交会による方法を用いて，平面直角座標系に変換する（第377条5項）。

したがって，肢3の組合せが最も適当である。

正解 ▶ 3

4. 数値地形図データ

No. 232 　次のa～cの文は，公共測量で作成される数値地形図データについて述べたものである。　ア　～　ウ　に入る語句の組合せとして最も適当なものはどれか。次の1～5の中から選べ。

a．数値地形図データとは，地形や地物などの位置と形状を表す　ア　及びその内容を表す属性データなどで構成されるデータである。

b．測量の概覧，数値地形図データの内容及び構造，データ品質などについて体系的に記載したものを，　イ　という。

c．地図情報レベルとは，数値地形図データの地図表現精度を表し，地形図縮尺1/2,500は，地図情報レベル　ウ　に相当する。

	ア	イ	ウ
1．	メタデータ	製品仕様書	1/2,500
2．	メタデータ	製品仕様書	2500
3．	座標データ	品質評価表	2500
4．	座標データ	製品仕様書	2500
5．	メタデータ	品質評価表	1/2,500

■ 解 説 ■

本問は，公共測量で作成される数値地形図データに関する問題である。

数値地形図データとは，「地形，地物等の位置，形状を表す座標データおよびその内容を表す属性データ等を，計算処理が可能な形態で表現したものをいう」（作業規程の準則第104条第3項）。

a．数値地形図データとは，地形や地物などの位置と形状を表す**ア．座標データ**及びその内容を表す属性データなどで構成されるデータである（作業規程の準則第104条第3項）。

b．測量の概覧，数値地形図データの内容及び構造，データ品質などについて体系的に記載したものを，**イ．製品仕様書**という（作業規程の準則第105条）。

c．地図情報レベルとは，数値地形図データの地図表現精度を表し，地形図縮尺1/2,500は，地図情報レベル**ウ．2500**に相当する（作業規程の準則第106条2項，3項）。

したがって，**肢4**の組合せが最も適当である。

正解 ▶ 4

4．数値地形図データ

No. 233 次の1〜5の文は，公共測量における数値地形モデル（以下「DTM」という。）について述べたものである。明らかに間違っているものはどれか。次の1〜5の中から選べ。

ただし，DTMとは，等間隔の格子の代表点の標高を表したデータとする。

1．DTMは地表面に加え，樹木や建物などの形状を表したデータである。
2．DTMでは，格子間隔が小さくなるほど詳細な地形を表現できる。
3．DTMは数値空中写真を正射変換し，正射投影画像を作成するときにも使われている。
4．DTMから2地点を直線で結んだ傾斜角を計算することができる。
5．DTMを用いて水害による浸水範囲のシミュレーションを行うことができる。

■■■ **解　説** ■■■

本問は，公共測量における数値地形モデル（DTM：Digital Terrain Model）に関する問題である。

1．間違い。 DTMは，樹木や建物などの高さを取り除いた地表そのものの高さのモデルである。一方，人口構造物や樹木などの高さを含む地表面の高さを表した，三次元座標をデジタル表現したデータは数値表層モデル（DSM：Digital Surface Model）のことである。

2．正しい。 DTMの格子間隔がより小さいということは，より多くの格子を用いて地形を表現するということである。格子に標高を持たせるのであるから，格子間隔が小さいほど（＝より多くの格子を用いるほど），高さの情報が増え，より詳細な地形を表現できる。

3．正しい。 正射投影画像は，数値化した空中写真の各画素を外部標定要素とDTMを用いて正射変換したものである。空中写真は中心投影のため高い対象物や写真の周辺部でよりゆがみが顕著になる。その補正に地表面の高さを有するDTMが利用されている。

4．正しい。 DTMは地表そのものの高さを表す3次元データであるから，2地点間の水平距離と高低差を用いてその2地点間を直線で結んだ傾斜角を計算することができる。

5．正しい。 DTMは地表そのものの高さのモデルであるから，水害による浸水範囲のシミュレーションを行う上で有用である。

したがって，明らかに間違っているものは**肢1**である。

正解 ▶ 1

第7章

地形測量

4．数値地形図データ

No. **234**　空中写真測量において，水平位置の精度を確認するため，数値図化による測定値と現地で直接測量した検証値との比較により点検することとした。5 地点の測定値と検証値から，南北方向の較差Δ_x，東西方向の較差Δ_yを求めたところ，表のとおりとなった。

　5 地点における各々の水平位置の較差Δ_sから，水平位置の精度を点検するための値σを算出し，最も近いものを次の中から選べ。

　ただし，Δ_sは式－1で求め，σは計測地点の数を N とし式－2で求めることとする。

　なお，関数の値が必要な場合は，巻末の関数表を使用すること。

$$\Delta_s = \sqrt{(\Delta_x)^2 + (\Delta_y)^2} \quad \cdots \cdots \text{式} - 1$$

$$\sigma = \sqrt{\frac{(\text{地点 1 の}\Delta_s)^2 + (\text{地点 2 の}\Delta_s)^2 + \cdots + (\text{地点 N の}\Delta_s)^2}{N}} \quad \cdots \cdots \text{式} - 2$$

表

地点番号	南北方向の較差Δ_x（m）	東西方向の較差Δ_y（m）
1	1.0	4.0
2	3.0	4.0
3	6.0	3.0
4	5.0	3.0
5	2.0	0.0

1．2.0m
2．3.1m
3．5.0m
4．7.5m
5．9.9m

本問は，空中写真測量の数値図化における点検に関する問題である。

① 各地点（5地点）における各々の水平位置の較差 $\triangle_s$ を求める。

1地点 $\triangle_s$ = $\sqrt{1^2+4^2}$ = $\sqrt{17}$

2地点 $\triangle_s$ = $\sqrt{3^2+4^2}$ = $\sqrt{25}$

3地点 $\triangle_s$ = $\sqrt{6^2+3^2}$ = $\sqrt{45}$

4地点 $\triangle_s$ = $\sqrt{5^2+3^2}$ = $\sqrt{34}$

5地点 $\triangle_s$ = $\sqrt{2^2+0^2}$ = $\sqrt{4}$

② 次に，水平位置の精度を点検するための値 σ を求める。

$$\sigma = \sqrt{\frac{(\sqrt{17})^2+(\sqrt{25})^2+(\sqrt{45})^2+(\sqrt{34})^2+(\sqrt{4})^2}{5}}$$

$$= \sqrt{\frac{17+25+45+34+4}{5}} = \sqrt{\frac{125}{5}} = \sqrt{25} = 5$$

これより，水平位置の精度を点検するための値 σ は **5.0m** となる。

したがって，**肢3** が最も近い。

正解 ▶ 3

4. 数値地形図データ

No. 235　　次のa～dの文は，公共測量で作成される数値地形図データについて述べたものである。

　　　ア　～　エ　に入る語句の組合せとして最も適当なものはどれか。次の中から選べ。

a．数値地形図データとは，地形や地物などの位置と形状を表す座標及び　ア　などで構成されるデータである。

b．測量の概覧，数値地形図データの内容及び構造，データ品質などについて体系的に記載したものを，　イ　という。

c．地図情報レベルとは，数値地形図データの　ウ　を表す指標である。

d．細部測量や現地調査などの結果に基づき，数値地形図データを編集する工程を　エ　編集という。

	ア	イ	ウ	エ
1．	属性	製品仕様書	地図表現精度	追加
2．	属性	製品仕様書	地図表現精度	数値
3．	属性	製品証明書	地図表示範囲	追加
4．	定義	製品仕様書	地図表現精度	数値
5．	定義	製品証明書	地図表示範囲	追加

■■■■ **解　説** ■■■■

本問は，公共測量で作成される数値地形図データに関する問題である。

a．数値地形図データとは，地形や地物等の位置と形状を表す座標及び **ア．属性** などで構成されるデータである（作業規程の準則第104条3項）。

b．測量の概覧，数値地形図データの内容及び構造，データ品質などについて体系的に記載したものを，**イ．製品仕様書** という（第105条）。

c．地図情報レベルとは，数値地形図データの **ウ．地図表現精度** を表す指標である（第106条2項）。

d．細部測量や現地調査などの結果に基づき，数値地形図データを編集する工程を **エ．数値** 編集という（第125条）。

したがって，**肢2**の組合せが最も適当である。

正解 ▶ 2

4．数値地形図データ

No. 236　数値地形モデルの標高値の点検を，現地の5地点で計測した標高値との比較により実施したい。各地点における数値地形モデルの標高値と現地で計測した標高値は表のとおりである。標高値の精度を点検するための値σは幾らか。式を用いて算出し，最も近いものを次の中から選べ。

なお，関数の値が必要な場合は，巻末の関数表を使用すること。

$$\sigma = \sqrt{\dfrac{(\text{地点1の標高値の差})^2 + (\text{地点2の標高値の差})^2 + \cdots + (\text{地点}N\text{の標高値の差})^2}{N}}$$

　……式

N：計測地点の数

表

地点番号	現地で計測した標高値（m）	数値地形モデルの標高値（m）
1	29.3	29.5
2	72.1	71.5
3	11.8	12.2
4	103.9	103.4
5	56.4	56.3

1．0.16m
2．0.18m
3．0.35m
4．0.40m
5．0.60m

本問は，数値地形モデルの標高値の点検に関する問題である。

① 各点の標高値の差及び差の2乗を求める。

地点番号	現地で計測した標高値（m）	数値地形モデルの標高値（m）	差	差^2
1	29.3	29.5	− 0.2	0.04
2	72.1	71.5	0.6	0.36
3	11.8	12.2	− 0.4	0.16
4	103.9	103.4	0.5	0.25
5	56.4	56.3	0.1	0.01
			合計	0.82

② 各点の標高値の差の2乗の合計値を，式にあてはめる。

$$\sigma = \sqrt{\frac{0.82}{5}}\,\mathrm{m}$$

$$= \sqrt{\frac{82}{500}}\,\mathrm{m} = \frac{\sqrt{82}}{\sqrt{5} \times \sqrt{100}}\,\mathrm{m}$$

$$= \frac{9.05539}{2.23607 \times 10}\,\mathrm{m} = \frac{9.05539}{22.3607}\,\mathrm{m} \quad (\sqrt{82},\ \sqrt{5}\text{は，巻末の関数表による})$$

$$\fallingdotseq 0.404\,\mathrm{m}$$

$$\fallingdotseq \mathbf{0.40\,m}$$

したがって，**肢4**が最も近い。

正解 ▶ 4

4. 数値地形図データ

No. 237 数値地形モデル（以下「DTM」という。）の標高値の点検を、現地で計測した標高値との比較により実施したい。標高値の精度を点検するための値 σ を表に示す 5 地点における現地で計測した標高値と DTM の標高値から算出し、最も近いものを次の中から選べ。

ただし、σ は、計測地点の数を N 個とした場合、現地で計測した標高値と DTM の標高値との差を用いて式で求めることとする。

なお、関数の値が必要な場合は、巻末の関数表を使用すること。

$$\sigma = \sqrt{\frac{(地点1の標高値の差)^2 + (地点2の標高値の差)^2 + \cdots + (地点Nの標高値の差)^2}{N}} \quad \cdots\cdots 式$$

表

地点番号	現地で計測した標高値（m）	DTM の標高値（m）
1	23.5	23.4
2	45.9	46.0
3	102.1	101.7
4	10.9	11.4
5	132.8	132.2

1. 0.18 m
2. 0.32 m
3. 0.40 m
4. 0.44 m
5. 0.50 m

本問は，数値地形モデル（DTM）の標高値の点検に関する問題である。

① 各点の標高値の差及び差の2乗を求める。

地点番号	現地で計測した 標高値（m）	DTM の標高値 （m）	差	差^2
1	23.5	23.4	0.1	0.01
2	45.9	46.0	-0.1	0.01
3	102.1	101.7	0.4	0.16
4	10.9	11.4	-0.5	0.25
5	132.8	132.2	0.6	0.36
			合計	0.79

② 各点の標高値の差の2乗の合計値を，式にあてはめる。

$$\sigma = \sqrt{\frac{0.79}{5}} \text{ m}$$

$$= \sqrt{\frac{79}{500}} \text{ m} = \frac{\sqrt{79}}{\sqrt{5} \times \sqrt{100}} \text{ m}$$

$$= \frac{8.88819}{2.23607 \times 10} \text{ m} = \frac{8.88819}{22.3607} \text{ m} \qquad \left(\sqrt{79}, \sqrt{5} \text{ は巻末の関数表による}\right)$$

$$\fallingdotseq 0.39749 \text{ m}$$

$$\fallingdotseq \mathbf{0.40 \text{ m}}$$

したがって，**肢3**が最も近い。

4. 数値地形図データ

No. 238 次の文は，数値標高モデル（以下「DEM」という。）の特徴について述べたものである。

　　ア　～　オ　に入る語句の組合せとして最も適当なものはどれか。次の中から選べ。

　DEM とは，　ア　　の標高を表した格子状のデータのことである。DEM は，既存の　イ　データや，　ウ　から作成することができる。DEM は，その格子間隔が　エ　ほど詳細な地形を表現でき，洪水などの　オ　のシミュレーションには欠かせないものである。

	ア	イ	ウ	エ	オ
1.	地表面	ジオイド高	正射投影画像	大きい	被災想定区域
2.	地表面	等高線	航空レーザ測量成果	小さい	被災想定区域
3.	地物の上面	等高線	正射投影画像	大きい	発生頻度
4.	地物の上面	ジオイド高	航空レーザ測量成果	小さい	発生頻度
5.	地表面	等高線	航空レーザ測量成果	大きい	被災想定区域

■ **解　説** ■

　本問は，数値標高モデル（DEM）の特徴に関する問題である。

　DEM とは，　**ア．地表面**　の標高を表した格子状のデータのことである。DEM は，既存の　**イ．等高線**　データや，　**ウ．航空レーザ測量成果**　から作成することができる。DEM は，その格子間隔が　**エ．小さい**　ほど詳細な地形を表現でき，洪水などの　**オ．被災想定区域**　のシミュレーションには欠かせないものである。

　したがって，**肢2**の語句の組合せが最も適当である。

正解 ▶ 2

5. 車載写真レーザ測量

No. 239　次の文は，車載写真レーザ測量について述べたものである。 ア
～ エ に入る語句の組合せとして最も適当なものはどれか。次の中から選べ。

　車載写真レーザ測量とは，計測車両に搭載した ア と イ を用いて道
路上を走行しながら三次元計測を行い，取得したデータから数値地形図データを作成
する作業であり，空中写真測量と比較して ウ な数値地形図データの作成に適
している。ただし，車載写真レーザ測量では エ の確保ができない場所の計測
は行うことができない。

	ア	イ	ウ	エ
1．	レーザ測距装置	GNSS/IMU 装置	高精度	計測車両から視通
2．	レーザ測距装置	高度計	高精度	計測車両の上空界
3．	レーザ測距装置	GNSS/IMU 装置	広範囲	計測車両の上空界
4．	トータルステーション	GNSS/IMU 装置	広範囲	計測車両から視通
5．	トータルステーション	高度計	高精度	計測車両の上空界

■■■■ **解　説** ■■■■

　本問は，車載写真レーザ測量に関する問題である。

　車載写真レーザ測量とは，計測車両に登載した **ア．レーザ測距装置** と
イ．GNSS/IMU 装置 を用いて道路上を走行しながら三次元計測を行い，取得し
たデータから数値地形図データを作成する作業であり，空中写真測量と比較して
ウ．高精度 な数値地形図データの作成に適している。ただし，車載写真レーザ測
量では **エ．計測車両から視通** の確保ができない場所の計測は行うことができない。

　したがって，**肢 1** の組合せが最も適当である。

正解 ▶ 1

5. 車載写真レーザ測量

No. 240　次の文は，公共測量における車載写真レーザ測量（移動計測車両による測量）について述べたものである。明らかに間違っているものはどれか。次の中から選べ。

1．車両に搭載した GNSS/IMU 装置やレーザ測距装置，計測用カメラなどを用いて，主として道路及びその周辺の地形や地物などのデータ取得をする技術である。

2．航空レーザ測量では計測が困難である電柱やガードレールなど，道路と垂直に設置されている地物のデータ取得に適している。

3．トンネル内など上空視界の不良な箇所における数値地形図データ作成も可能である。

4．道路及びその周辺の地図情報レベル 500 や 1000 などの数値地形図データを作成する場合，トータルステーションなどを用いた現地測量に比べて，広範囲を短時間でデータ取得できる。

5．地図情報レベル 1000 の数値地形図データ作成には，地図情報レベル 500 の数値地形図データ作成と比較して，より詳細な計測データが必要である。

　本問は，公共測量における車載写真レーザ測量（移動計測車両による測量）に関する問題である。

1．正しい。車載写真レーザ測量は，GNSS/IMU 装置やレーザ測距装置，計測用カメラなどを用いて，道路及びその周辺の地形，地物等を測定し，取得したデータから数値地形図データを作成する作業である（作業規程の準則第 479 条）。

2．正しい。航空レーザ測量は，航空機からレーザパルスを照射し，地表面や物で反射して戻ってきたレーザパルスを解析し標高を求めるものである。そのため，電柱やガードレールなどのように道路と垂直に設置されている地物のデータ取得に不適である。これに対し，車載写真レーザ測量は，車で移動しながら横方向にレーザーパルスを照射するので，上記の地物のデータ取得に適している（作業規程の準則解説と運用）。

3．正しい。トンネル内など上空視界の不良な箇所では，GNSS 衛星からの電波の受信が困難である。このような場所においては，車載写真レーザ測量は，最低 2 点の調整点を設置（作業規程の準則第 490 条～第 493 条）してデータを取得するため，数値地形図データ作成も可能である。

4．正しい。車載写真レーザ測量は，トータルステーションなどを用いた現地測量に比べて，車で移動しながら広範囲に測定を行うことができる。そして測定作業やデータ取得は一部を除いて自動化されているので，広範囲を短時間でデータ取得できる（解説と運用）。

5．間違い。数値地形図などデジタル化された地図において，その位置や高さの精度を示すために使用される用語が，地図情報レベル（例えば，500 や 1,000）である。これは，アナログ地図の縮尺（例えば，1/500 や 1/1000）と同じ概念であり，また，その縮尺の地図の位置と高さの精度があることを示している。したがって，地図情報レベル 500 と 1000 を比較すれば，前者の方が後者より高い精度があり，より詳細であるから，地図情報レベル 1000 の数値地形図データの作成には，同 500 より詳細な計測データは不要である（作業規程の準則第 483 条 2 項 2 号）。

　したがって，**肢 5** が間違っている。

正解 ▶ 5

第8章 応用測量

1．路線測量（作業工程）

No.　241　次の１～５の文は，公共測量における路線測量について述べたものである。明らかに間違っているものはどれか。次の１～５の中から選べ。

1．線形決定では，主要点及び中心点を現地に設置し，それらの座標値を地形図データに追加して線形地形図データファイルを作成する。

2．仮 BM 設置測量では，縦断測量及び横断測量に必要な水準点（以下「仮 BM」という。）を現地に設置し，標高を定める。仮 BM の標杭は，0.5km 間隔で設置することを標準とする。観測は平地においては３級水準測量により行い，山地においては４級水準測量により行う。

3．縦断測量では，中心杭等の標高を定め，縦断面図データファイルを作成する。縦断面図データファイルを図紙に出力する場合，高さを表す縦の縮尺は，線形地形図の縮尺の５倍から 10 倍までを標準とする。

4．横断測量では，中心杭等を基準にして，地形の変化点等の距離及び地盤高を定め，横断面図データファイルを作成する。横断方向には，原則として見通杭を設置する。横断面図データファイルを図紙に出力する場合，横断面図の高さを表す縦の縮尺は，縦断面図の縦の縮尺と同一のものを標準とする。

5．詳細測量では，主要な構造物の設計に必要な地形，地物等を測定し，詳細平面図データファイルを作成する。また，詳細平面図データファイルのほかに，縦断面図データファイル及び横断面図データファイルも作成する。

本問は，公共測量における路線測量に関する問題である。

1．間違い。「「線形決定」とは，路線選定の結果に基づき，地形図上で交点（以下「ＩＰ」という。）の位置を座標として定め，線形図データファイルを作成する作業をいう」（作業規程の準則第 626 条）。

　なお，本肢の記述内容である，主要点及び中心点を現地に設置し，線形地形図データファイルを作成する作業とは，「中心線測量」のことである（作業規程の準則第 629 条参照）。

2．正しい。「「仮 BM 設置測量」とは，縦断測量及び横断測量に必要な水準点（以下「仮 BM」という。）を現地に設置し，標高を定める作業をいう」（作業規程の準則第 632 条本文）。

　「仮 BM 設置測量は，平地においては 3 級水準測量により行い，山地においては 4 級水準測量により行うものとする」（作業規程の準則第 633 条 1 項）。

　「仮 BM を設置する間隔は，0.5 キロメートルを標準とする」（作業規程の準則第 633 条 2 項）。

3．正しい。「「縦断測量」とは，中心杭等の標高を定め，縦断面図データファイルを作成する作業をいう」（作業規程の準則第 635 条）。

　「縦断面図データファイルを図紙に出力する場合は，縦断面図の距離を表す横の縮尺は線形地形図の縮尺と同一とし，高さを表す縦の縮尺（以下「縦の縮尺」という。）は）は，線形地形図の縮尺の 5 倍から 10 倍までを標準とする」（作業規程の準則第 636 条 10 項）。

4．正しい。「「横断測量」とは，中心杭等を基準にして地形の変化点等の距離及び地盤高を定め，横断面図データファイルを作成する作業をいう」（作業規程の準則第 637 条）。

　「横断方向には，原則として，見通杭を設置するものとする」（作業規程の準則第 638 条 2 項）。

　「横断面図データファイルを図紙に出力する場合は，横断面図の縮尺は縦断面図の縦の縮尺（注：「縦の縮尺」＝「高さを表す縦の縮尺」）と同一のものを標準とする」（作業規程の準則第 638 条 10 項）。

5．正しい。「「詳細測量」とは，主要な構造物の設計に必要な詳細平面図データファイル，縦断面図データファイル及び横断面図データファイルを作成する作業をいう」（作業規程の準則第 639 条）。

したがって，明らかに間違っているものは**肢 1**である。

正解 ▶ 1

1. 路線測量（作業工程）

No. 242　次の文は，公共測量における路線測量について述べたものである。明らかに間違っているものはどれか。次の中から選べ。

1. 中心線測量とは，路線の主要点及び中心点を現地に設置し，線形地形図データファイルを作成する作業をいう。道路の実施設計において中心点を設置する間隔は，20mを標準とする。

2. 仮BM設置測量とは，縦断測量及び横断測量に必要な水準点（以下「仮BM」という。）を現地に設置し，標高を定める作業をいう。仮BMを設置する間隔は，0.5kmを標準とする。

3. 縦断測量とは，中心杭等の標高を定め，縦断面図データファイルを作成する作業をいう。縦断面図データファイルを図紙に出力する場合，高さを表す縦の縮尺は，距離を表す横の縮尺の2倍から5倍までを標準とする。

4. 横断測量とは，中心杭等を基準にして地形の変化点等の距離及び地盤高を定め，横断面図データファイルを作成する作業をいう。横断方向には，原則として見通杭を設置する。

5. 用地幅杭設置測量とは，取得等に係る用地の範囲を示すため用地幅杭を設置する作業をいう。用地幅杭は，用地幅杭点座標値を計算し，近傍の4級基準点以上の基準点，主要点，中心点等から放射法等により設置する。

本問は，公共測量における路線測量に関する問題である。

1. **正しい。**中心線測量とは，主要点及び中心点を現地に設置し，線形地形図データファイルを作成する作業である。また，道路の実施設計において中心線を設置する間隔は，20mを標準とする（作業規程の準則第629条，630条3項）。

2. **正しい。**仮BM設置測量とは，縦断測量及び横断測量に必要な水準点（これを「仮BM」という）を現地に設置し，標高を定める作業をいう。また，仮BMを設置する間隔は，0.5キロメートルを標準とする（第632条，633条2項）。

3. **間違い。**縦断測量とは，中心杭などの標高を定め，縦断面図データファイルを作成する作業をいう。また，縦断面図データファイルを図紙に出力する場合は，高さを表す縦の縮尺は，線形地形図の縮尺の5倍から10倍までを標準とする（第635条，636条10項）。

4. **正しい。**横断測量とは，中心杭などを基準にして，地形の変化点などの距離及び地盤高を定め，横断図面データファイルを作成する作業をいう。横断方向には，原則として見通杭を設置する（第637条，638条2項）。

5. **正しい。**用地幅杭設置測量とは，取得などに係る用地の範囲を示すため所定の位置に用地幅杭を設置する作業をいう。用地幅杭設置測量は，中心点等から中心線に対して直角方向の用地幅杭点座標値を計算し，それに基づいて，近傍の4級基準点以上の基準点，主要点，中心点等から放射法等により用地幅杭を設置して行う（第641条，642条1項）。

したがって，**肢3**が間違っている。

正解▶ 3

1. 路線測量（作業工程）

No. 243　　次の文は，公共測量における路線測量について述べたものである。明らかに間違っているものはどれか。次の中から選べ。

1. IPの設置では，線形決定により定められた座標値を持つIPを，近傍の4級基準点以上の基準点に基づき，放射法等により現地に設置する。

2. 仮BM設置測量とは，縦断測量及び横断測量に必要な水準点を設置し，標高を求める作業をいう。仮BMを設置する間隔は100mを標準とする。

3. 縦断測量とは，仮BMなどに基づき水準測量を行い，中心杭高や地盤高などを測定し，路線の縦断面図データファイルを作成する作業をいう。

4. 中心線測量とは，路線の主要点及び中心点を設置する作業をいう。主要点には役杭を設置し，中心点には中心杭を設置する。

5. 横断測量では，中心杭等を基準にして，中心点における中心線の接線に対して直角方向の線上にある地形の変化点及び地物について，中心点からの距離及び地盤高を測定する。

■ 解 説 ■

本問は，公共測量における路線測量に関する問題である。

1. **正しい。** 現地に直接IPを設置する必要がある場合は，線形決定により定められた座標値を持つIPは，近傍の4級基準点以上の基準点に基づき，放射法等により設置する（作業規程の準則第628条1項1号）。

2. **間違い。** 仮BM設置測量とは，縦断測量及び横断測量に必要な水準点（これを「仮BM」という。）を現地に設置し，標高を定める作業をいう。仮BMを設置する間隔は，500mを標準とする（第632条，第633条2項）。

3. **正しい。** 縦断測量とは，中心杭等の標高を定め，縦断面図データファイルを作成する作業をいう（第635条）。

4. **正しい。** 中心線測量とは，主要点及び中心点を現地に設置し，線形地形図データファイルを作成する作業である（第629条）。主要点には役杭を，中心点には中心杭を設置する（第631条1項）。

5. **正しい。** 横断測量とは，中心杭などを基準にして，中心点における中心線の接線に対して直角方向の線上のある地形の変化点及び地物について，中心点からの距離と地盤高を測量し，横断面図データファイルを作成する測量である（第637条，第638条）。

したがって，**肢2**が間違っている。

正解 ▶ 2

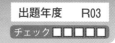

重要度 Ⓐ

1．路線測量（作業工程）

No. 244 　次の文は，公共測量における路線測量について述べたものである。明らかに間違っているものはどれか。次の中から選べ。

1．中心線測量とは，主要点及び中心点を現地に設置し，線形地形図データファイルを作成する作業をいう。線形地形図データファイルは，地形図データに主要点及び中心点の座標値を用いて作成する。

2．仮BM設置測量とは，縦断測量及び横断測量に必要な水準点（以下「仮BM」という。）を現地に設置し，標高を定める作業をいう。仮BMを設置する間隔は，0.5kmを標準とする。

3．縦断測量とは，中心杭などの標高を定め，縦断面図データファイルを作成する作業をいう。縦断面図データファイルを図紙に出力する場合，高さを表す縦の縮尺は，線形地形図の縮尺の5倍から10倍までを標準とする。

4．横断測量とは，中心杭などを基準にして，地形の変化点などの距離及び地盤高を定める作業をいう。横断方向には，原則として引照点杭を設置する。

5．用地幅杭設置測量とは，取得などに係る用地の範囲を示すため所定の位置に用地幅杭を設置する作業をいう。設置した標杭には，測点番号，中心杭などからの距離等を表示する。

本問は，公共測量における路線測量に関する問題である。

1. 正しい。中心線測量とは，主要点及び中心点を現地に設置し，線形地形図データファイルを作成する作業である。また，線形地形図データファイルは，地形図データに主要点及び中心点の座標値を用いて作成する（作業規程の準則第629条，第630条5項）。

2. 正しい。仮BM設置測量とは，縦断測量及び横断測量に必要な水準点（これを「仮BM」という）を現地に設置し，標高を定める作業をいう。また，仮BMを設置する間隔は，0.5キロメートルを標準とする（第632条，第633条2項）。

3. 正しい。縦断測量とは，中心杭などの標高を定め，縦断面図データファイルを作成する作業をいう。また，縦断面図データファイルを図紙に出力する場合は，高さを表す縦の縮尺は，線形地形図の縮尺の5倍から10倍までを標準とする（第635条，第636条10項）。

4. 間違い。横断測量とは，中心杭などを基準にして，地形の変化点などの距離及び地盤高を定め，横断面図データファイルを作成する作業をいう。横断方向には，原則として見通杭を設置する（第637条，第638条2項）。引照点杭の設置ではない。

5. 正しい。用地幅杭設置測量とは，取得などに係る用地の範囲を示すため所定の位置に用地幅杭を設置する作業をいう。また，設置した標杭には測点番号，中心杭などからの距離等を表示する（第641条，第642条1項）。

したがって，**肢4**が間違っている。

正解 ▶ 4

1. 路線測量（作業工程）

No. 245　次の文は，公共測量における路線測量について述べたものである。明らかに間違っているものはどれか。次の中から選べ。

1．IP の設置とは，設計条件及び現地の地形・地物の状況を考慮して標杭（IP 杭）を設置する作業をいう。

2．中心線測量とは，路線の主要点及び中心点を設置する作業をいう。主要点には役杭を設置し，中心点には中心杭を設置する。

3．仮 BM 設置測量とは，縦断測量及び横断測量に必要な水準点を設置し，標高を求める作業をいう。仮 BM を設置する間隔は 100 m を標準とする。

4．縦断測量とは，仮 BM などに基づき水準測量を行い，中心杭高や地盤高などを測定し，路線の縦断面図を作成する作業をいう。

5．横断測量とは，中心杭などを基準にして，中心線と直角方向にある地形の変化点及び地物について，中心杭からの距離と高さを求め，横断面図を作成する作業をいう。

解　説

本問は，公共測量における路線測量に関する問題である。

1．正しい。 IP の設置とは，線形決定によって決定した地形図上の座標を持つ IP の位置を現地に測設すること，又は座標値がないとき，直接 IP を基準点等から測量して座標値を与えることをいう。IP には，標杭（IP 杭）を設置する（作業規程の準則第 628 条，解説と運用）。

2．正しい。 中心線測量とは，路線の中心線形を現地に設置する作業であり，主要点及び中心点を現地に設置し，主要点には役杭を，中心点には中心杭を設置する（作業規程の準則第 629 条，第 631 条 1 項）。

3．間違い。 仮 BM 設置測量とは，縦断測量及び横断測量に必要な水準点（これを「仮 BM」という）を現地に設置し，標高を定める作業をいう。仮 BM を設置する間隔は，500m を標準とする（第 632 条，第 633 条 2 項）。

4．正しい。 縦断測量とは，工事設計等に必要な路線の中心線の鉛直面の断面図を作成する測量であり，中心杭高や地盤高などを測定する（第 635 条，第 636 条）。

5．正しい。 横断測量とは，中心杭などを基準にして，中心点における中心線の接線に対して直角方向の線上にある地形の変化点及び地物について，中心杭からの距離と地盤高を測量し，横断面図を作成する測量である（第 637 条，第 638 条）。

したがって，**肢 3** が間違っている。

正解 ▶ 3

第8章

応用測量

1. 路線測量（作業工程）

No. 246 図は，公共測量における路線測量の標準的な作業工程を示したものである。 ア ～ オ に入る測量等の名称の組合せとして，最も適当なものはどれか。次の中から選べ。

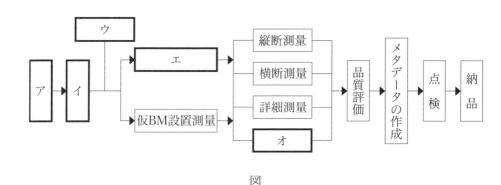

図

	ア	イ	ウ	エ	オ
1.	作業計画	線形決定	中心線測量	IP の設置	法線測量
2.	作業計画	線形決定	IP の設置	中心線測量	用地幅杭設置測量
3.	線形決定	作業計画	IP の設置	中心線測量	法線測量
4.	作業計画	線形決定	中心線測量	IP の設置	用地幅杭設置測量
5.	線形決定	作業計画	IP の設置	中心線測量	用地幅杭設置測量

■ **解 説** ■

本問は，路線測量の標準的な作業工程に関する問題である。

路線測量の工程は，作業規程の準則に次のように定められている。

第624条：路線測量は，次に掲げる測量等に細分するものとする。

(1) **作業計画** (ア)

(2) **線形決定** (イ) → **IP の設置** (ウ)

(3) **中心線測量** (エ)

(4) 仮 BM 設置測量

(5) 縦断測量

(6) 横断測量

(7) 詳細測量

(8) **用地幅杭設置測量** (オ)

したがって，**肢2**の組合せが最も適当である。

正解 ▶ 2

1. 路線測量（作業工程）

No. 247　　次の文は，公共測量における路線測量について述べたものである。明らかに間違っているものはどれか。次の中から選べ。

1. 線形図データファイルは，計算等により求めた主要点及び中心点の座標値を用いて作成する。
2. 線形地形図データファイルは，地形図データに主要点及び中心点の座標値を用いて作成する。
3. 縦断面図データファイルを図紙に出力する場合は，縦断面図の距離を表す横の縮尺は線形地形図の縮尺と同一のものを標準とする。
4. 横断面図データファイルを図紙に出力する場合は，横断面図の縮尺は縦断面図の横の縮尺と同一のものを標準とする。
5. 詳細平面図データの地図情報レベルは 250 を標準とする。

■ **解　説** ■

　本問は，路線測量に関する問題である。

1. 正しい。 作業規程の準則第 627 条 6 項に，「線形図データファイルは，計算等により求めた主要点及び中心点の座標値を用いて作成する。」と規定されている。

2. 正しい。 第 630 条 5 項に，「線形地形図データファイルは，地形図データに主要点及び中心点の座標値を用いて作成する。」と規定されている。

3. 正しい。 第 636 条 10 項に，「縦断面図データファイルを図紙に出力する場合は，縦断面図の距離を表す横の縮尺は線形地形図の縮尺と同一とし，高さを表す縦の縮尺は，線形地形図の縮尺の 5 倍から 10 倍までを標準とする。」と規定されている。

4. 間違い。 第 638 条 10 項に，「横断面図データファイルを図紙に出力する場合は，横断面図の縮尺は縦断面図の縦の縮尺と同一のものを標準とする。」と規定されている。

5. 正しい。 第 640 条 4 項に，「詳細平面図データの地図情報レベルは 250 を標準とする。」と規定されている。

　したがって，**肢 4** が間違っている。

第8章

応用測量

正解 ▶ 4

1. 路線測量（曲線設置）

No. 248　図に示すように，起点 BP，円曲線始点 BC，円曲線終点 EC 及び終点 EP からなる直線と円曲線の道路を組み合わせた新しい道路を建設することとなった。BP と交点 IP との距離が 280m，EC 〜 EP の距離が 206m，円曲線の曲線半径 $R = 200$m，交角 $I = 60°$ としたとき，建設する道路の路線長 BP 〜 EP は幾らか。最も近いものを次の 1 〜 5 の中から選べ。

ただし，円周率 $\pi = 3.14$ とする。

なお，関数の値が必要な場合は，巻末の関数表を使用すること。

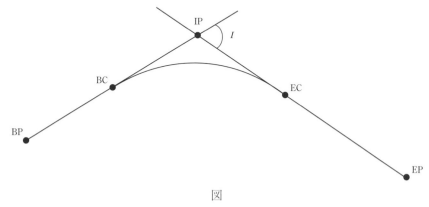

図

1. 476 m
2. 481 m
3. 580 m
4. 595 m
5. 606 m

本問は，路線測量における建設道路の路線長を求める問題である。

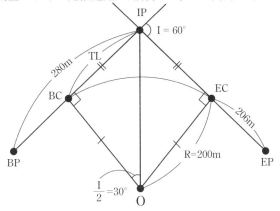

(Oは円曲線をその一部として形成する円の中心とする)

　起点 BP と交点 IP との距離が 280m と与えられているので，起点 BP と円曲線始点 BC との距離を求めるために，まず道路の接線長 TL（BC ～ IP）を求める。

　TL = Rtan（I/ 2）（作業規程の準則解説と運用），交角 I = 60°，円曲線の曲線半径 R = 200m であるから，

$$TL = 200m \times \tan（60° / 2）$$
$$= 200m \times \tan 30°$$
$$= 200m \times 0.57735 \quad （\because 巻末関数表より，\tan 30° = 0.57735）$$
$$= 115.47m$$

したがって，BP と BC と距離は，
$$280m - 115.47m = 164.53m \cdots ①$$

　次に，円曲線部分（円曲線始点 BC ～円曲線終点 EC）の距離を求める。
円曲線の中心角＝交角 I = 60°であり，問題文の指示で円周率 π = 3.14 とされているので，円曲線部分の距離は，

$$2 \pi R \times 60° /360° = 2 \times 3.14 \times 200m \times 60° /360°$$
$$= 2 \times 3.14 \times 200m \times 1/6$$
$$= 3.14 \times 200m \times 1/3$$
$$= 628 \times 1/3m$$
$$= 209.33 \cdots m$$
$$\fallingdotseq 209.33m \cdots ②$$

　また，問題文の指示より円曲線終点 EC と終点 EP との距離は，206m …③　である。

以上より，建設する道路の路線長 BP ~ EP は，①＋②＋③で求められるから，

$$164.53m + 209.33m + 206m = 579.86m$$
$$≒ 580m$$

したがって，**肢3**が最も近い。

正解 ▶ 3

重要度 **A**

1. 路線測量（曲線設置）

No. 249　　図は，平たんな土地における，円曲線始点 A，円曲線終点 B からなる円曲線の道路建設の計画を模式的に示したものである。交点 IP の位置に川が流れており，杭を設置できないため，点 A と交点 IP を結ぶ接線上に補助点 C，点 B と交点 IP を結ぶ接線上に補助点 D をそれぞれ設置し観測を行ったところ，α ＝ 170°，β ＝ 110°であった。曲線半径 R ＝ 300m とするとき，円曲線始点 A から円曲線終点 B までの路線長は幾らか。最も近いものを次の中から選べ。

なお，円周率 π ＝ 3.14 とし，関数の値が必要な場合は，巻末の関数表を使用すること。

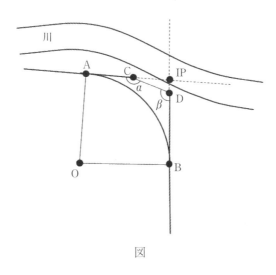

図

1．382m
2．419m
3．471m
4．524m
5．576m

本問は，路線測量において路線長を求める問題である。

① 　円曲線の点 A から点 B までの路線長は，扇形の弧の長さとして求めることができる。

　　∠ AOB を求める。∠ AOB は，五角形 AOBDC の 1 内角であるから，五角形の内角の和より引くことで求めることができる。

② 　五角形 AOBDC の内角の和は，$180° × 3 = 540°$ である。これより∠ A，∠ C，∠ D 及び∠ B を引けば求まる。なお，∠ A、∠ B はそれぞれ、円の半径 OA と円の接線 A 〜 IP、円の半径 OB と円の接線 B 〜 IP がなす角であるから、ともに 90° である。

③ 　以上より，∠ AOB は，

$$540° - 90° - 170° - 110° - 90° = 80°$$

となる。

④ 　弧 AB は，円周に対する∠ AOB の部分であるので，次式が成り立つ。

$$2 \pi R × (80° / 360°)$$
$$= 2 × 3.142 × 300 × (2/9)$$
$$≒ 418.7 ≒ \textbf{419m}$$

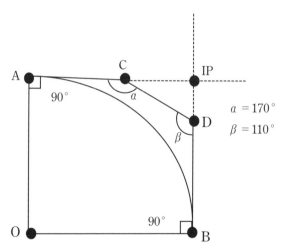

$a = 170°$

$\beta = 110°$

したがって，**肢 2** が最も近い。

① 曲線長は，公式 CL = 0.01745RI° 又は CL = RI° ／ 57.3° で求めてもよい。ただ し，R：半径，I°：中心角（交角と同じ），なお，I° は，分と秒も度に換算して 計算する。

CL = 0.01745 × 300 × 80° = 418.7m

② また，$\dfrac{I°}{360°} = \dfrac{CL}{2\pi R}$ より，$CL = \dfrac{\pi}{180} \cdot I° \cdot R$ で求めることもできる。

$CL = R \cdot I° \cdot \dfrac{\pi°}{180°} = 300 \times 80 \times \dfrac{3.142}{180} \fallingdotseq 418.7\text{m}$

1. 路線測量（曲線設置）

重要度 Ⓐ

No. 250　図に示すように，曲線半径 $R=420$m，交角 $\alpha=90°$ で設置されている，点 O を中心とする円曲線から成る現在の道路（以下「現道路」という。）を改良し，点 O′ を中心とする円曲線から成る新しい道路（以下「新道路」という。）を建設することとなった。

新道路の交角 $\beta=60°$ としたとき，新道路 BC ～ EC′ の路線長は幾らか。最も近いものを次の中から選べ。

ただし，新道路の起点 BC 及び交点 IP の位置は，現道路と変わらないものとし，円周率 $\pi=3.14$ とする。

なお，関数の値が必要な場合は，巻末の関数表を使用すること。

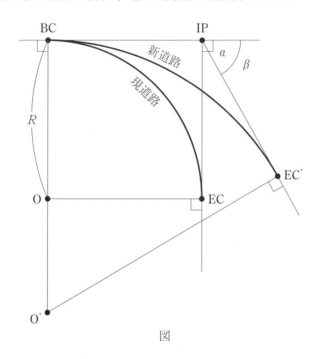

図

1. 440m
2. 659m
3. 727m
4. 743m
5. 761m

本問は，曲線設置に関する問題である。

① 現道路の接線長 TL（BC ～ IP）と，新道路の接線長は，同じ長さであるから
次式が成り立つ。

現道路の半径 $R = 420$m，新道路の半径を R' とすると

$$\text{TL} = R\tan(\text{I}/2) = R'\tan(\text{I}'/2)$$

（中心角 I ＝交角 $\alpha = 90°$，中心角 I' ＝交角 $\beta = 60°$ であるから）

$$420 \times \tan(90°/2) = R'\tan(60°/2)$$

$$420 \times 1 = R' \times 0.57735$$

（関数表より，$\tan45° = 1$，$\tan30° = 0.57735$）

$$\therefore R' \fallingdotseq 727\text{m}$$

② 新道路の半径は727mであるから，新道路の BC ～ EC' の路線長は，

$$2\pi R' \times \text{I}'/360° = 2\pi R' \times 60°/360°$$
$$= 2 \times 3.14 \times 727\text{m} \times 1/6$$
$$\fallingdotseq 760.92\text{m} \fallingdotseq \mathbf{761m}$$

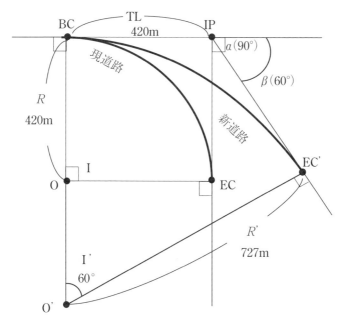

したがって，**肢5**が最も近い。

1. 路線測量（曲線設置）

No. 251　次の図に示すように，始点 BC，終点 EC，曲率半径 $R = 1,000$m，交角 I $= 36°$ の円曲線（BC ～ EC），直線（BP ～ BC）及び直線（EC ～ EP）を組み合わせた道路を建設したい。

BP から BC までの距離は 215m，EC から EP までの距離は 500m としたとき，BP から EP までの距離は幾らか。最も近いものを次の中から選べ。

なお，円周率 $\pi = 3.14$ とし，関数の値が必要な場合は，巻末の関数表を使用すること。

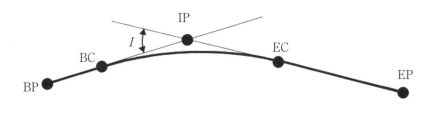

図

1．1,029m
2．1,128m
3．1,238m
4．1,343m
5．1,558m

本問は，路線測量において路線長を含めた BP から EP までの距離を求める問題である。

① IP の角度と中心角∠ BC・O・EC は同じであるから，中心角は 36° である。円曲線 BC・EC は，円周に対する∠ BC・O・EC の部分であるので，次式が成り立つ。

$2 \pi R \times 36° / 360°$
$= 2 \times 3.14 \times 1000 \times 1 / 10 = 628 m$

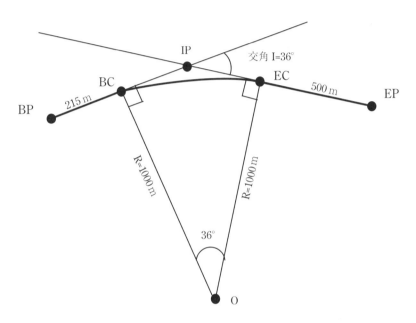

② BP から EP までの距離を求める。
直線（BP ～ BC）＋円曲線（BC ～ EC）＋直線（EC ～ EP）
$= 215 m + 628 m + 500 m = \mathbf{1,343\ m}$

したがって，**肢4** が最も近い。

重要度 Ⓐ

1. 路線測量（曲線設置）

出題年度　R02

チェック ☐☐☐☐☐

No. 252　　図に示すように，点 A を始点，点 B を終点とする円曲線の道路の建設を計画している。曲線半径 $R = 200$m，交角 $I = 112°$ としたとき，建設する道路の点 A から円曲線の中点 C までの弦長は幾らか。最も近いものを次の中から選べ。

なお，関数の値が必要な場合は，巻末の関数表を使用すること。

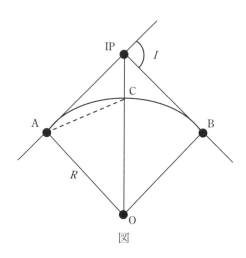

図

1. 152m
2. 172m
3. 188m
4. 195m
5. 202m

■ 解　説 ■

本問は，円曲線の弦長を求める問題である。

交角 I は $112°$ であるから，円弧の中心角は $112°$ である。したがって，点 A と点 C，点 O を結んでできる二等辺三角形の頂角 O は，$56°$ であることが分かる。

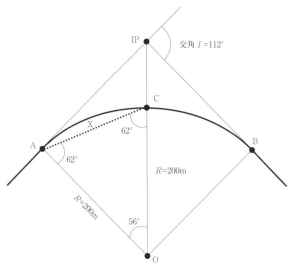

点Aから点Cまでの弦長をXmとし，弦長Xmを底辺とする二等辺三角形の底角は，（180° − 56°）/ 2 ＝ 62°であるから，この三角形に正弦定理を適用すると，

$$\frac{200\mathrm{m}}{\sin 62°} = \frac{X\mathrm{m}}{\sin 56°}$$

$$\therefore X = 200 \text{ m} \times \frac{\sin 56°}{\sin 62°} \fallingdotseq 187.7 \text{ m} \fallingdotseq \mathbf{188 \text{ m}}$$

（巻末関数表より，sin56° ＝ 0.82904，sin62° ＝ 0.88295）

したがって，**肢3**が最も近い。

正解 ▶ 3

📖 **参考・別解**

第2余弦定理（$a^2 = b^2 + c^2 - 2bc\cos\alpha$ ）を用いて解くと，

$$X^2 = 200^2 + 200^2 - 2 \times 200 \times 200 \times \cos 56° \text{（巻末関数表より，} \cos 56° ＝ 0.55919）$$
$$X^2 \fallingdotseq 35265$$
$$\therefore X = \sqrt{35265} \fallingdotseq 188$$

1．路線測量（曲線設置）

No. 253　図に模式的に示すように，円曲線始点 A，円曲線終点 B からなる円曲線の道路建設を計画している。交点 IP（A 及び B における円曲線の接線が交差する地点）の位置に川が流れており杭を設置できないため，A と IP を結ぶ接線上に補助点 C，B と IP を結ぶ接線上に補助点 D をそれぞれ設置し観測を行ったところ，α＝145°，β＝95°であった。曲線半径 R＝280 m とするとき，円曲線始点 A から円曲線終点 B までの路線長は幾らか。最も近いものを次の中から選べ。

ただし，円周率 π＝3.142 とする。

なお，関数の値が必要な場合は，巻末の関数表を使用すること。

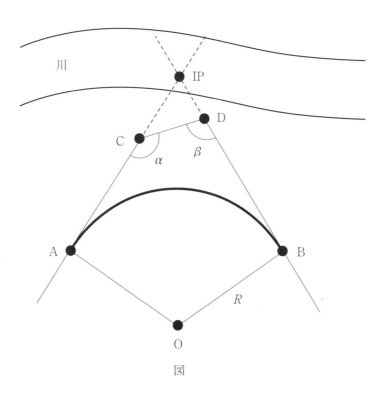

図

1．521 m

2．542 m

3．565 m

4．587 m

5．599 m

本問は，路線測量において路線長を求める問題である。

① 円曲線の路線長（曲線長：CL）は，扇形の弧の長さとして求められる。

　　∠ AOB を求める。∠ AOB は，交点 IP の角度と同一の角度であるから，まず IP の角度を求める。

　　△ C・D・IP の内角は，設問より

　　　　∠ C ＝ 180° － 145°（ α ）＝ 35°

　　　　∠ D ＝ 180° － 95°（ β ）＝ 85°

　　　　∠ C・IP・D ＝ 180° － 35° － 85° ＝ 60°

　　これより，交角 IP は，180° － 60° ＝ 120° である。

② IP の角度と中心角∠ AOB は同じであるから，120° である。

　　弧 AB は，円周に対する∠ AOB の部分であるから，次式が成り立つ。

　　　　$2\pi R \times 120° / 360° = 2 \times 3.142 \times 280\,\text{m} \times 1/3 \fallingdotseq 586.5\,\text{m} \fallingdotseq$ **587 m**

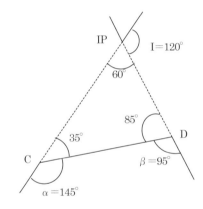

したがって，**肢 4** が最も近い。

正解 ▶ 4

📖 **参考・別解**

① 曲線長は，公式 CL ＝ 0.01745RI° 又は CL ＝ RI° ／57.3° で求めてもよい。ただし，R：半径，I°：中心角（交角と同じ），なお，I°は，分と秒も度に換算して計算する。

CL ＝ 0.01745 × 280 × 120° ＝ 586.32 m

② また，$\dfrac{I°}{360°} = \dfrac{CL}{2\pi R}$　より，$CL = \dfrac{\pi}{180} \cdot I° \cdot R$ で求めることもできる。

$CL = R \cdot I° \cdot \dfrac{\pi°}{180°} = 280 \times 120 \times \dfrac{3.142}{180} \fallingdotseq 586.5\,\text{m}$

1．路線測量（曲線設置）

No. 254　図－1に示すように，点Oから五つの方向に直線道路が延びている。直線AOの距離は400m，点Aにおける点Oの方位角は120°であり，直線BOの距離は300m，点Bにおける点Oの方位角は190°である。点Oの交差点を図－2に示すように環状交差点に変更することを計画している。環状の道路を点Oを中心とする半径 $R = 20$m の円曲線とする場合，直線AC，最短部分の円曲線CD，直線BDを合わせた路線長は幾らか。最も近いものを次の中から選べ。

ただし，円周率 $\pi = 3.142$ とする。

なお，関数の値が必要な場合は，巻末の関数表を使用すること。

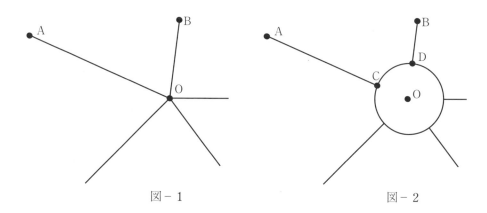

図－1　　　　　　　　　　　図－2

1．584.4m
2．677.5m
3．684.4m
4．686.2m
5．724.4m

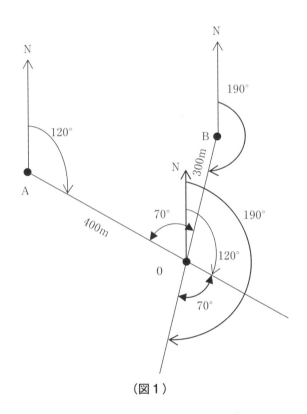

　本問は，直線道路を環状道路（交差点）に変更した場合における環状道路を合わせた路線長を求める問題である。

(1)　設問より，点Aにおける点Oの方位角は120°であり，点Bにおける点Oの方位角は190°である。これら双方の方位角を，点Oに平行移動して考察する（図1参照）。

　　これより，双方の方位角の差は，190°－120°＝70°であり，この対頂角である∠AOBも70°となる。

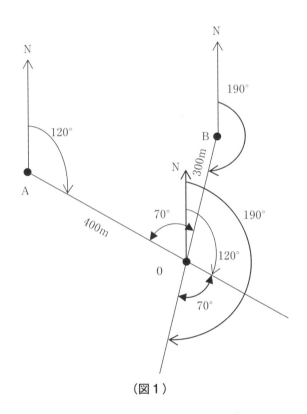

N

120°

N

190°

B

A

400m

300m

N

70°

190°

O

120°

70°

（図1）

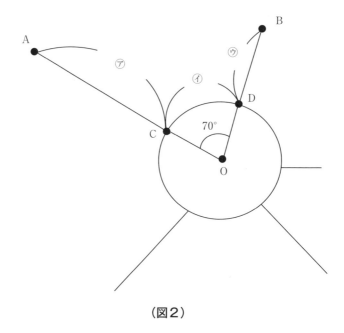

（図2）

(2) ① 次に，直線 AC，円曲線 CD，直線 BD を合わせた路線長を求める（図2参照）。ただし，直線 AC の長さ＝㋐，円曲線 CD の長さ＝㋑，直線 BD の長さ＝㋒とする。

② 環状道路は，半径20mの円曲線であるから，各区の路線長は以下のようになる。

$$㋐ = 400m - 20m = 380m$$
$$㋑ = 2\pi R \times 70°/360°$$
$$= 2 \times 3.142 \times 20m \times 7/36 ≒ 24.4m$$
$$㋒ = 300m - 20m = 280m$$
$$㋐ + ㋑ + ㋒ = 380m + 24.4m + 280m$$
$$= 684.4m$$

したがって，**肢3**が最も近い。

正解▶ 3

1. 路線測量（曲線設置）

重要度 **A**

出題年度　H29

チェック ▢▢▢▢▢

No. 255　図に示すように，円曲線始点 BC，円曲線終点 EC からなる円曲線の道路の建設を計画していた。当初の計画では円曲線半径 $R = 600$ m，交角 $\alpha = 56°$ であったが，EC 付近で歴史的に重要な古墳が発見された。このため，円曲線始点 BC 及び交点 IP の位置は変更せずに，円曲線終点を EC から EC′ に変更することになった。

変更計画道路の交角 $\beta = 90°$ とする場合，当初計画道路の中心点 O を BC 方向にどれだけ移動すれば変更計画道路の中心点 O′ となるか。最も近いものを次の中から選べ。

なお，関数の値が必要な場合は，巻末の関数表を使用すること。

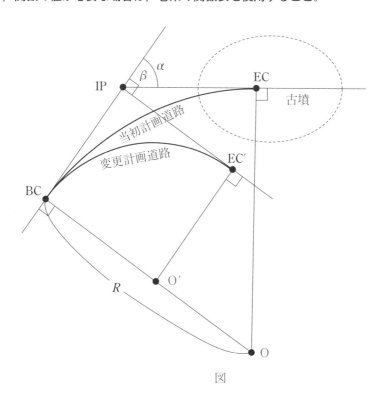

図

1．264 m
2．281 m
3．292 m
4．318 m
5．319 m

1．路線測量

第8章

応用測量

本問は，曲線設置に関する問題である。

① 当初計画道路の接線長 TL（BC ～ IP）は，半径 $R = 600$ m，中心角 I ＝交角 $\alpha =$ 56°なので（作業規程の準則解説と運用），

$$\text{TL} = R\tan\left(\frac{\text{I}}{2}\right) = 600 \text{ m} \times \tan\left(\frac{56°}{2}\right) = 600 \text{ m} \times 0.53171 = 319.026 \text{ m} \fallingdotseq 319 \text{ m}$$

（巻末関数表より，$\tan 28° = 0.53171$）

② 変更計画道路の半径 R' は，各角度が 90°の正方形になるから，当初予定の道路の接戦長 TL に等しく 319 m となる。したがって，移動距離は，600 m − 319 m = **281m** である。

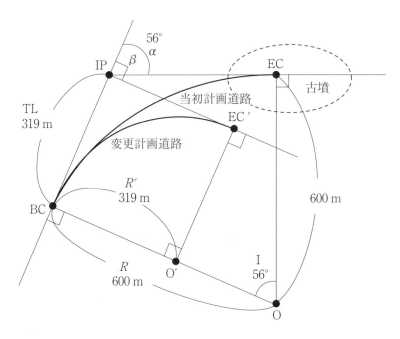

したがって，**肢2** が最も近い。

1．路線測量（曲線設置）

No. 256　図に示すように，曲線半径 $R=500\ \mathrm{m}$，交角 $\alpha=90°$ で設置されている，点 O を中心とする円曲線から成る現在の道路（以下「現道路」という。）を改良し，点 O′ を中心とする円曲線から成る新しい道路（以下「新道路」という。）を建設することとなった。

新道路の交角 $\beta=60°$ としたとき，新道路 BC～EC′ の路線長は幾らか。最も近いものを次の中から選べ。

ただし，新道路の起点 BC 及び交点 IP の位置は，現道路と変わらないものとし，円周率 $\pi=3.142$ とする。

なお，関数の値が必要な場合は，巻末の関数表を使用すること。

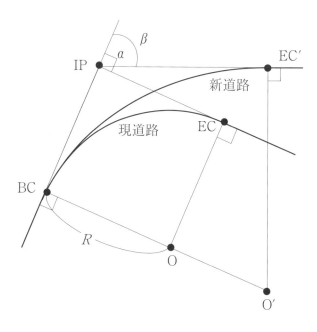

図

1．866 m

2．879 m

3．893 m

4．907 m

5．920 m

本問は，曲線設置に関する問題である。

① 現道路の接線長 TL（BC ～ IP）と，新道路の接線長は，同じ長さであるから，次式が成り立つ（作業規程の準則解説と運用）。

現道路の半径 $R = 500$ m，新道路の半径を R' とすると，

$$TL = R \tan (I / 2) = R' \tan (I' / 2)$$

（中心角 I ＝交角 α ＝ 90°，中心角 I' ＝交角 β ＝ 60° であるから）

$$500 \text{ m} \times \tan (90° / 2) = R' \tan (60° / 2)$$

$$500 \text{ m} \times 1 = R' \times 0.57735$$

（巻末関数表より，$\tan 45° = 1$，$\tan 30° = 0.57735$）

$$\therefore R' \fallingdotseq 866 \text{ m}$$

② 新道路の半径は 866 m であるから，新道路の BC～EC' の路線長は，

$$2 \pi R' \times I' / 360° = 2 \pi R' \times 60° / 360°$$
$$= 2 \times 3.142 \times 866 \text{m} \times 1/6$$
$$\fallingdotseq 906.99 \text{ m} \fallingdotseq \mathbf{907 m}$$

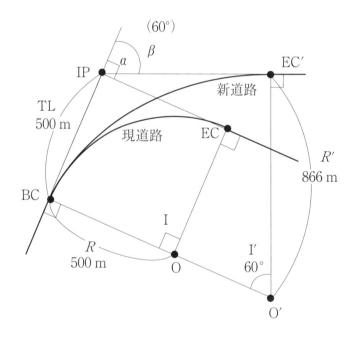

したがって，**肢4** が最も近い。

正解 ▶ 4

1．路線測量（曲線設置）

No. 257　図のように，円曲線始点 BC，円曲線終点 EC からなる円曲線の道路の建設を計画している。

曲線半径 $R=100$ m，交角 $I=108°$ としたとき，建設する道路の円曲線始点 BC から曲線の中点 SP までの弦長は幾らか。最も近いものを次の中から選べ。

なお，関数の数値が必要な場合は，巻末の関数表を使用すること。

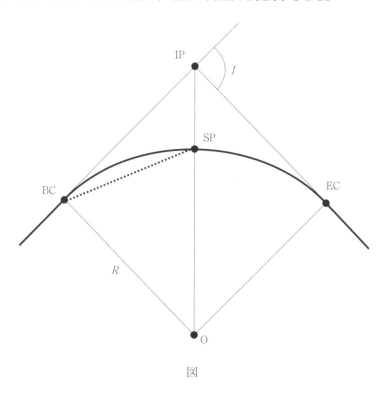

図

1．　45.40 m
2．　75.00 m
3．　90.80 m
4．　99.40 m
5．　161.80 m

本問は，円曲線の弦長を求める問題である。

交角 I は $108°$ であるから，円弧の中心角は $108°$ であり，BC と SP，O を結んでできる二等辺三角形の頂角 O は，$54°$ であることが分かる。

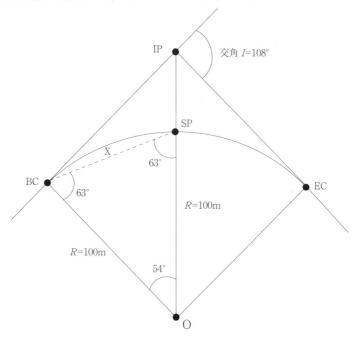

点 BC から点 SP までの弦長を X m とし，弦長 X m を底辺とする二等辺三角形の底角は，$(180° - 54°)/2 = 63°$ であるから，この三角形に正弦定理を適用すると，

$$\frac{100\,\text{m}}{\sin 63°} = \frac{X\,\text{m}}{\sin 54°} \qquad \therefore X = 100\,\text{m} \times \frac{\sin 54°}{\sin 63°} ≒ 90.798\,\text{m} ≒ \textbf{90.80m}$$

（巻末関数表より，$\sin 54° = 0.80902$，$\sin 63° = 0.89101$）

したがって，**肢 3** が最も近い。

正解 ▶ 3

📖 参考・別解 ━━━━━━━━━━━━━━━━━━━━━━

第 2 余弦定理（$a^2 = b^2 + c^2 - 2bc \cos a$）を用いて解くと，
$X^2 = 100^2 + 100^2 - 2 \times 100 \times 100 \times \cos 54°$ $X^2 ≒ 8244$ $\therefore X = \sqrt{8244} ≒ 90.80$
なお $\sqrt{8244}$ は，$\sqrt{8200}$ に近似するから，$\sqrt{82} \times \sqrt{100} = \sqrt{82} \times 10$ として計算する。
（$\sqrt{82}$ は巻末参照）

重要度 **A**

1. 路線測量（土量計算）

No. **258**　　10 年前に水平に整地した図－1の土地 ABCD において，先日，水準測量を行ったところ，地盤が不等沈下していたことが判明した。観測点の位置関係及び沈下量は，図－1及び表に示すとおりである。盛土により，整地された元の地盤高に戻すには，どれだけの土量が必要か。図－2の式①を用いて算出し，最も近いものを次の中から選べ。

ただし，盛土による新たな沈下の発生は考えないものとする。

なお，関数の値が必要な場合は，巻末の関数表を使用すること。

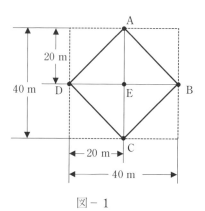

図－1

表

観測点	沈下量（m）
A	0.3
B	0.2
C	0.3
D	0.2
E	0.1

下図はある三角柱で不等沈下が起きたときの模式図である。この図において，不等沈下後の区画△ PQR は平面であり，不等沈下の変位は鉛直成分のみとすると，不等沈下によって失われた体積は，式①で表される。

$$V = \frac{(a+b+c)}{3} S \cdots\cdots 式①$$

$\left[\begin{array}{l} V：不等沈下によって失われた体積 \\ a, b, c：沈下量 \\ S：三角柱の底面積（水平面積） \end{array}\right]$

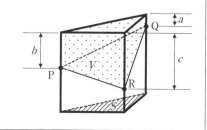

図－2

1．140m^3
2．160m^3
3．180m^3
4．200m^3
5．400m^3

解　説

本問は，地盤不等沈下によって失われた土量を求める問題である。

(1)　本問は，図のように個々に区分された図形について，面積を求める。
　　なお，①，②，③，④とも直角二等辺三角形であり，同じ面積となる。

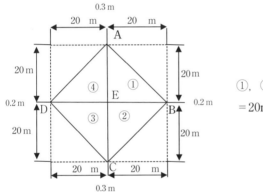

①，②，③，④の面積
$= 20m \times 20m \div 2 = 200 \, \text{m}^2$

(2)　①〜④の不等沈下により失われた体積を式①により求める。
　　①の体積　$(0.3m + 0.2m + 0.1m) \div 3 \times 200\text{m}^2 = 40\text{m}^3$
　　②の体積　$(0.2m + 0.3m + 0.1m) \div 3 \times 200\text{m}^2 = 40\text{m}^3$
　　③の体積　$(0.3m + 0.2m + 0.1m) \div 3 \times 200\text{m}^2 = 40\text{m}^3$
　　④の体積　$(0.3m + 0.2m + 0.1m) \div 3 \times 200\text{m}^2 = 40\text{m}^3$

(3)　これより，不等沈下によって失われた土量を盛土により整地された元の地盤高
　　に戻すには，$40\text{m}^3 \times 4 = \mathbf{160\text{m}^3}$の土量が必要である。

したがって，**肢2**が最も近い。

正解 ▶ 2

出題年度　R01

チェック □□□□□

1．路線測量（切土量と盛土量の差）

No. 259　道路工事のため，ある路線の横断測量を行った。図－1は得られた横断面図のうち，隣接する No. 5 ～ No. 7 の横断面図であり，その断面における切土部の断面積（C.A）及び盛土部の断面積（B.A）を示したものである。中心杭間の距離を 20 mとすると，No. 5 ～ No. 7 の区間における盛土量と切土量の差は幾らか。式に示した平均断面法により求め，最も近いものを次の中から選べ。

　ただし，図－2は，式に示したS_1，S_2（両端の断面積）及びL（両端断面間の距離）を模式的に示したものである。

　なお，関数の値が必要な場合は，巻末の関数表を使用すること。

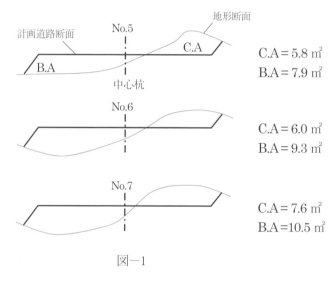

C.A = 5.8 ㎡
B.A = 7.9 ㎡

C.A = 6.0 ㎡
B.A = 9.3 ㎡

C.A = 7.6 ㎡
B.A =10.5 ㎡

図－1

$$V = \frac{S_1 + S_2}{2} \times L \cdots\cdots 式$$

$\left\lceil \begin{array}{l} V：両端断面区間の体積 \\ S_1，S_2：両端の断面積 \\ L：両端断面間の距離 \end{array} \right.$

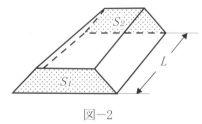

図－2

1．105 ㎥
2．116 ㎥
3．170 ㎥
4．178 ㎥
5．270 ㎥

応用測量

　本問は，路線測量において盛土量と切土量を平均断面法により求める問題である。
　平均断面法は，各々の区間の平均断面積を計算し，その値に各区間の距離を掛けて土量を計算する方法である。

(1)　設問の各中心杭の盛土量・切土量は次表になる。

中心杭	C.A	B.A	番号
No.5	5.8 ㎡		①
		7.9 ㎡	②
No.6	6.0 ㎡		③
		9.3 ㎡	④
No.7	7.6 ㎡		⑤
		10.5 ㎡	⑥

(2)　各点間の切土量を式により求める。

（ⅰ）No.5 ～ No.6 間の切土量（C.A）

$$= \frac{① + ③}{2} \times 20 \text{ m} = \frac{5.8 \text{ ㎡} + 6.0 \text{ ㎡}}{2} \times 20 \text{ m} = 11.8 \text{ ㎡} \times 10 \text{ m} = 118 \text{ ㎥}$$

（ⅱ）No.6 ～ No.7 間の切土量（C.A）

$$= \frac{③ + ⑤}{2} \times 20 \text{ m} = \frac{6.0 \text{ ㎡} + 7.6 \text{ ㎡}}{2} \times 20 \text{ m} = 13.6 \text{ ㎡} \times 10 \text{ m} = 136 \text{ ㎥}$$

切土量合計 ＝（ⅰ）＋（ⅱ）＝ 118 ㎥ ＋ 136 ㎥ ＝ 254 ㎥

(3)　各点間の盛土量を式により求める。

（ⅲ）No.5 ～ No.6 間の盛土量（B.A）

$$= \frac{② + ④}{2} \times 20 \text{ m} = \frac{7.9 \text{ ㎡} + 9.3 \text{ ㎡}}{2} \times 20 \text{ m} = 17.2 \text{ ㎡} \times 10 \text{ m} = 172 \text{ ㎥}$$

（ⅳ）No.6 ～ No.7 間の盛土量（B.A）

$$= \frac{④ + ⑥}{2} \times 20 \text{ m} = \frac{9.3 \text{ ㎡} + 10.5 \text{ ㎡}}{2} \times 20 \text{ m} = 19.8 \text{ ㎡} \times 10 \text{ m} = 198 \text{ ㎥}$$

盛土量合計 ＝（ⅲ）＋（ⅳ）＝ 172 ㎥ ＋ 198 ㎥ ＝ 370 ㎥

(4)　盛土量と切土量の差を求める。

370 ㎥ － 254 ㎥ ＝ **116 ㎥** となる。

　したがって，**肢2**が最も近い。

正解 ▶ 2

重要度 **B**

1. 路線測量（点高法による土量計算）

No. 260　図に示すような宅地造成予定地を，切土量と盛土量を等しくして平坦な土地に地ならしする場合，地ならし後における土地の地盤高は幾らか。最も近いものを次の中から選べ。

ただし，図のように宅地造成予定地を面積の等しい四つの三角形に区分して，点高法により求めるものとする。また，図に示す数値は，各点の地盤高である。

なお，関数の値が必要な場合は，巻末の関数表を使用すること。

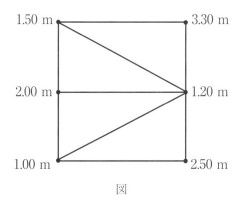

図

1．1.63m
2．1.73m
3．1.84m
4．1.92m
5．2.03m

　本問は，切土量と盛土量を等しくして平坦な土地に地ならしする場合に，地ならし後の土地の地盤高を求める問題である。

(1)　本問は，図のように個々に区分された図形について，平均標高を求め体積を算出する。体積は以下の式になる。

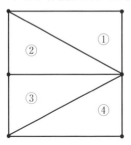

①の体積＝①の平均標高×区分された①の面積
②の体積＝②の平均標高×区分された②の面積
③の体積＝③の平均標高×区分された③の面積
④の体積＝④の平均標高×区分された④の面積
上記の①～④の体積の合計が，全体の体積となる。

(2)　本問は，設問より区分された面積の①，②，③，④は同じ面積であるから，その面積をA(㎡)とすると，次式が成り立つ。

　　　地ならしの後の地盤高
　　　　＝(①＋②＋③＋④の全体の体積)÷(区分された面積A×4)

(3)　全体の体積を求めると，
　　　①の体積＝|(1.5m＋3.3m＋1.2m)÷3|×A＝2A
　　　②の体積＝|(1.5m＋1.2m＋2m)÷3|×A　≒1.57A
　　　③の体積＝|(2m＋1.2m＋1m)÷3|×A　　＝1.4A
　　　④の体積＝|(1m＋1.2m＋2.5m)÷3|×A　≒1.57A
　　　　　　　　　　　　　　　　　全体の体積≒6.54A

　これより地ならし後の地盤高は，
　　　6.54A÷4A＝1.635m≒**1.63m** となる。

したがって，**肢1** が最も近い。

正解 ▶ 1

　　📖 **参考・別解**

　点高法は，広い地域の地ならしなどで土量を求める場合に体積を算出する方法として用いられる。地表面を四角形又は三角形に区分し，その区分された隅点の高さを水準測量で測定して，基準面からの土量の体積を計算する方法である。

重要度 **A**

2．河川測量（作業内容）

No. 261 次の1～5の文は，公共測量における河川測量について述べたものである。明らかに間違っているものはどれか。次の1～5の中から選べ。

1．河川測量とは，河川，海岸等の調査及び河川の維持管理等に用いる測量をいう。
2．水準基標は，水位標に近接した位置に設置するものとし，設置間隔は，1 km から2 km までを標準とする。
3．定期横断測量とは，定期的に左右距離標の視通線上の横断測量を実施して横断面図データファイルを作成する作業をいう。
4．深浅測量における船位の概定は，ワイヤーロープやトータルステーション，GNSS 測量機を用いて行う。
5．法線測量とは，河川又は海岸において，築造物の新設又は改修等を行う場合に現地の法線上に杭を設置し線形図データファイルを作成する作業をいう。

■ 解 説 ■

本問は，公共測量における河川測量に関する問題である。
1．正しい。「「河川測量」とは，河川，海岸等の調査及び河川の維持管理等に用いる測量をいう」（作業規程の準則第 647 条 1 項）。
2．間違い。「水準基標は，水位標に近接した位置に設置するものとし，設置間隔は，5 キロメートルから 20 キロメートルまでを標準とする」（作業規程の準則第 653 条 2 項）。
3．正しい。「「定期横断測量」とは，定期的に左右距離標の視通線上の横断測量を実施して横断面図データファイルを作成する作業をいう」（作業規程の準則第 656 条）。
4．正しい。「測深位置又は船位の測定は，ワイヤーロープ，ＴＳ等又はＧＮＳＳ測量機のいずれかを用いて行うものとし，測点間隔は次表を標準とする」（作業規程の準則第 659 条 2 項）。
5．正しい。「「法線測量」とは，計画資料に基づき，河川又は海岸において，築造物の新設又は改修等を行う場合に現地の法線上に杭を設置し線形図データファイルを作成する作業をいう」（作業規程の準則第 660 条）。

したがって，明らかに間違っているものは**肢2**である。

正解 ▶ 2

2. 河川測量（作業内容）

No. 262　次の文は，公共測量における河川測量について述べたものである。明らかに間違っているものはどれか。次の中から選べ。

1．距離標は，堤防の法面及び法肩以外の箇所に設置するものとする。
2．水準基標測量は，2級水準測量により行うものとする。
3．定期縦断測量は，平地においては3級水準測量により行い，山地においては4級水準測量により行うものとする。
4．定期横断測量とは，定期的に左右距離標の視通線上の横断測量を実施して横断面図データファイルを作成する作業をいう。
5．深浅測量における水深の測定は，音響測深機を用いて行うものとする。ただし，水深が浅い場合は，ロッド又はレッドを用い直接測定により行うものとする。

■ **解　説** ■

本問は，河川測量の作業内容に関する問題である。
1．**間違い**。距離標設置測量は，河心線の接線に対して直角方向の両岸の堤防法肩又は法面等に距離標を設置する作業である（作業規程の準則第650条）。したがって，距離標の設置位置は，両岸の堤防法肩又は法面に設置する。
2．**正しい**。水準基標測量は，2級水準測量により行い，水準基標は水位標に近接した位置に設置する（第653条1項，2項）。
3．**正しい**。定期縦断測量において，平地においては3級水準測量により行い，山地においては4級水準測量により行い，縦断面図データファイルを作成するものとされている（第655条3項，4項）。
4．**正しい**。定期横断測量は，定期的に左右距離標の視通線上の横断測量を実施して横断面図データファイルを作成する作業である（第656条）。
5．**正しい**。深浅測量において水深の測定は，音響測深機を用いて行い，水深が浅い場合は，ロッド又はレッドを用い直接測定を行う（第659条1項）。

したがって，**肢1**が間違っている。

正解 ▶ 1

2．河川測量（作業内容）

No. 263　　次のa～eの文は，公共測量における河川測量について述べたものである。明らかに間違っているものだけの組合せはどれか。次の中から選べ。

a．河川測量とは，河川，海岸等の調査及び河川の維持管理等に用いる測量をいう。
b．距離標は，河心線の接線に対して直角方向の両岸の堤防法肩又は法面等に設置する。
c．水準基標測量とは，定期縦断測量の基準となる水準基標の標高を定める作業をいう。
d．水準基標測量は2級水準測量により行い，水準基標は水位標から離れた位置に設置する。
e．深浅測量とは，河川，貯水池，湖沼又は海岸において，水底部の地形を明らかにするため，水深，測深位置又は船位，水位又は潮位を測定し，縦断面図データファイルを作成する作業をいう。

1．a，b
2．a，e
3．b，c
4．c，d
5．d，e

■■■　**解　説**　■■■

　本問は，河川測量の作業内容に関する問題である。
a．正しい。 河川測量とは，河川，海岸等の調査及び河川の維持管理等に用いる測量である（作業規程の準則第647条1項）。
b．正しい。 距離標設置測量は，河心線の接線に対して直角方向の両岸の堤防法肩又は法面等に距離標を設置する作業である（第650条）。したがって，距離標の設置位置は，両岸の堤防法肩又は法面に設置する。
c．正しい。 水準基標測量は，定期縦断測量の基準となる水準基標の標高を定める作業である（第652条）。
d．間違い。 水準基標測量は，2級水準測量により行い，水準基標は水位標に近接した位置に設置する（第653条1項，2項）。
e．間違い。 深浅測量とは，河川，貯水池，湖沼又は海岸において，水底部の地形を明らかにするため，水深，測深位置又は船位，水位又は潮位を測定し，横断面図データファイルを作成する作業をいう（第658条）。縦断面図データファイルの作成ではない。

　したがって，間違っているものは**d，e**であり，その組合せは**肢5**である。

正解 ▶ 5

2. 河川測量（作業内容）

No. 264　次の文は，公共測量における河川測量について述べたものである。明らかに間違っているものはどれか。次の中から選べ。

1．河川測量とは，河川，海岸等の調査及び河川の維持管理等に用いる測量をいう。
2．距離標設置間隔は，起点から河心に沿って，原則として500mとする。
3．水準基標は，水位標に近接した位置に設ける。
4．定期縦断測量における観測の路線は，水準基標から出発し，他の水準基標に結合する。
5．深浅測量において，水深が浅い場合は，ロッド又はレッドを用いる。

■ **解　説** ■

　本問は，河川測量の作業内容に関する問題である。
1．正しい。 河川測量は，河川，海岸等の調査及び河川の維持管理等に用いる測量である（作業規程の準則第647条1項）。
2．間違い。 距離標設置間隔は，河川の河口又は幹川への合流点に設けた起点から，河心に沿って200メートルを標準とする（第651条2項）。
3．正しい。 水準基標測量は，2級水準測量により行い，水準基標は水位標に近接した位置に設置する（第653条1項，2項）。
4．正しい。 定期縦断測量は，原則として，観測の基準とする点は水準基標とし，観測の路線は，水準基標から出発し，他の水準基標に結合する（第655条2項）。
5．正しい。 深浅測量において水深の測定は，音響測深機を用いて行い，水深が浅い場合は，ロッド又はレッドを用い直接測定を行う（第659条1項）。

　したがって，**肢2**が間違っている。

正解 ▶ 2

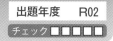

重要度 Ⓐ

出題年度　R02

2．河川測量（作業内容）

チェック □□□□□

No. 265　　次の文は，公共測量における河川測量について述べたものである。明らかに間違っているものはどれか。次の中から選べ。

1．水準基標測量とは，定期縦断測量の基準となる水準基標の標高を定める作業をいう。

2．水準基標は，水位標に近接した位置に設置するものとする。

3．定期縦断測量は，左右両岸の距離標の標高並びに堤防の変化点の地盤及び主要な構造物について，距離標からの距離及び標高を測定するものとする。

4．定期横断測量は，陸部において堤内地の20m 〜 50mの範囲についても行う。

5．深浅測量とは，河川などにおいて水深及び測深位置を測定し，縦断面図データファイルを作成する作業をいう。

■■■■■ 解　説 ■■■■■

　本問は，河川測量の作業内容に関する問題である。

1．正しい。水準基標測量とは，定期縦断測量の基準となる水準基標の標高を定める作業をいう（作業規程の準則第652条）。水準基標は，基準点である河川水系の高さの基準を統一するため，河川の両岸の適当な位置に設けられる基準点である。

2．正しい。水準基標測量は，2級水準測量により行い，水準基標は水位標に近接した位置に設置する（第653条1項，2項）。

3．正しい。定期縦断測量は，左右両岸の距離標の標高並びに堤防の変化点の地盤及び主要な構造物について，距離標からの距離及び標高を測定する（第655条1項）。

4．正しい。定期横断測量は，水際杭を境にして陸部と水部に分け，陸部における測量は堤内地の20m 〜 50 mの範囲について行う（第657条3項）。

5．間違い。深浅測量は，河川，貯水池，湖沼又は海岸において，水底部の地形を明らかにするため，水深，測深位置又は船位，水位又は潮位を測定し，横断面図データファイルを作成する（第658条）。縦断面図データファイルの作成ではない。

　したがって，**肢5**が間違っている。

正解 ▶ 5

第8章

応用測量

重要度 Ⓐ

2．河川測量（作業内容）

No. 266　次の文は，公共測量における河川測量について述べたものである。明らかに間違っているものはどれか。次の中から選べ。

1．河川測量とは，河川，海岸などの調査及び河川の維持管理などに用いられる測量をいう。
2．距離標設置測量とは，河心線の接線に対して直角方向の両岸の堤防法肩又は法面などに距離標を設置する作業をいう。
3．平地における定期縦断測量は，3級水準測量により行った。
4．定期横断測量において，水際杭を境として陸部と水部に分けて，陸部は横断測量，水部は水準基標測量により行った。
5．深浅測量において，横断面図を作成した。

■■■■ **解　説** ■■■■

　本問は，公共測量における河川測量の作業内容に関する問題である。

1．**正しい。** 河川測量は，河川，海岸等の調査及び河川の維持管理などに用いる測量である（作業規程の準則第647条1項）。
2．**正しい。** 距離標設置測量は，河心線の接線に対して直角方向の両岸の堤防法肩又は法面などに距離標を設置する作業である（第650条）。
3．**正しい。** 定期縦断測量は，平地においては3級水準測量により行い，山地においては4級水準測量により行い，縦断面図データファイルを作成するものとされている（第655条3項，4項）。
4．**間違い。** 定期横断測量は，水際杭を境にして，陸部と水部に分け，陸部については横断測量，水部については深浅測量により行う（第657条2項）。水部は深浅測量により行い，水準基標測量で行わない。
5．**正しい。** 深浅測量は，河川，貯水池，湖沼又は海岸において，水底部の地形を明らかにするため，水深，測深位置又は船位，水位又は潮位を測定し，横断面図データファイルを作成する（第658条）。

　したがって，**肢4**が間違っている。

正解 ▶ 4

2．河川測量（作業内容）

No. 267　　次の文は，公共測量における河川測量について述べたものである。正しいものはどれか。次の中から選べ。

1．距離標設置測量は，定期横断測量における水平位置の基準となる距離標を設置する測量である。距離標は，左右の岸どちらかに設置する。
2．水準基標測量は，定期縦断測量の標高の基準となる水準基標を設置する測量である。水準基標は，水位標から十分離れた場所に設置する。
3．定期縦断測量及び定期横断測量は，河川の形状を断面図として作成する測量である。これらは，直接水準測量で実施しなければならない。
4．深浅測量は，河川，湖沼などの，水底部の地形を明らかにする測量である。水深の測定は，音響測深機やロッド，レッドなどを用いて行う。
5．法線測量は，河川又は海岸において，築造物の新設や改修などを行う場合に，等高・等深線図データファイルを作成する測量である。作成する範囲は，前浜と後浜を含む範囲である。

■■■　解　説　■■■

本問は，河川測量の作業内容に関する問題である。
1．**間違い。** 距離標設置測量は，河心線の接線に対して直角方向の両岸の堤防法肩又は法面等に距離標を設置する作業である（作業規程の準則第650条）。したがって，距離標の設置は，左右の両岸の堤防法肩又は法面に設置する。
2．**間違い。** 水準基標測量は，2級水準測量により行い，水準基標は水位標に近接した位置に設置する（第653条1項，2項）。
3．**間違い。** 定期縦断測量は，平地において3級水準測量により行い，山地においては4級水準測量により行う（第655条3項）。また，定期横断測量は，水際杭を境にして，陸部と水部に分け，陸部については横断測量，水部については深浅測量により行う（第657条2項）。なお，陸部の横断測量における地盤高の測定は，地形，地物等の状況により直接水準測量又は間接水準測量により行う（第638条4項）。
4．**正しい。** 深浅測量において，水深の測定は音響測深機を用いて行う。ただし，水深が浅い場合は，ロッド又はレッドを用い直接測定により行う（第659条1項）。
5．**間違い。** 法線測量は，計画資料にもとづき，河川又は海岸において築造物の新設又は改修等を行う場合に，現地の法線上に杭を設置し，線形図データファイルを作成する作業を行う測量である（第660条）。前浜と後浜を含む範囲の等高・等深線図データファイルを作成する測量は，海浜測量である（第662条）。

したがって，**肢4**が正しく，正解となる。

正解 ▶ 4

2．河川測量（作業内容）

No. 268　　次の文は，公共測量における河川測量について述べたものである。明らかに間違っているものはどれか。次の中から選べ。

1．河川測量とは，河川や海岸などの調査や維持管理のために行う測量である。
2．定期横断測量に使用する距離標を 20km 間隔で水位標の近辺に設置した。
3．定期縦断測量の基準とする水準基標の高さを一等水準点から 2 級水準測量で求めた。
4．深浅測量において，船位を GNSS 測量機を用いて測定した。
5．深浅測量において，水深をロッド（測深棒）を用いて直接測定した。

■■■ **解　説** ■■■

　本問は，河川測量の作業内容に関する問題である。

1．正しい。 河川測量とは，河川，海岸等の調査及び河川の維持管理等に用いる測量である（作業規程の準則第 647 条 1 項）。

2．間違い。 距離標設置間隔は，河川の河口又は幹川への合流点に設けた起点から，河心に沿って 200 ｍが標準である（第 651 条 2 項）。これに対し水準基標は，水位標に近接した位置に設置するものとし，設置間隔は 5 km から 20km までを標準とする（第 653 条 2 項）とされている。本肢は，水準基標の設置に関する説明である。

3．正しい。 定期縦断測量の基準となる水準基標の高さを決定する水準基標測量は，2 級水準測量により行う（第 652 条，第 653 条 1 項），とされている。水準基標は，河川水系の高さの基準を統一するため，河川の両岸の適当な位置に設けられる基準点である（作業規程の準則解説と運用）。

4．正しい。 深浅測量において測深位置又は船位の測定は，ワイヤーロープ，TS 等又は GNSS 測量機のいずれかを用いて行う（作業規程の準則第 659 条 2 項）。

5．正しい。 深浅測量において，水深が浅い場合は，ロッド（測深棒）又はレッド（測深錘）を用い直接測定により行う（第 659 条 1 項）。

　したがって，**肢 2** が間違っている。

正解 ▶　2

2. 河川測量（作業内容）

No. 269　次の文は，公共測量における河川測量について述べたものである。明らかに間違っているものはどれか。次の中から選べ。

1. 距離標は，両岸の堤防の法肩又は法面に設置する。
2. 対応する両岸の距離標を結ぶ直線は，河心線の接線と直交する。
3. 水準基標は，できるだけ水位標の近くに設置する。
4. 定期縦断測量では，水準基標を基準にして，両岸の距離標の標高を測定する。
5. 定期横断測量では，距離標を境にして，陸部は横断測量を，水部は深浅測量を行う。

■ **解　説** ■

本問は，河川測量の作業内容に関する問題である。
1. **正しい。** 距離標設置測量は，河心線の接線に対して直角方向の両岸の堤防法肩又は法面等に距離標を設置する作業である（作業規程の準則第 650 条）。したがって，距離標の設置位置は，両岸の堤防法肩又は法面が標準である。
2. **正しい。** 距離標設置測量は，河心線の接線に対して直角方向の両岸の堤防法肩又は法面等に距離標を設置する作業である（第 650 条）。したがって，距離標を結ぶ直線は，河心線の接線と直交する。
3. **正しい。** 水準基標測量は，2 級水準測量により行い，水準基標は水位標に近接した位置に設置する（第 653 条 1 項，2 項）。
4. **正しい。** 定期縦断測量は，左右両岸の距離標の標高並びに堤防の変化点の地盤及び主要な構造物について，距離標からの距離及び標高を測定する（第 655 条 1 項）。
5. **間違い。** 定期横断測量は，水際杭を境にして，陸部と水部に分け，陸部については横断測量，水部については深浅測量により行う（第 657 条 2 項）。陸部の観測は，左岸，右岸各々の距離標を基準として，地形変化点を中間視し水際杭に結合して行う。また，水部の観測は，左右岸の水際杭を基準として深浅測量を行う（作業規程の準則解説と運用）。

したがって，**肢 5** が間違っている。

正解 ▶ 5

2. 河川測量（距離標設置）

No. 270　次の文は，公共測量における河川測量の距離標設置測量について述べたものである。　ア　〜　エ　に入る語句の組合せとして最も適当なものはどれか。次の中から選べ。

距離標の設置間隔は，河川の河口又は幹川への合流点に設けた起点から，河心に沿って　ア　を標準とする。距離標は，図上で設定した距離標の座標値に基づいて，近傍の　イ　基準点等からトータルステーションによる　ウ　のほか，キネマティック法，RTK法又はネットワーク型RTK法により設置する。ネットワーク型RTK法による観測は，間接観測法又は　エ　を用いる。

	ア	イ	ウ	エ
1.	500 m	3 級	放射法	単点観測法
2.	200 m	2 級	2 級基準点測量	単点観測法
3.	200 m	2 級	2 級基準点測量	単独測位法
4.	200 m	3 級	放射法	単点観測法
5.	500 m	2 級	2 級基準点測量	単独測位法

■■■ 解　説 ■■■

本問は，河川測量の距離標設置測量に関する問題である。

距離標の設置間隔は，河川の河口又は幹川への合流点に設けた起点から，河心に沿って**ア．200m**を標準とする（作業規程の準則第651条2項）。

距離標は，図上で設定した距離標の座標値に基づいて，近傍の**イ．3級**基準点等からトータルステーションによる**ウ．放射法**のほか，キネマティック法，RTK法又はネットワーク型RTK法により設置する（第651条1項，3項2号）。

ネットワーク型RTK法による観測は，間接観測法又は**エ．単点観測法**を用いる（第651条3項2号，第627条4項）。

したがって，**肢4**の組合せが最も適当である。

正解 ▶ 4

3．用地測量（面積計算）

No. 271　図は，境界点 A，B，C，D で囲まれた四角形の土地を表したもので，境界点 A 及び境界点 B は道路①との境界となっている。また，土地を構成する各境界点の平面直角座標系（平成 14 年国土交通省告示第 9 号）に基づく座標値は表のとおりである。

道路①が拡幅されることになり，新たな境界線 PQ が引かれることとなった。直線 AB と直線 PQ が平行であり，拡幅の幅が 2.000m である場合，点 P，Q，C，D で囲まれた四角形の土地の面積は幾らか。最も近いものを次の中から選べ。

なお，関数の値が必要な場合は，巻末の関数表を使用すること。

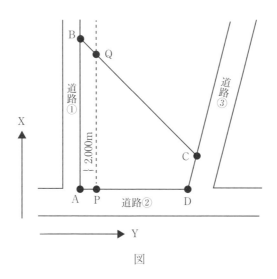

図

表

境界点	X 座標値（m）	Y 座標値（m）
A	− 25.000	− 10.000
B	＋ 5.000	− 10.000
C	− 21.000	＋ 16.000
D	− 25.000	＋ 15.000

1．368㎡

2．382㎡

3．440㎡

4．476㎡

5．502㎡

本問は，土地の面積を求める問題である。

① まず，計算を簡易に行うため，X,Y座標の原点（0m，0m）から，原点を（25m，10m）に移動すると，各点は次の座標値となる。

	A	B	C	D
X	0m	30m	4m	0m
Y	0m	0m	26m	25m

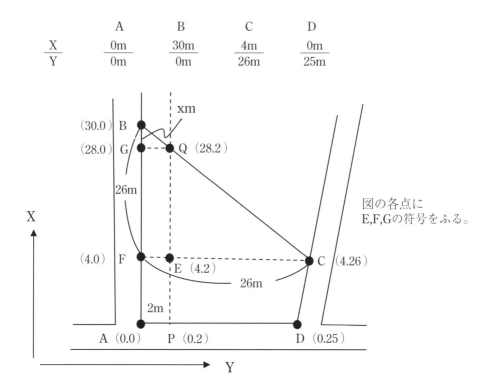

図の各点に
E,F,Gの符号をふる。

② 点Pの座標値を求める。

点PのX座標値は，点Aと同じであるから，X座標値は0m，Y座標値は道路拡幅部分2mを水平移動した位置であるから，2mとなる。

したがって，点Pの座標値は（0m，2m）となる。

③ 次に，点E，点Fの座標値を求める。

点EのX座標値は，点CのX座標値と同じであるから4m，Y座標値は道路拡幅部分2mを水平移動した点であるから，点E（4m，2m）となる。

④ また，点FのX座標値は，点CのX座標値と同じであるから4m，Y座標値は点Aと同じであるから0mとなり，点F（4m，0m）となる。

⑤　点 G の座標値を求める。

図より，△BFC と △BGQ は相似三角形であるから，比例により求める。

BF 間の距離　30m − 4m = 26m

GQ 間の距離は，道路拡幅部分が 2m だから，2m となる。

以上より，次の比例式が成り立つ。

BG 間の距離を xm とすると，

$$BF ：FC = BG ：GQ$$

$$26m：26m = xm ：2m \qquad \therefore x = 2m$$

点 G の X 座標値は，点 B の X 座標値より 2m 下方であるから，28m となる。

また，Y 座標値は，点 A と同じである。

したがって，点 G（28m，0m）となる。

⑥　点 Q の座標値を求める。

点 Q の X 座標値は，点 G と同じであるから，X 座標値は 28m，Y 座標値は道路拡幅部分 2m を水平移動した位置であるから，2m となる。

したがって，点 Q（28m，2m）となる。

⑦　座標法による面積計算により，境界点 A，B，C で囲まれた土地の面積を求める。

座標法による面積 = $\Sigma \{X_n(Y_{n+1} - Y_{n-1})\} / 2$ で計算する。

なお，Y_{n+1} は，Y_n の 1 つ次の点の値であり，Y_{n-1} は Y_n の 1 つ前の点の値である（作業規程の準則解説と運用）。

	P	Q	C	D
X	0m	28m	4m	0m
Y	2m	2m	26m	25m

$X_n \quad (Y_{n+1} - Y_{n-1})$

$$0m \times (2m - 25m) = \quad 0㎡$$
$$28m \times (26m - 2m) = 672㎡$$
$$4m \times (25m - 2m) = \quad 92㎡$$
$$\underline{0m \times (2m - 26m) = \quad 0㎡}$$
$$倍面積 = 764㎡$$
$$面積 = \mathbf{382㎡}$$

したがって，**肢 2** が最も近い。

正解 ▶ 2

3．用地測量（面積計算）

No. 272　地点 A，B，C で囲まれた三角形 ABC の土地の面積を算出するため，公共測量で設置された 4 級基準点から，トータルステーションを使用して測量を実施した。4 級基準点から三角形の頂点にあたる地点 A，B，C を観測した結果は表のとおりである。この土地の面積は幾らか。最も近いものを次の中から選べ。

なお，関数の値が必要な場合は，巻末の関数表を使用すること。

表

地点	方向角	平面距離
A	45° 00′ 00″	50.000m
B	90° 00′ 00″	20.000m
C	330° 00′ 00″	50.000m

1．　945㎡
2．1,006㎡
3．1,067㎡
4．1,128㎡
5．1,189㎡

■■■　解　説　■■■

本問は，土地の面積を求める問題である。

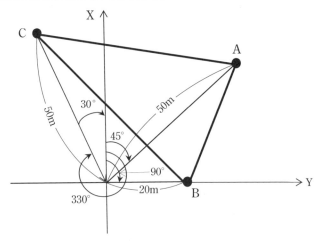

① 4級基準点を原点として，各点の座標値を計算すると，

$A_x = 50m \times \cos45° = 50m \times 0.70711 = 35.3555m \fallingdotseq 35.36m$

$A_y = 50m \times \sin45° = 50m \times 0.70711 = 35.3555m \fallingdotseq 35.36m$

$B_x = 20m \times \cos90° = 20m \times 0.00000 = 0m$

$B_y = 20m \times \sin90° = 20m \times 1 = 20m$

$C_x = 50m \times \cos330° = 50m \times \cos(360° - 330°)$

$\quad = 50m \times \cos30° = 50m \times 0.86603 = 43.3015m \fallingdotseq 43.30m$

$C_y = 50m \times \sin330° = 50m \times -\sin(360° - 330°)$

$\quad = 50m \times -\sin30° = 50m \times (-0.5) = -25m$

② 座標法による面積計算により，境界線 A，B，C で囲まれた土地の面積を求める。座標法による面積 $= \Sigma |Xn(Yn_{+1} - (Yn_{-1})| /2$ で計算する。

なお，Yn_{+1} は Yn の 1 つ次の点の値であり，Yn_{-1} は Yn の 1 つ前の点の値である（作業規程の準則解説と運用）。

	A	B	C
X	35.36m	0m	43.30m
Y	35.36m	20m	−25m

$Xn(Yn_{+1} - Yn_{-1})$

$\quad 35.36m(20m - (-25)m) = 1591.200\text{m}^2$

$\quad\quad\quad 0m(-25m - 35.36m) = 0\text{m}^2$

$\quad 43.30m(35.36m - 20m) = 665.088\text{m}^2$

$\quad\quad\quad\quad\quad\quad\quad 2A = 2256.288\text{m}^2$

$\quad\quad\quad\quad\quad\quad\quad\quad A = \mathbf{1128.144\text{m}^2}$

したがって，**肢4** が最も近い。

正解 ▶ 4

3．用地測量（面積計算）

No. 273　表は，公共測量により設置された 4 級基準点から図のように三角形の頂点に当たる地点 A，B，C をトータルステーションにより測量した結果を示している。地点 A，B，C で囲まれた三角形の土地の面積は幾らか。最も近いものを次の中から選べ。

なお，関数の値が必要な場合は，巻末の関数表を使用すること。

表

地点	方向角	平面距離
A	75° 00′ 00″	48.000m
B	105° 00′ 00″	32.000m
C	105° 00′ 00″	23.000m

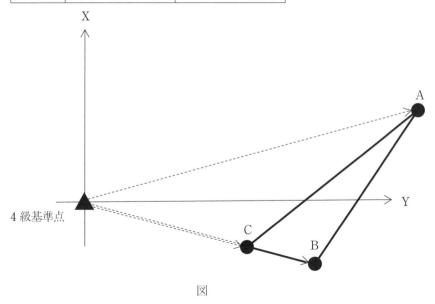

図

1．　55.904㎡
2．108.000㎡
3．138.440㎡
4．187.061㎡
5．200.000㎡

■ 解 説 ■

本問は，土地の面積を求める問題である。

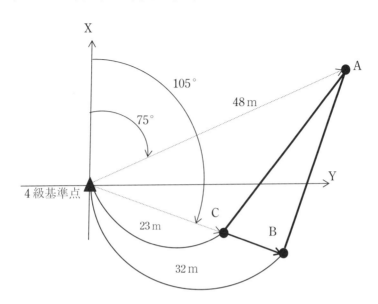

① 4級基準点を原点として，各点の座標値を計算すると，

$A_x = 48\text{m} \times \cos75° = 48\text{m} \times 0.25882 = 12.42336 \fallingdotseq 12.42\text{m}$

$B_x = 32\text{m} \times \cos105° = 32\text{m} \times - \cos(180° - 105°)$
$= 32\text{m} \times - \cos75° = 32\text{m} \times - 0.25882 = - 8.28224 \fallingdotseq - 8.28\text{m}$

$C_x = 23\text{m} \times \cos105° = 23\text{m} \times - \cos(180° - 105°)$
$= 23\text{m} \times - \cos75° = 23\text{m} \times - 0.25882 = - 5.95286 \fallingdotseq - 5.95\text{m}$

② $A_y = 48\text{m} \times \sin75° = 48\text{m} \times 0.96593 = 46.36464 \fallingdotseq 46.36\text{m}$

$B_y = 32\text{m} \times \sin105° = 32\text{m} \times \sin(180° - 105°)$
$= 32\text{m} \times \sin75° = 32\text{m} \times 0.96593 = 30.90976 \fallingdotseq 30.91\text{m}$

$C_y = 23\text{m} \times \sin105° = 23\text{m} \times \sin(180° - 105°)$
$= 23\text{m} \times \sin75° = 23\text{m} \times 0.96593 = 22.21639 \fallingdotseq 22.22\text{m}$

なお，$\sin75°$，$\cos75°$ の値は，巻末の関数表による。

③　座標法による面積計算により，境界線 A，B，C で囲まれた土地の面積を求める。座標法による面積＝Σ｜X n（Yn+1 −（Yn-1）｜／2 で計算する。
なお，Yn+1 は Yn の 1 つ前の点の値である。

	A	B	C
x	12.42m	− 8.28m	− 5.95m
y	46.36m	30.91m	22.22m

$X_n (Y_{n+1} - Y_{n-1})$

12.42m（30.91m − 22.22m）≒ 107.930㎡
− 8.28m（22.22m − 46.36m）≒ 199.879㎡
− 5.95m（46.36m − 30.91m）≒ − 91.928㎡

倍面積　＝ 215.881㎡
面積　≒ **107.941㎡**

したがって，**肢2**が最も近い。

正解 ▶ 2

3．用地測量（面積計算）

No. 274　点A，B，C，Dで囲まれた土地に杭を設置することとなった。各点の座標値は表のとおりである。点Cの座標を $X = 26.50$m，$Y = 26.40$m と誤って杭を設置した場合，杭に囲まれた面積は正しい値に比べてどれだけの較差を生じるか。最も近いものを次の中から選べ。

なお，関数の値が必要な場合は，巻末の関数表を使用すること。

表

点	X 座標 （m）	Y 座標 （m）
A	＋ 40.00	＋ 40.00
B	＋ 35.50	＋ 30.20
C	＋ 26.40	＋ 26.50
D	＋ 17.90	＋ 38.20

1．0.41㎡
2．0.48㎡
3．0.82㎡
4．0.96㎡
5．1.92㎡

■■■ **解　説** ■■■

本問は，正しい値の杭に囲まれた面積と，座標値を誤って杭を設置した場合の面積の較差を求める問題である。

① まず，座標法による面積計算により，正しい値の境界点A，B，C，Dで囲まれた土地の面積を求める。座標法による面積 $= \Sigma \{X_n(Y_{n+1} - Y_{n-1})\} / 2$ で計算する。なお，Y_{n+1} は Y_n の1つ次の点の値であり，Y_{n-1} は Y_n の1つ前の点の値である（作業規程の準則解説と運用）。

	A	B	C	D
X	＋40.00m	＋35.50m	＋26.40m	＋17.90m
Y	＋40.00m	＋30.20m	＋26.50m	＋38.20m

X_n $(Y_{n+1} - Y_{n-1})$

$$40m \times (30.2m - 38.2m) = -320.00 \text{ ㎡}$$
$$35.5m \times (26.5m - 40m) = -479.25 \text{ ㎡}$$
$$26.4m \times (38.2m - 30.2m) = 211.20 \text{ ㎡}$$
$$\underline{17.9m \times (40m - 26.5m) = 241.65 \text{ ㎡}}$$

$$倍面積 = -346.40 \text{ ㎡}$$
$$面積 = 173.20 \text{ ㎡} \cdots\cdots①'$$

② 次に，点Ｃの座標値を誤って杭を設置した場合の面積を，座標法による面積計算で求める。

	A	B	C	D
X	+40.00m	+35.50m	+26.50m	+17.90m
Y	+40.00m	+30.20m	+26.40m	+38.20m

X_n $(Y_{n+1} - Y_{n-1})$

$$40m \times (30.2m - 38.2m) = -320.00 \text{ ㎡}$$
$$35.5m \times (26.4m - 40m) = -482.80 \text{ ㎡}$$
$$26.5m \times (38.2m - 30.2m) = 212.00 \text{ ㎡}$$
$$\underline{17.9m \times (40m - 26.4m) = 243.44 \text{ ㎡}}$$

$$倍面積 = -347.36 \text{ ㎡}$$
$$面積 = 173.68 \text{ ㎡} \cdots\cdots②'$$

③ ①'と②'の較差を求める。

$$②' - ①' = 173.68㎡ - 173.20㎡$$
$$= \mathbf{0.48㎡}$$

したがって，**肢2**が最も近い。

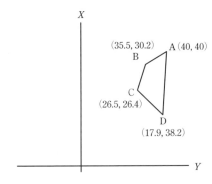

正解 ▶ 2

3．用地測量（面積計算）

No. 275　　地点Ａ，Ｂ，Ｃで囲まれた三角形の土地の面積を算出するため，公共
測量で設置された４級基準点から，トータルステーションを使用して測量を実施した。
表は，４級基準点から三角形の頂点に当たる地点Ａ，Ｂ，Ｃを測定した結果を示して
いる。この土地の面積に最も近いものはどれか。次の中から選べ。

なお，関数の値が必要な場合は，巻末の関数表を使用すること。

表

地点	方向角	平面距離
A	30° 00′ 00″	30.000 m
B	90° 00′ 00″	12.000 m
C	300° 00′ 00″	20.000 m

1．324 ㎡
2．348 ㎡
3．372 ㎡
4．396 ㎡
5．420 ㎡

■■■ 解　説 ■■■

本問は，土地の面積を求める計算問題である。

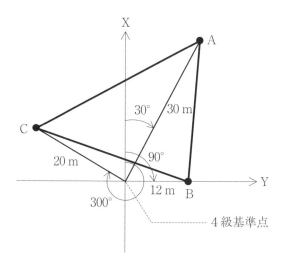

① 4級基準点を原点として，各点の座標値を計算すると，

$A_x = 30\,\text{m} \times \cos 30° = 30\,\text{m} \times 0.86603 = 25.9809\,\text{m}$

$B_x = 12\,\text{m} \times \cos 90° = 12\,\text{m} \times 0.00000 = 0\,\text{m}$

$C_x = 20\,\text{m} \times \cos 300° = 20\,\text{m} \times \cos(360° - 300°)$

$\quad = 20\,\text{m} \times (\cos 60°)$

$\quad = 20\,\text{m} \times (0.50000)$

$\quad = 10\,\text{m}$

$A_y = 30\,\text{m} \times \sin 30° = 30\,\text{m} \times 0.50000 = 15\,\text{m}$

$B_y = 12\,\text{m} \times \sin 90° = 12\,\text{m} \times 1.00000 = 12\,\text{m}$

$C_y = 20\,\text{m} \times \sin 300° = 20\,\text{m} \times -\sin(360° - 300°)$

$\quad = 20\,\text{m} \times (-\sin 60°)$

$\quad = 20\,\text{m} \times (-0.86603)$

$\quad = -17.3206\,\text{m}$

巻末の関数表より，$\cos 30° = 0.86603$，$\sin 30° = 0.50000$，$\cos 90° = 0.00000$，$\sin 90° = 1.00000$，$\cos 60° = 0.50000$，$\sin 60° = 0.86603$

② 座標法による面積計算により，境界点 A，B，C で囲まれた土地の面積を求める。座標法による面積 $= \sum \{X_n(Y_{n+1} - Y_{n-1})\}/2$ で計算する。なお，Y_{n+1} は Y_n の 1 つ次の点の値であり，Y_{n-1} は Y_n の 1 つ前の点の値である（作業規程の準則解説と運用）。

	A	B	C
X	25.9809 m	0 m	10 m
Y	15 m	12 m	−17.3206 m

$X_n(Y_{n+1} - Y_{n-1})$

$25.9809\,\text{m} \times \{12\,\text{m} - (-17.3206\,\text{m})\} \fallingdotseq 761.7755\,\text{m}^2$

$0\,\text{m} \times (-17.3206\,\text{m} - 15\,\text{m}) = 0\,\text{m}^2$

$10\,\text{m} \times (15\,\text{m} - 12\,\text{m}) = 30\,\text{m}^2$

倍面積 $= 791.7755\,\text{m}^2$

面積 $= 395.88775\,\text{m}^2$

$\fallingdotseq$ **396㎡**

したがって，**肢4** が最も近い。

正解 ▶ 4

3．用地測量（面積計算）

No. 276 　境界点Ａ，Ｂ，Ｃ，Ｄを結ぶ直線で囲まれた四角形の土地の測量を行い，表に示す平面直角座標系の座標値を得た。この土地の面積は幾らか。次の中から選べ。

なお，関数の数値が必要な場合は，巻末の関数表を使用すること。

表

境界点	X 座標（m）	Y 座標（m）
A	− 15.000	− 15.000
B	+ 35.000	+ 15.000
C	+ 52.000	+ 40.000
D	− 8.000	+ 20.000

1．1,250 m^2
2．1,350 m^2
3．2,500 m^2
4．2,700 m^2
5．2,750 m^2

本問は，平面直角座標値から，土地の面積を求める問題である。

座標法による面積計算により，境界点A，B，C，Dで囲まれた土地の面積を求める。

座標法による面積 $= \sum \{ X_n (Y_{n+1} - Y_{n-1}) \}/2$ で計算する。なお，Y_{n+1} は Y_n の1つ次の点の値であり，Y_{n-1} は Y_n の1つ前の点の値である（作業規程の準則解説と運用）。

	A	B	C	D
X	$-15\,\mathrm{m}$	$+35\,\mathrm{m}$	$+52\,\mathrm{m}$	$-8\,\mathrm{m}$
Y	$-15\,\mathrm{m}$	$+15\,\mathrm{m}$	$+40\,\mathrm{m}$	$+20\,\mathrm{m}$

$X_n (Y_{n+1} - Y_{n-1})$

$$-15\,\mathrm{m} \times (15\,\mathrm{m} - 20\,\mathrm{m}) = 75\,\mathrm{m}^2$$
$$35\,\mathrm{m} \times \{40\,\mathrm{m} - (-15\,\mathrm{m})\} = 1{,}925\,\mathrm{m}^2$$
$$52\,\mathrm{m} \times (20\,\mathrm{m} - 15\,\mathrm{m}) = 260\,\mathrm{m}^2$$
$$-8\,\mathrm{m} \times (-15\,\mathrm{m} - 40\,\mathrm{m}) = 440\,\mathrm{m}^2$$

$$\text{倍面積} = 2{,}700\,\mathrm{m}^2$$
$$\text{面積} = \mathbf{1{,}350\,\mathrm{m}^2}$$

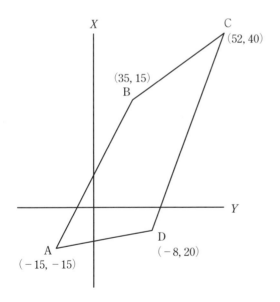

したがって，**肢2** が正しい。

正解 ▶ 2

重要度

3．用地測量（面積計算：境界点座標値）

チェック ▢▢▢▢▢

No. 277　　　図は，境界点 A，B，C，D の 4 点で固まれた四角形の土地を表したもので，各境界点の平面直角座標系（平成 14 年国土交通省告示第 9 号）における座標値は表に示すとおりである。

この度，計画道路の建設に伴い四角形の土地 ABCD を長方形の土地 AEFD に整えることとなった。長方形 AEFD の面積を四角形 ABCD の面積の 70% とするとき，点 F の X 座標値は幾らか。最も近いものを次の 1 〜 5 の中から選べ。

なお，関数の値が必要な場合は，巻末の関数表を使用すること。

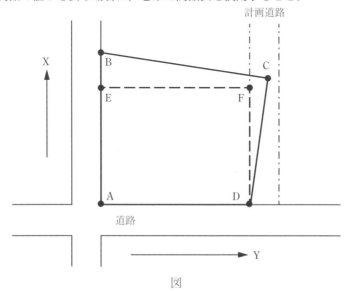

図

表

境界点	X 産標値（m）	Y 座標値（m）
A	− 22.260	+ 6.000
B	+ 24.740	+ 6.000
C	+ 16.740	+ 76.000
D	− 22.260	+ 70.000

1．　+ 7.840 m
2．　+ 9.382 m
3．　+ 10.640 m
4．　+ 13.740 m
5．　+ 22.943 m

　本問は，四角形の不整形の土地を，面積割70％の長方形の土地に整正し，その長方形の座標値を求める計算問題である。

① 初めに，長方形 AEFD の面積の面積を求める。

　長方形 AEFD の面積は土地 ABCD の面積の70％にするのであるから，まず土地 ABCD の面積を求める。

　計算を簡単に行うため，X，Y座標の原点（0 m, 0 m）を（− 0.740 m, − 6.000 m）に平行移動すると，各点の座標値は次のようになる（※図形を平行移動しても合同な図形になるので面積も当然変わらないことを利用している）。

	A	B	C	D
X	− 23 m	24 m	16 m	− 23 m
Y	0 m	0 m	70 m	64 m

　上記座標値を用いて座標法による面積計算を行う。

　面積 $= \Sigma |Xn (Yn + 1\text{-}Yn − 1)| / 2$ で計算する。

　なお，Yn + 1 は Yn の1つ次の点の値であり，Yn − 1 は Yn の1つ前の点の値である（作業規程の準則解説と運用）。

$$X_n (Y_{n+1} - Y_{n-1})$$
$$-23\,\text{m} \times (0\,\text{m} - 64\,\text{m}) = 1{,}472\,\text{m}^2$$
$$24\,\text{m} \times (70\,\text{m} - 0\,\text{m}) = 1{,}680\,\text{m}^2$$
$$16\,\text{m} \times (64\,\text{m} - 0\,\text{m}) = 1{,}024\,\text{m}^2$$
$$-23\,\text{m} \times (0\,\text{m} - 70\,\text{m}) = 1{,}610\,\text{m}^2$$

　　　　　　　　倍面積 $= 5{,}786\,\text{m}^2$
　　　　　　　　面積 $= 2{,}893\,\text{m}^2$

よって，土地 ABCD の面積は，2,893 m² である。

したがって，長方形 AEFD の面積は，
　　2,893 m² × 0.7 = 2,025.1 m²

② 次に，土地 ABCD を同じ面積の長方形 AEFD に整正するという条件を使うことを考える。点 A，点 D がともに既知点であることから，辺 AD の距離は容易に求まる。

　また，AEFD は長方形であるから，点 D と点 F の Y 座標は同じである。

　そこで，上記で求めた長方形 AEFD の面積を辺 AD の距離で割ることにより，長方形 AEDF の縦の長さ AE = DF の長さが求まるから，その値をもとに既知点 D からの距離で点 F の X 座標が見えてくるだろうということを予測して作業を行う。

	A	D
X	-23 m	-23 m
Y	0 m	64 m

であるから，辺 AD = 64m － 0 m

 = 64m

長方形 AEFD の面積を辺 AD の距離 64m で割ると，

 2,025.1㎡ ÷ 64m = 31.642…m

よって，点 F の X 座標値は，点 D の X 座標値にプラス 31.642m…した値であることがわかる。

点 D の X 座標値は － 22.260m であるから（※計算の便宜のために最初に平行移動した座標値はあくまでも仮のものであることに注意！正確な座標値を出すには表のもとの座標値をしっかりチェックしなければならない），点 F の X 座標値は，

 － 22.260 ＋ 31.642… ＝＋ 9.382（m）

したがって，**肢2**が最も近い。

3. 用地測量（面積計算：境界点座標値）

No. 278　図は，境界点 A，B，C，D の順に直線で結んだ土地を表したもので，土地を構成する各境界点の平面直角座標系（平成 14 年国土交通省告示第 9 号）に基づく座標値は表のとおりである。

　公共測量によって，土地 ABCD の面積の 90％となる長方形 AEFD に整えたい。このとき境界点 F の X 座標値は幾らか。最も近いものを次の中から選べ。

　なお，関数の値が必要な場合は，巻末の関数表を使用すること。

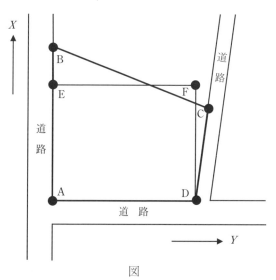

図

表

境界点	X 座標（m）	Y 座標（m）
A	− 20.630	− 17.800
B	+ 79.370	− 17.800
C	+ 39.370	+ 86.200
D	− 20.630	+ 78.200

1. ＋ 49.430m
2. ＋ 53.870m
3. ＋ 55.120m
4. ＋ 58.630m
5. ＋ 75.750m

　本問は，四角形の不整形の土地を面積割合90%の長方形の土地に整正し，その座標値を求める問題である。

① 座標法による面積計算により，境界点A，B，C，Dで囲まれた土地の面積を求める。座標法による面積＝$\Sigma \{X_n(Y_{n+1}-Y_{n-1})\}/2$で計算する。なお，$Y_{n+1}$は，$Y_n$の１つ次の点の値であり，$Y_{n-1}$は$Y_n$の１つ前の点の値である（作業規程の準則解説と運用）。

　　計算を簡易に行うため，X，Y座標の原点（0m，0m）から，原点を（－0.370m，－0.200m）に移動すると次の座標値となる。

	A	B	C	D
X	－21m	＋79m	＋39m	－21m
Y	－18m	－18m	＋86m	＋78m

$X_n(Y_{n+1}-Y_{n-1})$

$$-21m \times (-18m-78m) = 2{,}016㎡$$
$$79m \times (86m-(-18)m) = 8{,}216㎡$$
$$39m \times (78m-(-18)m) = 3{,}744㎡$$
$$-21m \times (-18m-86m) = 2{,}184㎡$$

倍面積＝　16,160㎡

面積＝　8,080㎡

　　土地ABCDの面積は，8,080㎡である。

② 長方形AEFDの面積は，四角形ABCDの面積で90%であることから
長方形AEFDの面積＝8,080㎡×0.9＝7,272㎡　である。

③ 長方形AEFDの境界点A～D間の距離は，点A，DのY座標値より，
78.2m－（－17.8m）＝96m である

④ 長方形AEFDの面積を境界点A～D間の距離96mで割ると，
7,272㎡÷96＝75.75m が，境界点A～E間及びD～F間の距離となる。

⑤ 境界点FのX座標値は，境界点DのX座標値－20.630m から，75.75mの距離を置いた点に位置するから，－20.630m＋75.75m＝**＋55.120m** が，境界点FのX座標値となる。

したがって，**肢3**が最も近い。

正解 ▶ 3

No. 279　　図のように道路と隣接した土地に新たに境界を引き，土地 ABCDE を同じ面積の長方形 ABGF に整正したい。近傍の基準点に基づき，境界点 A，B，C，D，E を測定して平面直角座標系（平成 14 年国土交通省告示第 9 号）に基づく座標値を求めたところ，表に示す結果を得た。境界点 G の Y 座標値は幾らか。最も近いものを次の中から選べ。

なお，関数の値が必要な場合は，巻末の関数表を使用すること。

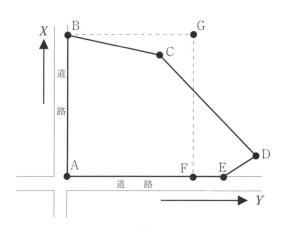

図

表

点	X 座標（m）	Y 座標（m）
A	− 5.380	− 24.220
B	+ 34.620	− 24.220
C	+ 28.620	+ 1.780
D	+ 0.620	+ 31.780
E	− 5.380	+ 21.780

1．＋ 14.080 m
2．＋ 14.920 m
3．＋ 32.080 m
4．＋ 38.300 m
5．＋ 62.520 m

本問は，五角形の土地を長方形に整正する計算問題である。

① まず，土地 ABCDE の面積を求める。

　計算を簡単に行うため，X,Y 座標の原点（0m,0m）から，原点を（−0.620 m，−0.780 m）に移動すると，次の座標値となる。

	A	B	C	D	E
X	− 6 m	+ 34 m	+ 28 m	0 m	− 6 m
Y	− 25 m	− 25 m	+ 1 m	+ 31 m	+ 21 m

座標法による面積 ＝ Σ $\{X_n (Y_{n+1} - Y_{n-1})\}$ /2 で計算する。なお，Y_{n+1} は Y_n の1つ次の点の値であり，Y_{n-1} は Y_n の1つ前の点の値である（作業規程の準則解説と運用）。

$$X_n (Y_{n+1} - Y_{n-1})$$
$$- 6\,\text{m}\,|-25\,\text{m} - (+21\,\text{m})| = 276\,\text{m}^2$$
$$+34\,\text{m}\,|+1\,\text{m} - (-25\,\text{m})| = 884\,\text{m}^2$$
$$+28\,\text{m}\,|+31\,\text{m} - (-25\,\text{m})| = 1{,}568\,\text{m}^2$$
$$0\,\text{m}\,|+21\,\text{m} - (+1\,\text{m})| = 0\,\text{m}^2$$
$$- 6\,\text{m}\,|-25\,\text{m} - (+31\,\text{m})| = 336\,\text{m}^2$$

$$\overline{}$$

　　　　　　　　　　倍面積 2A = 3,064 m²

　　　　　　　　　　　　　A = 1,532 m²

土地 ABCDE の面積は，1,532 m² である。

② 土地 ABCDE を同じ面積の長方形 ABGF に整正するのであるから，境界点 A 〜 B 間の距離は，各 X 座標値より，

　+34.620 m −（−5.380 m）= 40 m

土地 ABCDE の面積を，A 〜 B 間の距離 40 m で割ると，

　1,532 m² ÷ 40 m = 38.3 m　が境界点 B 〜 G 間の距離となる。

③ 境界点 G の Y 座標値は，境界点 B の Y 座標値 −24.220 m から，38.3 m の距離を置いた点に位置するから，

　−24.220 m + 38.3 m = 14.08 m

G の Y 座標値は + **14.08 m** となる。

したがって，**肢 1** が最も近い。

第8章

応用測量

正解 ▶ 1

3．用地測量（面積計算：境界点座標値）

No. 280　　図は，境界点 A，B，C，D の順に直線で結んだ土地を表したものであり，土地を構成する各境界点の平面直角座標系における座標値は表のとおりである。

　長方形 AEFD の面積が土地 ABCD の面積の 60％であるとき，点 F の X 座標値は幾らか。最も近いものを次の中から選べ。

　なお，関数の値が必要な場合は，巻末の関数表を使用すること。

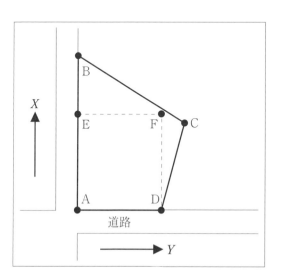

表

境界点	X(m)	Y(m)
A	+ 10.00	+ 10.00
B	+ 80.00	+ 10.00
C	+ 50.00	+ 60.00
D	+ 10.00	+ 45.00

図

1．　+ 50.00 m
2．　+ 52.00 m
3．　+ 54.00 m
4．　+ 56.00 m
5．　+ 58.00 m

本問は，四角形の不整形の土地を，面積割合 60％の長方形の土地に整正し，その座標値を求める計算問題である。

① 座標法による面積計算により，境界点 A，B，C，D で囲まれた土地の面積を求める。座標法による面積 $= \Sigma\{X_n(Y_{n+1} - Y_{n-1})\}/2$ で計算する。なお，Y_{n+1} は Y_n の 1 つ次の点の値であり，Y_{n-1} は Y_n の 1 つ前の点の値である（作業規程の準則解説と運用）。

	A	B	C	D
X	＋10 m	＋80 m	＋50 m	＋10 m
Y	＋10 m	＋10 m	＋60 m	＋45 m

$X_n (Y_{n+1} - Y_{n-1})$

10 m×(10 m − 45 m) = − 350 ㎡

80 m×(60 m − 10 m) = 4,000 ㎡

50 m×(45 m − 10 m) = 1,750 ㎡

10 m×(10 m − 60 m) = − 500㎡

倍面積 = 4,900 ㎡

面積 = 2,450 ㎡

土地 ABCD の面積は，2,450 ㎡ である。

② 長方形 AEFD の面積は，土地 ABCD の面積の 60％ であることから，

長方形 AEFD の面積 = 2,450㎡ × 0.6 = 1,470 ㎡　である。

③ 長方形 AEFD の境界点 A〜D 間の距離は，点 A，D の Y 座標値より，

45 m − 10 m = 35 m である。

④ 長方形 AEFD の面積を境界点 A〜D 間の距離 35 m で割ると，

1,470 ㎡ ÷ 35 m = 42 m が，境界点 A〜E 間及び D 〜 F 間の距離となる。

⑤ 境界点 F の X 座標値は，境界点 D の X 座標値である ＋10.00 m から，42 m の距離を置いた点に位置するから，＋10.00 m ＋ 42 m = **＋52.00m** が，境界点 F の X 座標値となる。

したがって，**肢 2** が最も近い。

正解 ▶ 2

関　数　表

平　方　根

	√		√
1	1.00000	51	7.14143
2	1.41421	52	7.21110
3	1.73205	53	7.28011
4	2.00000	54	7.34847
5	2.23607	55	7.41620
6	2.44949	56	7.48331
7	2.64575	57	7.54983
8	2.82843	58	7.61577
9	3.00000	59	7.68115
10	3.16228	60	7.74597
11	3.31662	61	7.81025
12	3.46410	62	7.87401
13	3.60555	63	7.93725
14	3.74166	64	8.00000
15	3.87298	65	8.06226
16	4.00000	66	8.12404
17	4.12311	67	8.18535
18	4.24264	68	8.24621
19	4.35890	69	8.30662
20	4.47214	70	8.36660
21	4.58258	71	8.42615
22	4.69042	72	8.48528
23	4.79583	73	8.54400
24	4.89898	74	8.60233
25	5.00000	75	8.66025
26	5.09902	76	8.71780
27	5.19615	77	8.77496
28	5.29150	78	8.83176
29	5.38516	79	8.88819
30	5.47723	80	8.94427
31	5.56776	81	9.00000
32	5.65685	82	9.05539
33	5.74456	83	9.11043
34	5.83095	84	9.16515
35	5.91608	85	9.21954
36	6.00000	86	9.27362
37	6.08276	87	9.32738
38	6.16441	88	9.38083
39	6.24500	89	9.43398
40	6.32456	90	9.48683
41	6.40312	91	9.53939
42	6.48074	92	9.59166
43	6.55744	93	9.64365
44	6.63325	94	9.69536
45	6.70820	95	9.74679
46	6.78233	96	9.79796
47	6.85565	97	9.84886
48	6.92820	98	9.89949
49	7.00000	99	9.94987
50	7.07107	100	10.00000

三 角 関 数

度	sin	cos	tan	度	sin	cos	tan
0	0.00000	1.00000	0.00000				
1	0.01745	0.99985	0.01746	46	0.71934	0.69466	1.03553
2	0.03490	0.99939	0.03492	47	0.73135	0.68200	1.07237
3	0.05234	0.99863	0.05241	48	0.74314	0.66913	1.11061
4	0.06976	0.99756	0.06993	49	0.75471	0.65606	1.15037
5	0.08716	0.99619	0.08749	50	0.76604	0.64279	1.19175
6	0.10453	0.99452	0.10510	51	0.77715	0.62932	1.23490
7	0.12187	0.99255	0.12278	52	0.78801	0.61566	1.27994
8	0.13917	0.99027	0.14054	53	0.79864	0.60182	1.32704
9	0.15643	0.98769	0.15838	54	0.80902	0.58779	1.37638
10	0.17365	0.98481	0.17633	55	0.81915	0.57358	1.42815
11	0.19081	0.98163	0.19438	56	0.82904	0.55919	1.48256
12	0.20791	0.97815	0.21256	57	0.83867	0.54464	1.53986
13	0.22495	0.97437	0.23087	58	0.84805	0.52992	1.60033
14	0.24192	0.97030	0.24933	59	0.85717	0.51504	1.66428
15	0.25882	0.96593	0.26795	60	0.86603	0.50000	1.73205
16	0.27564	0.96126	0.28675	61	0.87462	0.48481	1.80405
17	0.29237	0.95630	0.30573	62	0.88295	0.46947	1.88073
18	0.30902	0.95106	0.32492	63	0.89101	0.45399	1.96261
19	0.32557	0.94552	0.34433	64	0.89879	0.43837	2.05030
20	0.34202	0.93969	0.36397	65	0.90631	0.42262	2.14451
21	0.35837	0.93358	0.38386	66	0.91355	0.40674	2.24604
22	0.37461	0.92718	0.40403	67	0.92050	0.39073	2.35585
23	0.39073	0.92050	0.42447	68	0.92718	0.37461	2.47509
24	0.40674	0.91355	0.44523	69	0.93358	0.35837	2.60509
25	0.42262	0.90631	0.46631	70	0.93969	0.34202	2.74748
26	0.43837	0.89879	0.48773	71	0.94552	0.32557	2.90421
27	0.45399	0.89101	0.50953	72	0.95106	0.30902	3.07768
28	0.46947	0.88295	0.53171	73	0.95630	0.29237	3.27085
29	0.48481	0.87462	0.55431	74	0.96126	0.27564	3.48741
30	0.50000	0.86603	0.57735	75	0.96593	0.25882	3.73205
31	0.51504	0.85717	0.60086	76	0.97030	0.24192	4.01078
32	0.52992	0.84805	0.62487	77	0.97437	0.22495	4.33148
33	0.54464	0.83867	0.64941	78	0.97815	0.20791	4.70463
34	0.55919	0.82904	0.67451	79	0.98163	0.19081	5.14455
35	0.57358	0.81915	0.70021	80	0.98481	0.17365	5.67128
36	0.58779	0.80902	0.72654	81	0.98769	0.15643	6.31375
37	0.60182	0.79864	0.75355	82	0.99027	0.13917	7.11537
38	0.61566	0.78801	0.78129	83	0.99255	0.12187	8.14435
39	0.62932	0.77715	0.80978	84	0.99452	0.10453	9.51436
40	0.64279	0.76604	0.83910	85	0.99619	0.08716	11.43005
41	0.65606	0.75471	0.86929	86	0.99756	0.06976	14.30067
42	0.66913	0.74314	0.90040	87	0.99863	0.05234	19.08114
43	0.68200	0.73135	0.93252	88	0.99939	0.03490	28.63625
44	0.69466	0.71934	0.96569	89	0.99985	0.01745	57.28996
45	0.70711	0.70711	1.00000	90	1.00000	0.00000	＊＊＊＊＊

問題文中に数値が明記されている場合は，その値を使用すること。

【正誤等に関するお問合せについて】

　本書の記載内容に万一，誤り等が疑われる箇所がございましたら，**郵送・FAX・メール等の書面**にて以下の連絡先までお問合せください。その際には，お問合せされる方のお名前・連絡先等を必ず明記してください。また，お問合せの受付け後，回答には時間を要しますので，あらかじめご了承いただきますよう，お願い申し上げます。

　なお，正誤等に関するお問合せ以外のご質問，受験指導および相談等はお受けできません。そのようなお問合せにはご回答いたしかねますので，あらかじめご了承ください。

お電話によるお問合せは，お受けできません。

【郵送先】〒171-0014　東京都豊島区池袋2-38-1　日建学院ビル3階
　　　　　建築資料研究社　出版部
　　　　　「令和7年度版 日建学院 測量士補過去問280」正誤問合せ係
[FAX]
　03-3987-3256
[メールアドレス]
　seigo@mx1.ksknet.co.jp

【本書の法改正・正誤等について】

　本書の記載内容について発生しました法改正・正誤情報等は，下記ホームページ内でご覧いただけます。

　なおホームページへの掲載は，対象試験終了時ないし，本書の改訂版が発行されるまでとなりますので，あらかじめご了承ください。

https://www.kskpub.com ➡ 訂正・追録

＊装　丁／齋藤　知恵子
＊イラスト／重松　延寿

令和7年度版　日建学院　測量士補過去問280

2024年9月25日　初版発行

編　著　日建学院
発行人　馬場　栄一
発行所　株式会社建築資料研究社
　　　　〒171-0014　東京都豊島区池袋2-38-1
　　　　　　　　　　日建学院ビル 3階
　　　　TEL：03-3986-3239
　　　　FAX：03-3987-3256
印刷所　株式会社ワコー